V. 2

P

"La nuit s'achève"...

Dépôt légal:
Bibliothèque nationale du Canada,
Bibliothèque nationale du Québec.

ISBN :2-922512-20-7

Julie Nadeau

La nuit s'achève...

histoire-vécue.

Éditions du Pur-Soi,
9-5257, Frontenac,
Lac-Mégantic.
G6B-1H2.

"Résumé du premier tome,
En attendant que le soleil se lève...

— Née dans une famille où la violence faisait partie de mon pain quotidien, coups de carabine, menaces de mort, je pensais que le divorce de mes parents allait enfin me permettre de sortir de ce calvaire.

Mais je m'étais trompée: cela ne faisait que commencer. Ma vie en famille d'accueil allait m'enfoncer un peu plus chaque jour. Claques, coups bas, cicatrices encore apparentes aujourd'hui, en plus de paroles dégradantes et humiliantes qui resteraient ancrées dans ma tête.

Croyant qu'un mariage à 16 ans me procurerait un peu de bonheur et l'amour qui m'avait tellement manqué, je me retrouvai prisonnière d'un malade dans une autre province. Pendant deux ans et huit mois de mariage, ce fut une descente aux enfers.

Seul événement heureux, mes deux enfants, Mélissa et Jean-René qui m'accompagnaient pendant ma fuite. Enfin, je voyais la pancarte tant attendue: bienvenue au Québec.

Voici où commence ce deuxième tome. Bonne lecture à tous.

J.N.

Schéma familial :

Pour mieux situer les personnes impliquées dans ce livre, voici le schéma de la famille dont il est question.

Conjoint(e)	Conjoint (e)	Enfants
Amédée	Yvonne	1. Claude,
		2. Serge,
		3. Suzanne,
		4. Mario,
		5. **Julie**
1. Claude	Carmen	Pat. (fils de Carmen).
2. Serge	Caroline	Dan. et autres.
3. Suzanne	Maurice	1. Lisbeth,
		2. Victoria,
		3. Catherina.
4. Mario	----	----
5. **Julie**	Carmel	1. Mélissa,
		2. Jean-René
	René	3. Jimmy,
	Ricardo	(*Nicole, Jimmy, Rocky)
	Maurice	(**Lisbeth, Victoria, Catherina)

* enfants de Ricardo et non de Julie
** enfants de Maurice et non de Julie (mais de sa soeur)

« À mes trois enfants.

Nous avons toujours tout partagé ensemble: joies, peines, maladies, ruptures, naissances. Vous représentez ce qui est arrivé de plus beau dans ma vie, et je vous en remercie.

J'ai peut-être raté ma vie en tant que femme, mais je sais qu'il n'en est pas ainsi pour mon rôle de mère, car vous garderez toujours la première place dans mon coeur. »

Julie xy

Chapitre 1

– Je revenais enfin chez-nous. Je venais d'apercevoir l'écriteau "BIENVENUE AU QUÉBEC", mettant fin ainsi à 2 ans et 8 mois de cauchemar. Seule lumière au bout du tunnel; mes deux enfants que je tenais serrés contre moi. Nous prenions tous place dans l'auto de mon oncle lorsque ma soeur Suzanne prit la parole:

–Julie, t'as pu à t'inquiéter asteur, chu pu jalouse de toé. Moé pis Maurice, on fait des échanges de couples pis ça va super bien dans notre ménage comme ça.

Je restai sans voix. Ma soeur qui incarnait la jalousie même, partageait son mari avec d'autres femmes. Fallait que leur couple soit vraiment à la dérive pour descendre aussi bas. Je gardai mes réflexions pour moi-même que déjà elle poursuivait:

–Tu vas aller rester chez maman quelque temps avec tes enfants. Cé pas parce que je ne te veux pas chez nous, cé parce que ça va être plus pratique pour toé d'être en ville. Tu vas devoir trouver un avocat pour ta séparation, faire ta demande de bien-être, pis te trouver un appartement aussi.

Encore là, je fus incapable d'articuler le moindre mot. Ma soeur avait pris les rênes et je me laissais guider.

La première semaine, je n'eus aucun répit, entre le bureau d'aide-sociale, trouver un avocat, ou plutôt une avocate, rencontrer le curé pour préparer le baptême de mon fils et ma mère qui m'annonce un soir qu'on partait visiter un appartement.

Je lui fis remarquer que je n'avais pas encore reçu le moindre sou, qu'elle me répondait:

–L'argent, cé pas ben grave, j'ai un bon ami qui a des appartements à louer, pis y va être capable d'attendre ton premier chèque.

Même si je recommençais à zéro, pas de vaisselle, de couvertures, plus rien, ça ne l'arrêta aucunement. Elle pis Suzanne allaient s'occuper de tout ça. J'aurais dû m'en douter. Ma mère nous avait abandonnés, elle ne s'embarrasserait donc pas de moi et mes deux enfants. C'était déjà tout un exploit de nous avoir gardés une semaine complète.

Chemin faisant, côte à côte avec ma mère, elle me fit une remarque que je n'oublierai jamais. Je lui racontais en détail mon calvaire avec mon mari quand elle me dit:

–Cé de valeur que tu te sépares, ton mari avait l'air tellement ben grayé.

Je venais de vivre 2 ans et 8 mois d'enfer et sa seule préoccupation n'était ni moi, ni mes deux enfants, mais les attributs masculins que j'avais perdus.

Décidément, depuis mon départ, rien n'avait changé. C'était toujours le sexe qui importait et primait chez ma mère et ma soeur.

Sans avoir le temps de me virer de bord, je me retrouvai dans un petit 3 pièces et demie. Ma soeur, ma mère et toute la famille avaient ramassé: couvertures, vaisselle, ustensiles, grande couchette pour Mélissa et une petite pour mon fils, le tout usagé, mais en bon état.

Je visitai mon avocate et me renseignai sur mes droits. Je n'avais pas le choix: si mon mari demandait à sortir les enfants, je devais les laisser partir. Même après tout ce que je lui avais dit de mon mariage, je devrais me résigner à les laisser avec leur père tant qu'un jugement de la Cour ne serait pas rendu.

Je m'affairai à préparer le baptême de Jean-René. Tant que j'étais occupée, ça m'évitait de penser au pire. Je décidai de lui donner mon nom de famille. Après, me dis-je, je n'aurais qu'à mettre ma fille au même nom. C'est donc avec ma soeur comme marraine et Maurice comme parrain qu'on partit à l'église. Ma soeur avait invité quelques oncles et tantes et on se retrouva tous dans mon petit appartement pour fêter le nouveau venu: Jean-René N. La même tante qui était venue me chercher en Ontario, me prit à part et me dit:

—Julie, tu as deux beaux enfants, aime-les. Ne fais pas l'erreur que ta mère a faite avec vous autres en vous abandonnant pour du cul.

Je lui fis la promesse de toujours m'occuper de mes deux amours qui représentaient toute ma vie.

L'appel tant redouté arriva finalement. Carmel demandait à sortir les enfants pour le week-end. Je ne pus que lui donner mon adresse. Je tournai en rond en me rongeant les ongles et en pleurant. Je ne pouvais me résigner à laisser partir mes enfants avec ce monstre. Je l'imaginais déjà partir avec eux et les kidnapper. Je le voyais en train d'abuser de ma fille.

On frappa à la porte et je dus revenir sur terre. Mon mari se tenait sur le seuil, pareil à lui-même avec son petit air d'ange. Il devait me donner l'adresse et le numéro de téléphone où il serait pendant la fin de semaine, pour que je puisse le rejoindre. Il m'annonça qu'il partait pour St-Hubert chez sa soeur, et que je n'avais pas à m'inquiéter.

Je lui demandai de me ramener les enfants chez ma soeur, car je serais là le dimanche soir. La raison était simple: je ne voulais pas être seule le moins possible avec lui. Mais je ne lui dis surtout pas que je le craignais encore. Il me faisait toujours aussi peur, même si je le cachais.

Quand vint le temps du départ, Mélissa se garrocha par terre et refusa de le suivre. Il dut l'amener de force. Je les regardai partir par la fenêtre et mon coeur de mère se déchira. À partir de là, je me fis une promesse, je me battrais jusqu'à mon dernier souffle pour que mes enfants n'aient plus jamais à subir cela.

Pendant les deux jours où je fus seule, je me mis à la tâche. Armée d'un crayon et d'un papier, je fis le calcul de nos déménagements. Même les endroits où on était demeuré seulement quelques jours, je les mis sur ma liste. J'écrivis ensuite tous les coups, les étranglements, l'accouchement de mon dernier où je dus me rendre à l'hôpital à pied. J'avais déjà empli deux pages quand, en fin de la liste, je me décidai à écrire ce qui me faisait le plus mal au coeur: la découverte que mon époux se faisait faire une fellation par ma fille dans le bain. Avec tout ça, j'étais fin prête à passer devant le juge pour la séparation.

Le samedi soir ma soeur et son mari m'amenèrent à l'hôtel. Mais avant de partir j'avais dû subir les sermons de ma soeur:

–Julie, asteur que t'as deux enfants, tu pogneras pas comme avant, avec les gars. Cé pas toute les hommes qui vont vouloir jouer au père avec tes deux petits. Ça fait que fais pas trop la difficile quand je vas te présenter des amis, si tu veux pas finir ta vie toute seule, sans amour.

Oui, j'avais peur d'être seule, abandonnée, manquant d'amour. Je voulais tellement avoir quelqu'un sur qui j'aurais pu compter, m'appuyer quand j'avais le cafard. M'aider à traverser la séparation d'avec Carmel, avoir quelqu'un pour me protéger tout simplement.

Suzanne vint donc me présenter Francis, un beau grand brun au yeux bleus. Ma soeur se pâmait devant lui depuis longtemps et aurait bien aimé l'avoir dans son lit. Je passai la veillée avec lui et on promit de se revoir.

Le dimanche soir, je ne tenais plus en place. Carmel était en retard. J'étais à me questionner si je devais appeler la police deux heures plus tard, quand enfin je vis arriver mes enfants. Je ne pus m'empêcher de leur sauter dessus et de les embrasser et les serrer dans mes bras.

Je me tournai ensuite vers mon mari et lui demandai la raison de son retard.

–J'me suis écarté, j'me rappelais plus le chemin pour venir icitte.

La farce, pensais-je. Il l'avait fait si souvent, ce chemin, qu'il devait savoir d'avance où étaient tous les trous. Je me retins pourtant de lui dire. Tout ce que je lui dirais pourrait se retourner contre moi en Cour.

Voyant qu'il n'avait pas réussi à me faire "grimper dans les rideaux", il poursuivit:

–Ah oui, Julie, j'voulais te dire que les souliers que Mélissa a dans ses pieds, cé pas bon pour elle. Ça lui prendrait des bottines de soutien, vu qu'a commence à marcher.

Là, il venait de toucher à un terrain défendu. Je lui pouffai de rire en pleine face et malgré mes résolutions, je lui crachai au visage:

–T'oses venir me dire que les souliers de ma fille sont pas corrects. Cé des souliers flambant neufs qu'a l'a. J'te ferai remarquer que quand on était ensemble, elle a toujours porté des vieux souliers tout décrissés. Je suppose que c'était bien mieux, le smatte? Té pas arrangé pour me donner des conseils pantoute sur la manière de vêtir mes enfants, ni de la manière de les élever. Pis de toute façon, on va régler ça en Cour.

La goutte qui fit déborder le vase fut quand je le vis sortir et revenir avec une pinte de lait. J'avais sevré mon fils une semaine auparavant, me préparant ainsi pour ce weekend de sortie avec son père et peut-être pour les suivantes. Il revenait, tenant à la main une pinte de lait écrémé. Je le regardai sans comprendre et lui demandai à qui était ce lait.

–Cé le lait du bébé. J'trouve que notre gars est trop gras, ça fait que ça ne lui fera que du bien d'avoir ce lait-là.

Il aurait pu raconter ça à une autre, mais pas à moi. La vérité c'était qu'il avait pas une cenne pour acheter du lait et qu'il avait pris le moins cher. Je comprenais maintenant pourquoi Jean-René ne cessait de pleurer depuis son arrivée. De plus, il ne lui avait pas donné de céréales, c'était de ma faute évidemment, car je ne les lui avais pas envoyées.

Après avoir nourri mes enfants convenablement, Maurice vint nous reconduire chez-nous. Ils s'endormirent sitôt dans leur lit, et moi, je tournai en rond en passant la nuit à vérifier qu'ils respiraient bien, qu'ils étaient bien au chaud, mais surtout pour vérifier qu'ils étaient toujours là.

Je rencontrai mon avocate une fois de plus et lui montrai les notes que j'avais prises pour le jour de l'audience. Dans ma requête en séparation, je demandais que Carmel n'ait pas le droit de sortir les enfants. Il pourrait toujours les voir aux deux semaines, mais en étant accompagné d'un adulte de sa famille et à la maison. Plus de sortie dorénavant!

Cette dernière, quand elle prit connaissance de mes écrits, me demanda de ne pas mentionner en Cour la dernière chose que j'avais écrite. Ce n'était pas une petite affaire, j'accusais mon époux d'inceste, et c'était une accusation très grave. Je ne lui promis rien, ça dépendrait de la tournure des événements. En contrepartie, je lui demandai de ne rien révéler de mes écrits à la partie adverse; je ne voulais pas les aider à préparer leur défense. (Je savais que c'était monnaie courante entre avocats de se communiquer les arguments de l'autre partie.)"

***

Chapitre 2

1981, l'année de mes 19 ans:

« Je revis Francis à quelques occasions, mais notre relation tourna court quand il m'apprit qu'il n'était pas prêt à jouer au papa. La prédiction de ma soeur s'avérait juste.

Chaque fois que j'allais rendre visite à ma soeur, c'était toujours la même rengaine. On allait veiller à l'hôtel, son mari revenait ben soûl et s'endormait sur le divan. Pendant ce temps, ma soeur se faisait peloter par son amant. Moi, je devais surveiller que Maurice ne se réveille pas pendant qu'elle avait les mains dans les culottes de son chum et lui les mains dessous son gilet.

C'est ainsi que j'appris au fil de nos sorties que leurs échanges de couples étaient à sens unique. Maurice ronflait pendant que sa femme s'envoyait en l'air avec son meilleur ami. J'en eus finalement assez de jouer au gardien et retournai chez-nous. Ce qui devait arriver arriva. Maurice se réveilla et trouva sa femme dans les bras d'un autre, dans une situation non équivoque.

Le lendemain matin, je vis arriver mon beau-frère en larmes. Sa femme l'avait trompé. Je fis celle qui n'était au courant de rien. Je me voyais mal lui avouer que ce n'était pas la première fois. Je le respectais trop pour le faire souffrir encore plus. Maurice aurait bien aimé se venger en couchant avec moi, mais je lui fis comprendre que ça ne servait à rien de faire quelque chose sur le coup de l'émotion et de le regretter ensuite. Et je lui demandai de se regarder dans le

17

miroir; il obtempéra. Je lui demandai ensuite si après avoir fait l'amour ensemble, il serait capable de se regarder dans le miroir et de regarder ses enfants dans les yeux.

Il avait compris le message. Il me serra dans ses bras en s'excusant et en me remerciant de l'avoir écouté et surtout de l'avoir respecté.

Quelques mois plus tard, je retournai avec ma soeur et Maurice à l'hôtel. Je commençais à être réchauffée quand je vis un homme se diriger vers moi.

Comme il s'approchait, je le reconnus. Il était toujours aussi beau avec ses cheveux bouclés châtains et ses yeux bleus. Il me sourit et j'aperçus sa dent de "chien" sur le côté de sa bouche. Non, il n'avait pas changé, René était resté tel qu'il était dans mes souvenirs. Mon grand amour d'enfance s'arrêta devant moi et ses premières paroles furent:

–Pourquoi quand té partie rester chez ton père, t'as fait dire par ta soeur que tu cassais avec moi? Moi, je t'aimais comme un fou, j'aurais été prêt à aller habiter dans ton coin, pour être proche de toé. Pourquoi Julie, tu m'as fait du mal comme ça? Pour achever tout ça, dans la même semaine, je me suis fait arracher un doigt.

Et là, il me montra sa main, et je vis bien qu'il disait la vérité. Mais jamais, au grand jamais, je n'avais fait de message pour lui dire que c'était fini entre lui et moi. Au contraire, j'avais toujours espéré qu'il vienne me rejoindre. Et je le lui dis tous les soirs à pleurer et à attendre une lettre ou au moins un signe de vie de sa part. Les nuits sans sommeil à rêver de notre amour. Les nouvelles que je demandais à ma soeur chaque fois que je la voyais.

René me prit la main et il m'entraîna voir ma soeur. Avant qu'elle ne puisse ouvrir la bouche, il lui demanda d'où venait le message qu'elle lui avait transmis. Pendant plus d'une demi-heure, elle fit l'imbécile, en ignorant de quoi on parlait. Après tout, plusieurs années s'étaient écoulées depuis. René était décidé à en avoir le coeur net et ne partirait pas tant que ma soeur ne lui dirait pas la vérité. De mon côté, j'implorais ma soeur de cracher le morceau. J'aurais dû me douter de la réponse. Elle me la jeta en pleine face. Mon père ne trouvait pas René assez bien: il voulait un garçon d'une famille de riche pour moi. C'était lui qui avait demandé à ma soeur de faire en sorte qu'on ne se revoie plus jamais et que je finirais bien par l'oublier. Suzanne se jeta dans mes bras en pleurant de lui accorder mon pardon.

Même si j'en voulais à ma soeur, je ne pus que lui pardonner. Après toute ces années d'enfer, je n'aspirais qu'au calme.

Je passai la soirée avec René à parler de tout ce qui nous était respectivement arrivé depuis mon départ. On ne se lâchait plus comme si on avait peur qu'un de nous deux ne disparaisse. Il me raccompagna à mon appartement, je payai la gardienne et on se retrouva enfin seuls.

Il m'apprit alors qu'il s'était fait une blonde après mon départ. Il me montra sa photo et je n'en crus pas mes yeux. Je lui demandai même où il avait pris cette photo. Je croyais que c'était moi. Elle me ressemblait trait pour trait. Pauvre René, il avait tellement souffert qu'il avait recherché ma copie-conforme.

On finit la nuit dans les bras l'un de l'autre en s'aimant. Je n'avais jamais connu une telle extase. Pour la première fois de ma vie, je vivais l'amour. Entre chaque baiser, René me rappelait qu'il aurait pu être le premier.

Le lendemain matin, il partit en me promettant de revenir la journée même. Je ne lui posai pas de questions et le regardai me quitter. Quelques heures plus tard, il revint en m'annonçant qu'il était allé faire ses adieux à sa blonde et lui apprendre que leur relation était finie.

Je me jetai à son cou en larmes. Il venait de me donner la plus belle preuve d'amour au monde. Et avant que je le réalise, René venait habiter avec moi. Il me présenta à sa famille, et quand il mentionna mon prénom, tous se retournèrent et voulurent savoir si j'étais celle dont il avait gravé en grosses lettres dans un coeur "Julie" sur les cadres de châssis. Je lui demandai une explication. Il m'avoua:

–Quand tu es partie, on est déménagé à Sherbrooke. Tu me manquais tellement que je gravais ton prénom partout."

***

Chapitre 3

—La date de la Cour fut enfin fixée. Mon époux qui était rendu à Rouyn-Noranda, ne vint plus jamais chercher les enfants avant le jugement. Premièrement, il n'avait pas d'argent et deuxièmement, c'était trop loin. Je le revis donc pour la première fois au tribunal le 21 avril 1982.

C'est accompagné de René que je franchis les marches du Palais de justice. Je me sentais en sécurité. Dorénavant Carmel ne me ferait plus peur, j'avais un allié sur qui je pouvais compter. C'est alors que je le vis, assis sur les bancs en discussion avec une grande blonde. Étant donné qu'il ne restait plus grand place de libre, on se retrouva pratiquement face à face avec mon ex, ce qui lui fit le plus grand plaisir. Il en profita pour m'abaisser aux yeux de sa compagne en parlant fort pour que je l'entende:

—Tu vois c'te fille-là. Cé elle mon ex-femme. La crisse de chienne, a veut m'enlever le droit de sortir mes enfants. Ça prend-tu une charogne pour faire ça à un bon père de famille comme moé.

À cet instant, on nous demanda d'entrer à l'intérieur de la salle d'audience. À cette époque, le huis clos n'était pas encore en vigueur, je devrais donc parler devant une salle bondée de curieux qui n'avaient pas autre chose à faire que de se réjouir du malheur des autres. En plus, je devrais supporter les témoignages des cas qui me précédaient.

La cause Nadeau contre St-Pierre arriva enfin. On me

demanda d'aller à la barre. J'avais l'estomac noué et je ne savais si mes jambes allaient me porter jusque là. Je regardai René et celui-ci me fit un sourire encourageant. J'arrivai donc avec mes feuilles de notes que j'avais prises. On me fit jurer sur la bible, après quoi le juge me demanda à quoi servaient ces feuilles.

–Ce sont des notes que j'ai prises, Monsieur le juge. Je sais comment je suis nerveuse et je ne voulais rien oublier.

–Cé bien Madame, vous pouvez commencer.

Je croyais qu'il ne me suffirait qu'à lire mes notes, mais je constatai que le juge lui, voulait plus de détails. C'est donc en ces mots que je lus:

–En 2 ans et 8 mois, on a déménagé 16 fois.

–Pardon Madame, pouvez-vous parler plus fort s'il-vous-plaît, je ne comprends rien.

Je recommençai donc en haussant d'un ton:

–En 2 ans et 8 mois de mariage, on a déménagé 16 fois ensuite...

–Un instant Madame, avant de continuer, je veux que vous me disiez pourquoi vous déménagiez si souvent?

–À chaque fois, il s'endettait, ne payait pas le loyer, ni l'Hydro, et avant que les propriétaires ne nous courent après, on quittait .

Je lui fis ensuite part des coups, des étranglements, de tout l'enfer vécu pendant ces années. Quand enfin je lui racontai ce que Carmel avait fait, lors de la sortie des enfants, à savoir changé le lait du bébé et que Mélissa ne voulait pas y aller, qu'il était arrivé avec deux heures de retard, le juge me regarda et me dit simplement:

–Ça, Madame, c'est pas grave qu'il soit arrivé en retard.

Je n'en croyais pas mes oreilles. On voyait bien qu'il n'était pas un père qui vivait une pareille situation. Pendant deux heures, j'avais pleuré, en m'imaginant qu'il s'était enfui avec les enfants et que je ne les reverrais peut-être plus jamais. Pendant deux heures, j'avais cru devenir folle d'inquiétude. Seul un parent qui vit cette situation peut comprendre ce que j'avais vécu: la peur d'un enlèvement.

Je sentis mes joues devenir rouges de colère. J'allais lui montrer au juge, c'était quoi une femme qui était prête à tout pour sauver ses enfants.

Voyant que j'étais muette, le juge me demanda si c'était tout. Je lui répondis par la négative et continuai ainsi:

–Quand je me suis décidée à partir, c'est parce qu'il était arrivé un fait terrible. Mon mari adorait prendre son bain avec Mélissa. Je l'ai espionné et j'ai découvert que pendant qu'il s'occupait supposément de la laver, il se faisait sucer par la petite.

Avant que je n'aie le temps de continuer, j'entendis un coup de poing s'abattre sur la table en avant et l'avocat de mon mari crier à mon avocate:

–Pourquoi que tu m'as pas dit ça à matin quand on s'est parlé, on aurait pu préparer notre défense.

–Si je ne te l'ai pas dit, cé parce que je ne le savais pas qu'elle allait dire ça, je suis aussi surprise que toi.

Bon maintenant j'étais fixée. Mon avocate avait bel et bien communiqué mes écrits à la partie adverse. Même quand j'avais parlé du lait du bébé, il avait dit qu'il s'était trompé. À chaque argument, il avait une réponse toute préparée. J'avais bien fait de dire la vérité au sujet du bain, celle-là, il l'avait pas volée. Et on ne me reprendrait pas de sitôt à faire confiance à une avocate.

Un bruit de chaise me fit me retourner vers la salle. Je vis alors la belle blonde qui accompagnait mon ex-mari sortir à la vitesse de l'éclair. Si elle croyait avoir déniché le gros lot celle-là, elle venait de se fourrer un doigt dans l'oeil. Je venais de lui montrer qui était le salaud dans les deux.

Le juge reprit la parole et me demanda de reconfirmer ce que je venais de dire, et je le jurai une fois de plus sur la bible. Il m'annonça qu'il rendrait son jugement d'ici quelques semaines et que je le recevrais par la poste.

J'étais fière de moi, j'avais été capable d'aller jusqu'au bout. Restait à attendre ce que le juge, lui, déciderait. Je n'eus pas à me torturer l'esprit longtemps, qu'un envoi de la Cour arriva. Je décachetai l'enveloppe en vitesse et lus rapidement le contenu qui suit:

JUGEMENT:

La garde légale des enfants doit être accordée à la demanderesse; il n'y a pas de contestation à ce sujet, sauf quant au droit de sortie. Pour les exercer, le défendeur doit faire 600 milles, aller et retour. En conséquence, il veut les amener avec lui une semaine à tous les deux mois, chez sa soeur, à St-Hubert, puis un mois durant l'été et une semaine pendant les fêtes. Sa soeur est mariée et a une grande maison. Durant l'été, ils iraient à Rouyn. Actuellement il vit seul.

Pendant l'instance, le défendeur a exercé ses droits de visite et la demanderesse prétend que les deux enfants sont aux couches, que le dernier boit encore à la bouteille. Or, lorsqu'il est revenu, le défendeur avait changé la bouteille de lait et la fillette de 2 ans ne voulait pas aller avec son père. La demanderesse affirme que le défendeur prend son bain avec la fillette, il l'a incitée à poser des gestes indécents sur lui.

Le défendeur admet qu'il y a eu erreur dans le lait du plus jeune, qu'il a pris son bain avec la fillette, mais nie l'indécence. Les reproches que la demanderesse a faits au défendeur pour obtenir une séparation de corps n'ont pas été niés par lui, mais ils démontrent de sa part une grande instabilité.

Dans deux ans et demi de ménage, le couple a aménagé seize (16) fois dans des villes différentes. Le défendeur s'endettait, ne payait pas ses comptes et changeait d'endroit. Quand il avait un montant d'argent, il l'utilisait en dépenses frivoles au lieu de payer son loyer ou la nourriture. Presqu'à tous les jours, il frappait la demanderesse.

Le tribunal doit d'abord s'assurer de l'intérêt et de la sécurité des enfants. Sans doute que le défendeur a un certain attachement pour ses enfants, mais toute sa conduite indique une absence de ses responsabilités de père de famille. Les enfants sont à un âge critique au point de vue de leur formation-psychologique et les changements de lieux et de personnes que le défendeur veut imposer ne peuvent que leur être néfastes. Pour l'instant, le défendeur s'il veut garder un lien avec ses enfants, pourra les visiter.

POUR CES MOTIFS, LE TRIBUNAL:

ACCUEILLE la demande; PRONONCE un jugement de séparation de corps entre les parties, au profit de la demanderesse;

CONFIE à la demanderesse la garde légale de ses enfants mineurs Mélissa et Jean-René avec un droit de visite au défendeur suivant entente entre les parties et sur préavis de 24 heures.

Je criai ma joie. Non parce que j'avais gagné, mais plutôt parce que j'avais sauvé mes enfants des griffes d'un monstre.

Mais la nuit n'était pas finie pour autant."

***

Chapitre 4

"René s'ennuyait à mourir dans mon petit appartement, il me demanda, si j'étais prête à déménager à Garthby (région de Thetford-Mines) près de chez ses parents, où il y avait une maison à louer. On partit donc la visiter et on signa le bail. La maison était petite, mais accueillante. Seul inconvénient, le puits qui nous alimentait en eau était dans la cave. Après plusieurs lavages, je constatai vite que mon linge ne ressortait pas propre, mais plein de taches de rouille. On en discuta avec le propriétaire qui nous avoua avoir toujours eu un problème avec l'eau depuis qu'un camion de sel s'était déversé accidentellement près de la source. Voilà donc la raison pourquoi le loyer était si bas.

On demeura quand même à cet endroit en attendant de trouver mieux.

Un matin, on frappa à la porte. Je me dirigeai pour ouvrir, lorsque je me retrouvai face à face avec mon père. Ce que je craignais le plus venait de se produire: il m'avait retrouvé. Comme si de rien n'était, il me prit dans ses bras en pleurant et disant à quel point je lui avais manqué. Malgré mes réticences, je le fis entrer à l'intérieur et lui présentai ma petite famille. Mon père se montra très aimable avec tous et avait même apporté des cadeaux aux enfants. J'étais sa fierté, je lui avais donné son premier petit-fils. À partir de ce jour, Jean-René devint le culte d'adoration de son grand-père.

Les conquêtes de mon père se multipliaient toujours.

Après une semaine ou deux avec la même, il changeait. René apprit à le connaître assez tôt. Lorsqu'il venait nous rendre visite, il se croyait tout permis, dirigeait toute ma famille y compris mon chum qui commençait à en avoir marre. Mon père qui s'était acheté un chalet dans le coin était maintenant plus près de nous, on le voyait donc tout les week-ends. Justement, une de ces fins de semaine, mon père nous invita ma famille et celle de ma soeur, à venir manger à son chalet. Il nous ferait la grande bouffe. Il nous amenait la nouvelle élue de son coeur et tenait à faire bonne figure.

La semaine auparavant, il avait mis une bonne bouteille de vin dans la rivière qui passait derrière le chalet. Le vin serait bien meilleur, nous avait-il dit. Avant que mon père ne débarque avec sa blonde, René et Maurice partirent au chalet en cachette. Suzanne et moi, on se posait bien des questions à savoir ce qu'ils étaient partis faire, lorsqu'on les vit revenir avec la bouteille de vin à mon père. René me dit:

–Sors les verres Julie, on trinque à la santé de ton père.

–René, on peut pas faire ça. Mon père va être en maudit, quand il va s'apercevoir que sa bouteille a disparu.

–Ton père ne s'en rendra pas compte parce qu'il va y avoir une autre bouteille à la place. Mais au lieu d'être remplie de vin, je vais l'avoir remplie de vinaigre. Pis pas un mot à personne. On va attendre que ton père fasse son frais comme d'habitude. Je veux le voir s'étouffer comme il faut.

On trinqua donc tous les 4 à la santé de mon paternel. Sitôt la bouteille vidée, René et Maurice l'emplirent de vinaigre. Ils ajoutèrent du colorant à gâteau rouge et remirent le bouchon et la papier métallique en place. Les deux lascars repartirent ensuite mettre la bouteille dans la rivière.

Le samedi arriva, emmenant avec lui mon père et sa nouvelle flamme. Mon père nous faisait cuire des t-bones sur le charcoal. Je savais bien qu'il n'avait pas d'argent et que ce dîner lui coûtait une fortune, mais pour impressionner une nouvelle femme, il était prêt à n'importe quoi. Alors qu'on fut tous servis, mon père se leva et demanda à ce qu'on porte un toast en ces termes:

–Mes filles et mes gendres, je vous présente ma nouvelle femme. Celle-là, je sais que cé la bonne. C'est pour ça que je

vais vous faire goûter un vin comme vous n'avez jamais bu.
Il a passé une semaine dans l'eau de la rivière.

Comme il nous demandait de tous lever notre verre ensemble, je me tournai vers René et ma soeur, à savoir ce qu'on devait faire. Suzanne prit alors la parole:

–Papa, le savoir-vivre veut que l'hôte goûte son vin en premier, avant de l'offrir à ses invités. Et lui, pour faire bonne figure, obéit. Je le vis prendre une grande gorgée et la recracher aussitôt en hurlant que son vin avait viré en vinaigre. J'avais beau me cacher derrière René, les épaules n'arrêtaient pas de me sauter. Les deux coupables réussissaient à garder leur sérieux, mais pas moi. Mon père criait à tous de ne pas toucher au vin, qu'il n'était plus bon. J'étais déjà prête à avouer notre crime, mais René et Maurice me retinrent. Rendu au dessert, mon chum se leva, alla fouiller dans l'auto et dit à mon père:

–Une maudite chance, le beau-père, que j'en avais apporté une bouteille de vin, sinon on aurait eu la gorge sec. Mon père n'y vit que du feu et remercia René d'avoir été si prévenant. On lui avoua la vérité, qu'une fois le repas terminé et la bouteille de vin vidée. Je croyais sincèrement que mon paternel aurait compris le message: arrêter de vouloir impressionner à tout prix, mais rester simplement lui-même. Mais ça ne coûte pas cher de rêver en couleurs."

***

Chapitre 5

"Le jour de l'an était la seule journée où on se rencontrait une partie de la famille, chez ma grand-mère maternelle. Lorsque mon frère Serge arrivait avec sa femme et ses trois enfants, ma mère et ma soeur s'écriaient:

–Vite cachez les bonbons, la gang de cochons arrive, pis y vont tout vider les plats. Quant à Mario, mon plus jeune frère, lui il était pas trop trop le bienvenue. Depuis qu'il avait annoncé son homosexualité, ma soeur l'avait pris en grippe. Et tout ce que ma soeur détestait, elle le faisait détester à ma mère qui ne jurait que par elle. Quelquefois j'avais l'impression de ne pas faire partie de la famille, seule ma soeur était fine, belle et smatt.

Ma soeur me rétorquait que c'était parce que j'étais partie longtemps en Ontario, mais que tout finirait par rentrer dans l'ordre. Je n'en étais pas convaincue pour autant.

On était donc tous réunis chez ma grand-mère lorsque ma tante Carole-Anne me demanda:

–Pis Julie, comment t'as trouvé les poches de linge que je t'ai envoyées. Y'avait du maudit beau stock là-dedans. Tous les jours, je suis allée au comptoir familial et j'achetais le plus beau linge qui venait d'arriver pour tes enfants. As-tu vu la belle robe jaune que je t'ai dénichée pour Mélissa?

Ma soeur m'avait en effet remis le linge, mais aucune robe jaune ne me venait à l'esprit. Je questionnai ma tante pour qu'elle me décrive la robe et c'est ce qu'elle fit. J'avais beau chercher, j'étais certaine de ne pas l'avoir reçue. Je regardai ma soeur qui n'y comprenait rien, jusqu'à ce que sa deuxième fille Victoria prenne la parole:

–Maman, c'est pas la robe que tu m'as donnée dont vous parlez.

Et là, je sus. Chaque fois que ma tante m'envoyait du linge pour mes enfants, ma soeur le triait au préalable. Elle gardait le plus beau, le plus propre et ce qui n'était pas assez beau pour ses filles, elle me l'envoyait. Moi, sur l'aide sociale et qui en arrachais pour joindre les deux bouts. Ma soeur elle, qui ne travaillait que pour son bon plaisir et s'acheter des gratteux, me volait tout simplement ce qui m'était destiné, sans aucune honte et sans excuse.

René tenta de m'ouvrir les yeux, mais une fois de plus je pardonnai à ma soeur. Ma mère, elle, ne voyait jamais rien, et n'entendait jamais rien.

Tous les vendredis soirs, elle gardait les 3 filles de ma soeur, mais elle ne s'est jamais offerte pour garder les miens et me donner un moment de répit. Chaque fois que je lui rendais visite et que ma soeur était là, il y avait toujours des cadeaux à profusion pour les enfants de ma soeur, mais jamais rien pour les miens, ni ceux de mon frère. Quant au fils de Claude, encore bien moins, car ce n'était pas son vrai fils, c'était celui de sa femme.

Encore une fois, René essayait de me faire comprendre l'injustice flagrante dont on était les victimes, mes frères et moi. Je me bouchais les yeux, prétextant que ça finirait par se replacer.

René et moi, on vivait de l'aide sociale. Comme le disait si bien mon chum, ce n'était pas à lui de travailler et de faire vivre des enfants qui n'étaient pas à lui. Quant au père des enfants, je ne l'avais pas revu depuis le jugement, et il n'avait même pas demandé à voir ses enfants.

On commença néanmoins à se chercher une maison. Je venais d'apprendre que j'étais enceinte, on devrait donc avoir une chambre de plus. René rayonnait d'être enfin papa pour la première fois et moi, j'espérais qu'ainsi il serait moins sévère avec les deux miens. Quant à mon père, il avait changé de gonzesse une fois de plus, et alors qu'il était chez nous à vouloir encore tout diriger, je réussis à lui dire ma façon de penser et on se quitta en chicane.

Après plusieurs visites, on finit par dénicher la perle rare à Stratford (village situé près de Thetford-Mines). Comme on ne travaillait pas ni l'un ni l'autre, aucune caisse ne voulut nous prêter. Je demandai donc à mon beau-frère Maurice, s'il me faisait assez confiance pour être mon endosseur à la caisse. Toujours aussi aimable, il accepta à la condition que si je sautais 4 paiements, il prendrait possession de la maison. Je trouvais ça équitable et j'acceptai. Rendu chez le notaire, une surprise m'attendait. Ma soeur demandait que je fasse un testament en sa faveur, sinon elle convaincrait son mari de ne pas signer pour moi.

Je discutai avec René qui était en colère avec raison. Si jamais je décédais, ma soeur s'empresserait de les mettre à la rue, lui et mes enfants. On n'avait pas 50 solutions, soit je faisais le testament avec ma soeur bénéficiaire de la maison en cas de décès soit pas de maison du tout. Je savais comme mon chum tenait à cette place, il en était tombé en amour en la voyant. Je signai donc les papiers demandés.

Sitôt fait, on prit possession de notre nouvelle demeure. Ma maison. En tout cas, c'est ce qui était écrit sur les papiers. Mais chaque fois que ma soeur venait en visite, elle se plaisait à dire que c'était à elle, son mari m'ayant endossée. Et chaque fois, René était en colère après son passage.

Mes deux enfants grandissaient à vue d'oeil. Mélissa avait de beaux cheveux longs dorés et Jean-René était frisé châtain. J'aurais tout donné pour que René les aime autant que moi, mais je rêvais éveillée. Il me reprochait sans cesse notre rupture alors que j'avais 14 ans et que mes enfants auraient pu être les siens. Mais je l'aimais sans bornes. Chacun de notre côté, on espérait retrouver en l'autre notre amour de jeunesse; mais des années avaient passé et un retour en arrière était impossible.

Par chance, j'avais la famille de René que j'adorais. Ses cinq frères et leurs blondes étaient toujours prêts à prendre la défense de mes enfants lorsque lui perdait patience avec eux. Et c'est ainsi que chaque dimanche, tout ce beau monde débarquait chez-nous. Et chaque dimanche, je devais faire ouvrir le CLSC de Weedon en faisant venir un médecin, car à chaque rencontre il y avait toujours un blessé.

Six garçons dans la même famille, c'était pas de tout repos. Surtout lorsqu'à chaque semaine, ils se retrouvaient tous ensemble. Une fois, ils firent du delta-plane derrière la maison et ramenèrent Manuel couvert de sang, la jambe cassée.

La semaine d'ensuite, ce fut Jean-René que je dus amener au CLSC, car lui –et le fils de Manuel en jouant au cowboy et aux Indiens– reçut une flèche dans le nez. Des ligaments étaient déchirés et le nez pissait le sang.

Ensuite, ce fut un accident de 4-roues et j'en passe. Le dimanche n'était pas une journée de repos, mais était plutôt devenu une journée de course chez le médecin.

Je n'avais toujours pas eu de nouvelles de mon père, après notre dispute, mais je savais bien que tôt ou tard, je serais appelée à le rencontrer de nouveau. Je ne me sentais pas prête. Je lui en voulais toujours."

***

Chapitre 6

Dans le courant de l'été, on décida de refaire la toiture de la maison. Cette dernière commençait à couler les jours de pluie. Évidemment, Maurice viendrait nous donner un coup de main. Quand je vis arriver mon beau-frère, je figeai sur place. Mon père était avec lui. Voyant ma mine défaite, Maurice m'entraîna à part et me dit:

—Je m'excuse Julie, je le sé que tu veux pas le voir, mais tu connais ton père. Il est arrivé à la maison hier, comme si rien n'était, pis y m'a demandé ce que je faisais aujourd'hui. Pis moé, pour m'en débarrasser, j'y ai dit que je venais icitte te donner un coup de main pour des réparations. Ça fait qu'y sé invité.

Je le savais que ce n'était pas la faute de Maurice. Mon père trouvait toujours un moyen pour renouer avec ses enfants. Il attendait les décès, les mariages ou les baptêmes pour arriver et nous embrasser comme si on s'était vu la veille. Autant l'accepter ainsi. Je le fis donc entrer à l'intérieur et mon père me serra dans ses bras en me disant comment son bébé lui avait manqué. J'avais beau faire un effort, c'est une poupée inerte qu'il tenait contre son coeur. Suzanne, elle, fit comme si rien n'était et sauta dans ses bras en l'embrassant.

Je voyais bien que ce dernier tenait un sac à la main et je me questionnais à savoir ce qu'il contenait. Ma curiosité fut récompensée quand il me dit:

–Tu mettras ça au frigidaire, j'ai apporté ma livre de beurre. Tu me connais, j'mange pas de margarine. J'ai aussi apporté mon café, je savais pas si tu avais du Maxwell-House. Pis pour finir j'ai amené mon dessert, au cas où t'aurais pas eu le temps d'en faire. Moé, j'peux pas passer un repas sans me sucrer le bec.

Y'avait pas changé, le vieux shnock. Il faisait toujours tout pour te faire sentir minable et pauvre. Aussitôt que je vis mon père sortir pour aller donner un coup de main, je vis Maurice écrasé de rire dans un coin, et me dire:

–Oublie ça, ton père, y changera jamais.

Je préparai le dîner pendant que les gars, travaillaient. Mais je ne pus m'empêcher de faire un mauvais coup. Je pris le pot de café que mon père avait emporté et mis du café sans nom à la place, je verrais bien s'il avait assez fine bouche pour s'en apercevoir ou si c'était entre ses deux oreilles, le problème. Quand nous fûmes tous attablés, mon père me demanda de faire bouillir l'eau et il se prépara à boire. Je le vis avaler les premières gorgées et s'exclamer:

–Tu devrais goûter à ça Julie, ça cé du vrai bon café. Et il le but jusqu'à la dernière goutte avec délectation.

Je ne dis pas à mon père l'échange que j'avais fait, mais le confiai à ma soeur, à Maurice et à René. Et pendant la semaine suivante, on put se payer du bon Maxwell-House au déjeuner.

Mon père revint nous rendre visite. Même si l'accueil était plutôt froid, il décida de venir s'installer dans le coin, pour être plus prêt de ses enfants. Mon frère Claude s'acheta une maison à Ste-Marguerite et mon paternel décida de s'installer avec eux. Comme c'était une vieille maison et qu'il y avait beaucoup de réparations à faire, René se porta volontaire pour les aider.

La première semaine se passa dans le marchandage. Mon frère Claude désirait du gypse et mon père voulait du préfini sur les murs. Le deuxième choix fut adopté. La deuxième semaine, ça s'engueulait carrément. Ma belle-soeur plaçait le frigidaire dans le coin, et à chaque soir en revenant de travailler, elle le trouvait déménagé. Elle avait beau essayer de s'objecter, rien n'y faisait, mon père régnait dans sa maison. Le roi Médée. À bout de souffle et de patience, ils le mirent carrément à la porte, seule solution pour préserver leur bonheur.

Une guerre éclata alors et mon père poursuivit mon frère en justice pour se faire rembourser l'acompte qu'il avait donné sur la maison. Et ma belle-soeur se fit un plaisir d'aller lui porter son frigidaire sur le perron de sa maison nouvellement acquise à Stornoway.

Moi, je refusai de m'en mêler. J'avais déjà eu affaire à mon père et il n'était pas question que j'embarque dans leur chicane. Peu de temps plus tard, mon paternel vint nous présenter sa nouvelle flamme. Elle était bien gentille, adorait les enfants, faisait bien à manger; en fin de compte, elle avait toute les qualités que toutes les autres avaient avant elle. Et mes enfants se retrouvèrent avec une nouvelle grand-maman qu'ils purent aimer... quinze jours.

La semaine suivante, mon père m'appela en larmes en disant:

–Julie, y'a juste toé pour me comprendre. Là chu tanné en crisse de la vie. Je vais débarrasser ben du monde si j'me crisse une balle, les autres vont être contents de pu me voir. Tu peux tu venir me voir, chu découragé de la vie, depuis que ma blonde m'a laissé.

Même si je n'aimais pas mon père, je ne pouvais pas ne pas répondre à son cri de détresse. Si j'avais refusé et qu'il était arrivé un malheur, je m'en serais voulu pour le reste de ma vie. J'accourus donc chez lui, accompagnée de René et des enfants.

J'appréhendais d'entrer dans la maison et je ne voulais surtout pas que mes enfants puissent arriver sur un bain de sang: ils nous attendirent donc dans l'auto. En ouvrant la porte, je vis mon père qui se berçait paisiblement.

Je n'étais pas sitôt entrée qu'il se levait de sa chaise et me demandait:

–Julie, tu pourrais pas me rendre un service, j'ai un rendez-vous à Sherbrooke, pis j'ai tout le ménage de la maison à faire. Tu pourrais-tu le faire pour moé, chu assez décourager là, si tu savais seulement à quel point.

Bien sûr que je lui ferais son ménage si ça pouvait lui remonter le moral. Il ne se le fit pas dire deux fois et déguerpit en me laissant la liste des travaux à faire. René me regarda du coin-de-l'oeil et ne put empêcher un fou rire en me disant:

–J'pense que tu viens te faire encore avoir.

–Comment ça? lui demandai-je

–Chu prêt à gager ma chemise que ton père est parti courir les femmes, pendant que toé, tu vas te taper tout son ménage.

Non, sûrement pas. Je pouvais pas croire que mon père avait feint une déprime. Lorsque je lus la liste des travaux à faire, je commençai à penser la même chose que René. À faire: le lavage, l'époussetage, la balayeuse, la vaisselle et si il te reste du temps, pourrais-tu laver les vitres, chu à veille de ne plus voir dehors. Ensuite, j'ai sorti des framboises congelées et si tu pouvais me faire un pudding pour souper, je serais ben content. Le steak pour le souper est au frigidaire et il va te rester que les patates à faire cuire. Le vin c'est pour que tu nous le serves en mangeant. Et c'était signé ton père qui t'aime.

Je passai la journée à m'éreinter à nettoyer la cabane, tandis que les enfants et René étaient à l'extérieur. Quand enfin, ce fut 5 heures, mon père se montra le bout du nez, me présentant par la même occasion sa nouvelle conquête. Je leur servis le souper et leur versai à chacun une coupe de vin; ensuite, je retournai à la maison avec mes enfants et René qui se vantait d'avoir encore une fois vu juste:

–J'te l'avais dit. Ton père est pas plus déprimé que moé, tu l'as ben vu.

Je me promis bien que c'était la dernière fois que je me ferais prendre... jusqu'à la prochaine fois...

Le nouvel amour de mon père dura 1 mois. Encore une grand-mère qui prenait le bord. À chaque fois, mes enfants en souffraient et la pleuraient. Le week-end suivant, mon père fut encore déprimé. Cette fois-ci, il avait décidé de faire le grand ménage de sa cour. Il avait besoin de Maurice et de René pour l'aider à débâtir le vieux garage. Mais bien sûr, il désirait garder toute les vieilles planches et les vieux clous ainsi que la tôle.

Il nous appela à la rescousse. René, pour l'aider dans la cour et moi pour faire à manger aux trois gars (mon père, René et Maurice). Il l'avait demandé à ma soeur qui lui avait rétorqué qu'elle travaillait la semaine (elle), et que la fin de semaine, elle avait besoin de repos. Il n'avait qu'à me le demander, je n'avais que ça à faire.

Arrivé devant le garage, mon père s'excusa auprès des gars, il avait un rendez-vous urgent qu'il avait oublié. Maurice et René devraient donc faire le travail sans lui. Il entra à l'intérieur se changer en propre et par la même occasion me demanda de faire un peu de ménage dans la maison.

Dès qu'on vit l'auto disparaître, René me regarda, disant:

–Ouin, j'pense qu'on s'est faite encore avoir. Quéce que t'en penses Maurice?

–J'pense la même affaire que toé.

Les gars commencèrent donc à vider le garage de tout son contenu. Les outils, les établis, et lorsqu'il furent rendus au vieux frigidaire rond , René prit la parole:

–R'garde ben ça mon Maurice, comment on déménage ça, une vieille réguine d'à même.

Et là, il fit basculer le frigidaire sur le dos, pour ensuite lui faire faire une autre pirouette. Maurice était à quatre pattes à terre, incapable de l'aider tant il riait. Les larmes lui coulaient quand il lui dit:

–René, si l'beau-père te voyait, té mort.

Après une dizaine de culbutes, mon chum remit le frigidaire debout dans le coin désiré et le plogua. Le bon vieux frigo avait pas lâché, il fonctionnait toujours.

Je vis ensuite René embarquer dans notre auto, une Ford Torino, et se reculer devant le garage. Il sortit une chaîne du coffre arrière et se dirigea à l'intérieur. Maurice et moi courûmes voir ce qu'il fabriquait, quand je le vis accrocher la chaîne sur le coin du garage. Il ressortit ensuite et vint attacher l'autre bout après l'auto.

Il s'assit ensuite au volant et par la vitre ouverte me dit:

–Julie, fais entrer les enfants en dedans pour pas que ce soit dangereux. Le garage à ton père va se défaire plus rapidement qu'y pense.

Après avoir fait entrer les enfants, je me postai sur le balcon avec Maurice pour ne rien manquer du spectacle. Mon chum écrasa la pédale et lorsque la chaîne se tendit, je vis le garage se démantibuler comme un jeu de cartes.

Encore là, Maurice riait beaucoup trop pour pouvoir aider René. Je retournai à l'intérieur préparer le souper, et pas longtemps après, mon père arrivait avec une nouvelle conquête. Il fut tout étonné que les gars soient déjà autant avancés dans la démolition. Il n'osa pas leur demander devant son nouvel amour où ils avaient mis toutes les planches et la tôle. On s'en tira donc ainsi. Je lui servis son repas ainsi qu'à sa nouvelle flamme et on partit sans demander notre reste.

La semaine suivante, mon paternel avait trouvé une autre idée de génie. Notre maison deux étages comportait deux chambres immenses en haut pour les enfants. Il avait décidé de les séparer en deux et d'en faire ainsi 4 chambres à coucher. Il aurait alors sa chambre à lui, lors de ses visites. Je m'objectai énergiquement à ce changement. De plus, comme mon père ne restait pas loin, il n'avait pas besoin de chambre, il n'avait qu'à aller coucher chez lui. Seul René réussit à le faire changer d'idée. Moi, j'eus beau crier et m'engueuler avec lui, il ne voulait rien entendre.

Le week-end suivant on partit coucher chez les parents de René. En revenant à la maison quelle ne fut pas ma surprise de trouver un mot adressé sur la table de la cuisine:

"Julie, j'ai été veiller hier soir. J'ai rencontré une femme formidable, j'ai hâte de te la présenter. Vu qu'on était loin de la maison, on a donc emprunté ton lit pour la nuit. Ah oui, on s'est fait à manger aussi, mais j'ai nettoyé la vaisselle. Merci de ton hospitalité.

Ton père qui t'aime."

Y'avait tout un culot celui-là, oser amener une inconnue pendant notre absence, se permettre de fouiller dans notre frigidaire et le pire, se vautrer dans notre propre lit. Je ne fis ni un ni deux et courus à la chambre enlever les draps. J'emplis ma laveuse à tordeur et lavai les draps.

J'étais folle de rage. Mais impossible de parler avec mon père, tout lui était dû, même nous, ses enfants. Heureusement, sa nouvelle conquête ne dura qu'une semaine et le bonhomme partit pour l'hiver en Floride.

Claude m'avait bien sûr mise en garde contre le paternel, mais je ne voulais pas de dispute et je les visitais lui et mon père à tour de rôle. Chaque samedi soir, mon frère et son épouse allaient danser et je gardais Pat, le garçon de ma belle-soeur pendant ce temps. Je découvris vite que mon frère était la réplique exacte de notre père. Pat faisait encore caca dans ses culottes et mon frère profitait que ce dernier lavait ses culottes dans les toilettes pour le photographier alors qu'il était nu et l'humilier verbalement. Et je n'avais pas fini d'en voir... et des vertes et des pas mûres."

***

Chapitre 7

« Bien sûr, je fus la candidate idéale pour m'occuper de la maison de mon père pendant son départ. À chaque semaine je devais aller voir s'il n'avait rien de déplacé, si le chauffage fonctionnait toujours, et ensuite, je faisais un compte rendu à mon paternel en Floride. Lui m'écrivait pratiquement à toutes les semaines, et il se fit une joie de m'apprendre la nouvelle: il avait trouvé la femme de sa vie là-bas.

Pendant ce temps, un incident se produisait à sa maison. Un gros camion 10-roues trop chargé arracha les fils en passant devant la maison. Ce qui eut pour résultat de couper le courant. On me fit part de la nouvelle et j'appelai mon père sans tarder. Il me demanda de m'occuper de toute la paperasse avec les assurances.

Accompagné de René, on se mit à fouiller dans ses papiers pour trouver sa police d'assurance, comme il me l'avait demandé. Malgré tout ce que j'avais raconté à mon chum à propos des déboires de mon père, celui-ci restait sceptique. René dut bien se rendre à l'évidence en trouvant des lettres personnelles qui se lisaient comme suit: *Moi, Amédée N, j'entretiens, je nourris, je loge Mme. Unetelle en foi de quoi, si elle venait à me quitter, je serais quitte de toute dette envers elle. Elle devrait partir sans rien, et ne rien exiger de ma part.*

Et en bas de la lettre, sa nouvelle flamme signait.

Je retrouvais bien là, le même papa de mon enfance. Com-

39

bien de femmes allait-il encore plumer? Mais c'était sa vie privée, et je n'aurais pas à m'en mêler, croyais-je bêtement.

Tout se passa sans anicroches avec les assureurs et mon père fut pleinement satisfait. Il devait revenir de la Floride quelques semaines plus tard, lorsqu'un appel de lui me réveilla. Sa santé n'était pas bonne et il devait revenir d'urgence au Québec. C'était son coeur qui menaçait de flancher, craquer. Il me demandait d'aller le prendre à l'aéroport de Burlington. Je lui confirmai qu'on serait au rendez-vous.

Cher papa, il ne pouvait pas faire comme tout le monde et débarquer en sol canadien. Ben non, avec son casier judiciaire, sans visa et tous les bagages qu'il amenait avec lui, personne aux douanes n'aurait été dupe. Mon père travaillait au noir aux États-Unis. Voilà la raison de notre déplacement en sol américain.

Le lendemain, on partit tôt avec les enfants. À l'aéroport, je retrouve un père tout bronzé et pétant de santé. À sa demande, on le dépose néanmoins à l'hôpital de Sherbrooke. Cette même nuit, le téléphone se met à sonner à deux heures du matin. Le coeur battant et craignant une mauvaise nouvelle, je me précipite pour répondre:

–Oui allô!

–Madame N. ici le Centre hospitalier universitaire de Sherbrooke, nous somme désolés de vous appeler en pleine nuit, mais nous avons un problème.

–Qué cé qui se passe, misère?

–Cé votre père madame.

Oh mon Dieu, pensai-je. Même si je n'avais jamais été très proche avec lui, il n'en restait pas moins mon géniteur. Et la pensée qu'il soit décédé me chavira le coeur.

–Madame N, c'était juste pour vous dire que ce soir pendant les heures de visite, votre père a profité du changement de chiffre de notre personnel pour s'évader.

–Pardon, lui demandai-je, pouvez-vous me répéter ça s'il-vous-plaît? Pourquoi mon père se serait-il évadé, il n'était pas là contre son gré?

–Je sais bien Madame, mais c'est ce qu'il a fait. Si seulement il nous avait dit qu'il voulait partir, on l'aurait laissé faire. Mais là, il n'a signé aucune décharge et nous sommes responsables de ce qu'il peut lui arriver.

–Merci de m'avoir appelée, je vais m'en occuper et je vous décline toute responsabilité

–Merci beaucoup Madame N, et excusez-nous encore de vous avoir réveillée, mais c'est votre numéro de téléphone que votre père a laissé en cas d'urgence.

Je raccrochai de rage. René que l'appel avait éveillé, vint me rejoindre. Je lui expliquai la situation. N'ayant d'autre choix, j'appelai chez mon père. Je laissai sonner 10 coups, puis 20 coups, mais toujours aucune réponse.

J'essayai de nouveau toutes les cinq minutes pendant une heure. Ne tenant plus en place et anticipant un malheur, je demandai à mon chum qu'on aille voir chez mon père si tout se passait bien. René refusa, d'abord il aurait fallu réveiller les enfants, ensuite, connaissant mon père, il s'agissait sûrement d'un coup fourré. Le lendemain, si on n'avait toujours pas de nouvelles, on irait voir à son domicile ce qui se passait.

On retourna donc se coucher et je passai la nuit éveillée, m'imaginant le pire. Tôt le lendemain matin, le téléphone se fit entendre. Regardant l'heure sur le cadran, je m'aperçus qu'il n'était pas encore 7 heures. Je me précipitai pour répondre et je reconnus aussitôt la voix au bout du fil. C'était Amédée qui se manifestait enfin. Je lui demandai:

–Veux tu ben me dire où tu étais? L'hôpital m'a appelée cette nuit. Depuis, on est fous d'inquiétude.

–Ah si tu savais seulement comment chu découragé. Mon coeur est malade. Chu aussi ben de débarrasser le plancher, tout le monde va être content. Ça fera pas de peine à personne. Hier, j'ai eu la chienne à l'hôpital, cé pour ça que j'ai sacré mon camp. J'aime autant mieux mourir chez nous qu'au milieu d'étrangers.

Bon, il était encore en période de déprime et chaque fois qu'il était malheureux dans sa vie, je payais les pots cassés. Il me demandait de n'en parler à personne, mais qu'il allait faire le grand saut et passer dans l'au-delà.

Je ne fis un ni deux et réveillai René et les enfants. En vitesse, on partit chez mon père. J'entrai la première au cas où. Et je découvris une lettre adressée à mon nom sur la table. Je la décachetai et la lut. C'était une lettre d'adieu. Il expliquait son geste de se suicider. Je fis le tour de la maison en courant et en criant son nom. Ne le voyant nulle part, je grimpai au deuxième étage, et là, je le vis. Il était debout devant le miroir. Il venait tout juste de sortir de la douche et il se mettait en propre. Il se retourna et d'un air piteux, me demanda si je serais assez fine pour faire son lavage.

Après l'avoir questionné longtemps, je finis par savoir le fin mot de l'histoire. Là-bas en Floride, il avait perdu patience après la jeune adolescente de sa blonde en la frappant, et celle-ci avait appelé son père à la rescousse. Ce dernier lui avait donné un conseil. Alors mon paternel avait dû fuir les Etats-Unis, car il avait l'immigration aux fesses. Futée la jeune, pensai-je. Mais à son habitude, mon père n'avait rien à se reprocher, c'était la faute de la jeune fille qui était impossible à endurer. Et l'hôpital n'était qu'un subterfuge pour qu'on ne se doute de rien.

Le week-end suivant, je profitai qu'on était en visite chez ma soeur pour lui parler. J'en avais assez des éternelles jérémiades du paternel et je désirais qu'elle fasse sa part, elle aussi. En pleurant, elle me dit qu'elle avait assez de problèmes comme ça, sans avoir ceux de notre père par-dessus le marché.

Depuis que Maurice l'avait prise en flagrant délit d'adultère, elle n'avait plus revu son amant et déprimait. Je la questionnai à savoir ce qui clochait avec son mari. Elle avait épousé l'homme idéal: travailleur, bon père de famille qui n'élevait jamais le ton avec ses enfants et qui lui avait toujours donné tout ce qu'elle désirait. Où était le problème?

–Maurice n'a pas épousé la bonne fille, c'est toé qu'il aurait dû marier. Il a toujours désiré avoir sa femme à la maison pour élever les enfants. Moé, chu pas ce genre de femme-là. Chu pas capable de rester à la maison, pis en plus tu l'sais que j'ai pas la fibre maternelle. À chaque fois qu'on va chez-vous, Maurice pis les enfants s'empiffrent toujours comme des cochons, parce qu'ils savent qu'avec moé, des beignes, pis des petites galettes, y'en auront pas. Tu y a toujours donné ce que moé, j'étais pas capable d'y offrir. Pis dit pas le contraire Julie N. Maurice a toujours été ton genre d'homme à toé. René lui, il travaille pas, pis y perd patience avec tes enfants.

Je ne pouvais que confirmer ses dires. C'est vrai qu'elle n'avait pas la fibre maternelle. Combien de fois avais-je pleuré en cachette après l'avoir vue donner des claques sur la gueule aux filles. Ses trois enfants n'étaient plus les siennes, mais étaient devenues les miennes. À chaque congé scolaire, Lisbeth, la plus vieille, m'appelait en me demandant d'aller les chercher. Elles préparaient alors leurs bagages et laissaient un mot sur la table pour que leurs parents sachent où elles se trouvaient. Je me retrouvais donc avec 5 enfants sur les bras et un autre en route.

Tant qu'aux repas, fallait oublier ça. À chacune de nos visites, ma soeur envoyait Maurice chercher à manger au restaurant. Pendant la semaine, Lisbeth se devait de faire manger ses deux plus jeunes soeurs. Depuis l'âge de deux ans qu'elle se faisait ses rôties elle-même. Maurice lui, en entrant de travailler, se faisait une soupe. Quand ma soeur se donnait la peine de faire un repas, ça variait entre le spaghetti et le macaroni. Pas étonnant qu'il s'empiffrait à chacune de leurs visites à la maison. De plus, sur le mur du salon trônait un tableau blanc qui indiquait le travail à faire:

Balayeuse: 0.50 cents,

Laver la vaisselle: 0.25 cents,

Faire les lits: 0.25 cents,

Passer l'époussetage: 0.25 cents,

Faire le lavage: 0.50 cents.

Ainsi, à chaque fin de semaine, elle donnait la paie à ses filles selon le travail effectué. Chez moi, c'était interdit que les enfants se servent du grille-pain et de la cuisinière, seuls. Et surtout pas question qu'ils lavent la vaisselle à leur bas âge. Le temps viendrait assez vite où ils devraient avoir toute ces corvées, sans leur imposer si jeune. C'était donc de grandes vacances que mes trois nièces venaient chercher chez-nous. Elles pouvaient enfin s'amuser, se tirailler et jouer à l'extérieur comme tous les enfants de leur âge.

Suzanne elle, ne s'objectait jamais à ce que les enfants viennent à la maison pour plusieurs jours, voire même une semaine, à condition qu'avant de partir, les filles aient fait le ménage. Maurice, lui, trouvait que j'avais assez de ma famille sans en plus récolter la sienne. Mais ma soeur avait toujours le dernier mot, comme toute les fois d'ailleurs.

Elle avait raison aussi quand elle me disait que René ne travaillait pas et qu'il ne travaillerait probablement jamais, mais je l'aimais tellement. D'une confidence à une autre, elle me raconta en détail ses relations amoureuses avec ses amants. Elle s'était même envoyée en l'air avec une autre femme pour pouvoir comparer le feeling.

Autant se faire à l'idée, elle ne voulait pas s'occuper de notre père. Et s'il avait le courage de se tirer une balle, ça ne lui faisait absolument rien. J'étais donc la seule à me faire de la bile. J'aurais tellement aimé être aussi sans-coeur qu'elle, et ne penser qu'à moi, mais mon coeur me l'interdisait.

J'avais au moins une consolation: cette troisième grossesse se passait bien. Je n'avais été malade que les trois premiers mois. J'étais suivie régulièrement et je refusai même de passer une échographie. Cet enfant-là, je l'accepterais tel qu'il était, malade ou en santé, déficient ou non.

Cette même fin de semaine, Maurice faisait boucherie. Comme à chaque année, lui et ses frères s'engraissaient un boeuf qu'ils débitaient tous ensemble dans le sous-sol de David, le frère de Maurice. Ils faisaient venir un boucher et tout le monde mettait la main à la pâte. Maurice demanda donc à René et moi d'aller donner un coup de main. On le fit avec plaisir.

On nous trouva donc chacun une tâche. Suzanne s'occupa de l'emballage, tandis que moi, j'étais préposée au hache-viande. Tout se faisait dans une ambiance joyeuse jusqu'à ce qu'un cri nous fige tous sur place. Ma soeur piquait une crise de colère au boucher:

–Cé quoi ça, c'te viande-là?

–Cé les t -bones que t'as demandés.

44

–Comment ça qu'y a pas d'os?

–J'ai pas la machine pour couper les os, mais cé pas grave, cé du t-bone pareil, j'vois pas où est la différence

–Moé, j'la vois. Pis des t-bones pas d'os, cé pas pareil. Pis j'en veux pas, des affaires d'à même. Julie tu vas passer ça en viande-hachée.

Je la regardai sans bouger. Nous autres à la maison, le seul steak qu'on mangeait venait du chevreuil que René tuait à chaque année. Et là, maintenant, ma soeur exigeait que je hache cette belle viande. Toutes les paires d'yeux étaient tournées vers moi et attendaient ce que j'allais faire. Voyant que je ne bougeais toujours pas, Suzanne répéta:

–Té tu sourde Julie, je t'ai dit de passer ce maudit steak-là en boeuf-haché.

Jean-Pierre, le frère de Maurice, prit alors la parole:

–Julie, té aussi ben de faire du boeuf-haché avec ça. De toute façon chez Maurice, cé toujours la même chose. Du macaroni le lundi, du spaghetti le mardi, du macaroni le mercredi, du spaghetti le jeudi, du macaroni le vendredi et la fin de semaine pour faire changement cé du macaroni pis du spaghetti. Et là, il éclata de rire.

Ma soeur ne le trouva pas drôle du tout et lui cria:

–Toé, mêle-toé de tes crisses d'affaires, cé pas toé qui le mange.

Je fus donc contrainte à passer tout le steak en boeuf-haché. Quand on retourna chez ma soeur, Maurice ramena une petite boîte qui contenait tout son boeuf. Quand il le déposa dans le congélateur, il n'y avait pas assez de viande pour cacher simplement le fond. Il monta les escaliers et je l'entendis dire à ma soeur:

–Cé la dernière année que j'engraissais un boeuf, pis qu'on fait boucherie.

Et il tint parole.

Peu de temps plus tard, ma soeur m'apprit qu'oncle Joe venait de décéder. Elle tenait à aller rendre visite à sa veuve:

–Julie, je vais aller voir la femme à oncle Joe, j'ai toujours été sa préférée, pis y m'avait déjà dit, que quand il mourrait, il me laisserait un petit quelque-chose.

On se mit donc en route pour Drummondville, rendre visite à tante Danielle, chez qui j'avais déjà travaillé comme ménagère. Je revis avec joie les enfants qui avaient bien grandi. Je les reconnus à peine. Mais Suzanne revint bredouille: ma tante ne lui remit rien. À partir de là, j'allais découvrir une autre Suzanne que j'appelle maintenant la-**créature-du-cimetière.**"

***

Chapitre 8

"Durant la nuit du 28 février 1984, je me levai pour aller aux toilettes. En revenant vers la chambre, je sentis l'eau me couler entre les jambes. Je réveillai René et lui appris qu'il serait peut-être mieux de monter à l'hôpital. Même si je n'avais aucune contraction, valait mieux ne pas prendre de chance. Et de toute façon, j'étais rendue à terme.

Le problème de gardienne ne se posait pas, car depuis deux mois, le jeune frère à René était venu habiter chez nous, justement pour le futur événement. On partit donc pour Lac-Mégantic et dans la soirée, je mis au monde un beau garçon de 6 lbs, et 13 onces et mesurant 18 pouces. L'infirmière s'y prit à trois reprises pour le mesurer. Elle disait que c'était impossible pour un garçon d'être aussi court. Elle fit donc venir le médecin qui calcula lui-même pour convertir les centimètres en pouces. Il en vint à la même conclusion que l'infirmière, notre fils Jimmy ne mesurait que 18 pouces.

La longueur et la pesanteur nous importaient peu, le principal était qu'il soit en santé. Le lendemain, j'appelai à la maison pour parler à mes deux autres enfants; ils se mirent à pleurer au téléphone en me suppliant de rentrer au plus tôt. Leur peine me déchira le coeur et seulement après deux jours à l'hôpital, je demandai mon congé. Et quelques mois plus tard, je me faisais ligaturer les trompes.

Je me remis rapidement de l'accouchement. J'avais du

courage et la force de 10 personnes réunies. Mélissa et Jean-René acceptèrent immédiatement leur nouveau frère et ma fille devrait entrer à l'école bientôt.

Justement ce même mois, l'inscription arriva par la poste. Un méchant dilemme se présentait. Mes enfants n'avaient jamais revu ou entendu parler de leur père biologique et considéraient René comme leur vrai père. Ils ne savaient même pas que leur nom de famille était St-Pierre pour ma fille et Nadeau pour mon fils. Devant la demande d'inscription, tout me sauta en plein visage. Que ferais-je quand Jean-René entrerait à l'école lui aussi? On dirait sûrement à mes enfants qu'il n'étaient pas frère et soeur vu qu'ils ne portaient pas le même nom de famille.

Comment réagirait Mélissa quand je lui dirais que René n'était pas son père, elle qui n'avait vu que lui depuis des années? Elle n'avait qu'un an et quatre mois quand j'avais quitté leur père, et Jean-René, lui n'avait que trois mois.

Après plusieurs discussions avec René, on décida de consulter un avocat. Mon chum désirait adopter mes enfants légalement et on se renseigna sur les démarches à faire. Premièrement, je devais demander le divorce. Chose qui semble pourtant bien facile à faire, mais où trouverais-je mon ex-mari qui déménageait sans cesse. Notre avocat fit paraître une annonce dans les journaux et on réussit à le rejoindre. La date de parution lui fut communiquée, mais il ne se présenta pas à la journée mentionnée. J'obtins donc mon divorce facilement.

Pendant ce temps, notre homme de loi se renseignait pour les démarches d'adoption. Là, c'était toute une autre histoire. On devait être marié pour faciliter les démarches, sinon c'était la protection de la jeunesse qui s'en mêlait; il devrait commencer par faire enquête, ensuite selon leur bon vouloir, c'était eux qui décidaient si oui ou non, on aurait la garde de mes enfants.

Cette question avait déjà été débattue à ma séparation et je ne tenais pas à recommencer tout ça. Même si mon chum et moi, on s'était promis et juré solennellement de ne pas se marier, on se retrouva devant un juge de paix. Il n'était surtout pas question de faire ça en grand. On garda le tout secret à ma famille; après tout, ce n'était qu'un papier que l'on voulait. Seul Manuel, le frère de René, qui me servait de témoin, accompagné de sa blonde, et les parents de mon chum qui étaient ses témoins, furent invités.

La cérémonie dura en tout 4 minutes. J'avais acheté deux bagues 'cheap' en simili argent et le repas qui suivit se déroula chez Manuel à manger des frites et des hots-chickens. Ce fut seulement la fin de semaine suivante que j'appris la nouvelle à ma famille. Ma soeur ne voulut pas croire que je puisse lui faire un affront pareil. Me marier et ne pas l'avoir invitée. J'avais beau essayer de lui faire comprendre que ce n'était que pour un papier, elle ne voulait rien entendre.

Maurice, lui, toujours aussi posé, me dit:

—Moé, la belle-soeur, chu entièrement d'accord avec ce que tu as fait. Ça donnait rien d'inviter ben plein de monde, qui se croient obligés de faire des cadeaux. Pis en plus, c'est un deuxième-mariage. T'as ben faite en maudit.

Le reste de ma famille partagea le même avis que Maurice. Seule ma soeur ne digéra pas l'affront. Je lui avais coupé l'herbe sous les pieds. À son habitude, elle aurait aimé être la tête d'affiche et tout diriger, mais je ne lui en avais pas laissé la chance. Ce coup-là, elle était pas près de l'oublier.

On dut se présenter en Cour une autre fois, pour obtenir la déchéance d'autorité parentale concernant mon ex-époux. Par plusieurs fois, le juge me demanda si j'avais eu la moindre nouvelle du père de mes enfants. Il avait de la misère à croire qu'il ne m'avait plus jamais donné signe de vie. Aucune lettre, aucun appel, rien. Et pourtant, c'était la stricte vérité. On le fit appeler à la barre. Par deux reprises on nomma son nom. Le juge dut bien se rendre à l'évidence, il ne s'était même pas déplacé, ni fait représenter par un avocat. Il avait sans doute refait sa vie et eu d'autres enfants ailleurs.

Le jugement ne tarda pas et mon ex fut déchu de son autorité parentale. À partir de là, l'adoption ne fut qu'un jeu d'enfant. Mélissa et Jean-René, sans le savoir, portaient enfin le nom de famille de René et pourraient entrer à l'école la tête haute sans se faire harceler. Bien sûr, ce fut un secret d'état et mes enfants ne se doutant de rien, ne surent la vérité –que René n'était pas leur vrai père– que plusieurs années plus tard.

Restait à changer l'inscription à la commission scolaire et ça urgeait, car Mélissa commençait la semaine suivante. J'appelai donc et demandai à parler à la responsable.

Je lui fis part des changements à effectuer au dossier avant la rentrée scolaire. Cette dernière s'y objecta fermement. J'eus beau lui expliquer que c'était un ordre de la Cour et que je lui enverrais les papiers par la poste, elle refusa catégoriquement. Je dus encore faire appel à mon avocat et après plusieurs minutes de pourparlers et menaces de poursuite, elle dut se plier aux exigences demandées.

Ma fille entra à l'école la semaine suivante en s'appelant Mélissa B. fille de Julie N et de René B. Le certificat de naissance fut changé rapidement et je n'eus même pas besoin de m'adresser en Ontario. Le juge avait demandé que tout soit transféré dans notre région.

J'avais tout eu. D'abord la séparation de corps, ensuite j'avais réussi à ce que mon ex ne puisse plus sortir mes deux enfants, j'avais obtenu mon divorce et pour finir, la déchéance d'autorité parentale. Carmel St-Pierre n'existait plus. Le seul papier où on y faisait encore mention était ma paperasse de divorce. J'étais libérée d'un énorme poids, et j'espérais que mes enfants comprendraient plus tard les démarches que j'avais entreprises pour eux.

Pendant cette première année scolaire, j'eus la frousse de ma vie. Je gardais Pat un samedi de plus, lorsque j'entendis Mélissa pleurer. Je m'empressai d'aller voir ce qui se passait. Elle me raconta que Pat lui avait donné un coup de poing sur l'oeil. Je questionnai ce dernier qui s'excusa en prétextant que ce n'était qu'un accident alors qu'ils se chamaillaient. Le lundi matin, ma fille dut se rendre à l'école avec un oeil au beurre-noir.

Le samedi suivant, encore le même accident se répéta, toujours avec Pat. Et ma fille retourna le lundi à l'école avec l'autre oeil au beurre-noir. Lorsque Mélissa revint de l'école, je la questionnai à savoir si elle avait passé une bonne journée lorsqu'elle me confia:

–Parle moé z'en pas de ma journée, je l'ai passée dans le bureau de la directrice.

–Comment ça?

–Ils ont passé la journée à me questionner sur mon oeil au beurre-noir. Je leur ai répété tout le temps que c'était mon cousin Pat qui m'avait fait ça en jouant, mé ils voulaient pas me croire. Ils disaient que j'étais menteuse, parce que ça faisait deux semaines de file que j'arrivais emmanchée de même, pis de leur dire la vérité. Je leur répétais toujours la même chose, pis là ils voulaient que je leur dise que c'était toé ou papa qui m'avait fait ça. Là, à la fin de la journée, ils m'ont laissée tranquille, parce que je me suis tannée, pis je leur ai crié fort que c'était Pat qui m'avait fait ça.

Je n'en revenais tout simplement pas. Pendant une journée complète, ils avaient questionné ma fille. Quand ces chères personnes avaient vu que Mélissa donnait toujours la même version, elles auraient pu m'appeler et me demander ce qui en était au moins, plutôt que de la traumatiser et la harceler. Jamais je ne laisserais personne me prendre mes enfants et encore moins à cause du fils de ma belle-soeur.

J'appelai cette dernière et lui fis part de ce qui c'était passé et lui demandai d'avertir son fils que ce serait préférable qu'il n'y ait plus d'accidents de ce genre à se produire. Qu'est-ce qui clochait chez ce garçon, je me le demandais bien?

Depuis que Mélissa avait commencé l'école, je rencontrais plusieurs parents. C'est ainsi que je devins amie avec ma voisine Nicky. Ma plus grande qualité étant ma capacité d'écouter tout le monde, on allait en abuser vite fait. Nicky m'appelait à n'importe quelle heure de la nuit en pleurant, et j'accourais aussitôt à son secours. Son mari venait de la pitcher dans le mur et était sorti en promettant de revenir lui enlever ses enfants.

À voir le mur défoncé, je la croyais aisément. Pendant des heures, je l'écoutais me raconter sa vie d'enfer. J'essayais de la rassurer en lui disant que si jamais son mari revenait et tentait de partir avec un des enfants, elle n'avait qu'à appeler la police. Mais à chaque retour, son mari revenait penaud en lui demandant pardon, maintenant qu'il avait retrouvé toute sa tête. Je lui conseillai qu'à la prochaine crise, elle fouille dans les affaires de son conjoint; il prenait sûrement quelque chose pour faire de telle niaiseries.

J'avais raison. La fois suivante où j'accourais encore à un de ses appels, elle me montra ce qu'elle avait trouvé. Sa main tenait un sachet de cocaïne qu'elle avait découvert dans les poches de pantalon de son mari. Elle tenait enfin la réponse à ces changements d'humeur subite.

Je ne pouvais faire autre chose que de l'écouter et lui transmettre les ressources disponibles. Des résidences pour femmes battues regorgeaient de cas semblables au sien et elle n'avait pas à tolérer les coups, ni les menaces, ni les injures. Elle craignait son mari et lui, il profitait de son règne de terreur pour lui faire faire tout ce qu'il désirait.

Quelques mois plus tard, elle se prit en main et demanda finalement le divorce. J'étais contente, si je ne réussissais qu'à sortir une seule femme victime de violence-conjugale de son enfer, mon combat ne serait pas vain."

***

Chapitre 2

La femme de mon frère Serge mit au monde le 10 juin un garçon qu'ils prénommèrent Dan. Mon père se retrouva donc avec trois petits-fils. Mais seuls Dan et Jean-René eurent droit à ses bontés. À chacune de nos visites, alors que les filles de ma soeur entraient en pleurant et disant que les garçons leur avaient fait mal, mon père prenait toujours la défense de Jean-René et Dan. C'était impossible selon ses dires, que ses deux préférés aient pu faire une telle chose, c'était sûrement les petites pestes à Suzanne qui avaient mis le trouble. À partir de ce jour, chaque fois qu'il y avait une discorde au sein des enfants, on répétait en choeur: *Ça peut pas être le Jean-René ni Dan à grand-papa qui ont fait ça.* Jamais je ne me serais douté à quel point mon père pouvait les privilégier; l'avenir saurait me le dire.

Quant à ma soeur, lorsqu'elle désirait quelque chose, fallait que Maurice se plie à ses demandes et ce, sans tarder. Sa nouvelle demande fut de changer d'auto. Et elle ne voulait pas n'importe quoi, elle désirait une TransAm rouge. Son mari avait essayé de lui faire comprendre que ce n'était pas l'auto indiquée avec trois enfants. Rien à faire, c'était ça qu'elle voulait. René se mêla de la partie et lui expliqua qu'une telle auto ne contenait que deux places à l'arrière, et qu'une des filles devrait s'asseoir sur la bosse. Autant parler à un mur. On se retrouva donc tous les quatre à Victoria-ville à visiter les garages d'autos.

On finit néanmoins par trouver ce que ma soeur cherchait, et on refit le trajet en TransAm rouge. Ma soeur fut satisfaite pour quelque temps et fut fidèle à son mari le temps de savourer son nouvel achat. Elle avait hâte de montrer son nouveau bijou à mon père qui était retourné en Floride depuis quelques semaines.

Elle n'eut pas à attendre longtemps. Mon père revenait au Québec et demandait qu'on aille le chercher. Cette fois-ci à l'aéroport de Portland. Pour la première fois, Suzanne demanda à nous accompagner, mais on devrait prendre son auto. Comme à son habitude, elle nous fit une crise de larmes lorsqu'on lui rétorqua que c'était impossible. Premièrement, faudrait faire garder les enfants, deuxièmement, où voulait-elle qu'on assoit le paternel dans l'auto, il était beaucoup trop grand.

Une fois de plus, Suzanne eut gain de cause. On partit donc avec deux heures d'avance avec René au volant, Maurice assis à côté et finalement Suzanne et moi derrière. À chaque sortie avec ma soeur, elle faisait toujours conduire mon chum, faut dire que c'était un maniaque du volant et qu'il conduisait comme un vrai pilote de course. Arrivé aux douanes, on nous intercepta. Deux jeunes couples dans une voiture-sport, ça, paraissait louche. On nous fit donc une fouille. Je réussis à baragouiner un peu en anglais et expliquai à l'agent de l'inspection qu'on ne faisait qu'un aller retour pour aller chercher mon père. Il me demanda le numéro du vol et l'heure d'arrivée, et après les vérifications, nous laissa repartir. On venait de perdre une heure en pourparlers. Un peu plus loin, on tomba en pleine brume, ce qui nous ralentit encore.

On arriva finalement à l'aéroport juste comme l'avion de mon père atterrissait. On le repéra aisément dans la foule, et après les salutations d'usage, on le conduisit à l'auto. Quand il aperçut la TransAm de ma soeur, il entra dans une colère noire:

—Où cé voulez-vous que je m'assise dans ce char-là? Cé ben trop petit. Tant qu'à y être, allez-vous me sortir la tête par le toit ouvrant?

Suzanne qui n'appréciait pas qu'on dénigre son auto, lui

donna le choix: soit il se la fermait, soit il marchait.

On prit donc place avec mon paternel en avant, René toujours au volant, ma soeur, son mari et moi derrière, assise sur la bosse. Mon chum n'avait jamais vu la mer, et étant donné qu'on n'était qu'à 5 minutes de l'océan, il demanda à ce qu'on fasse le détour. Tout le monde acquiesça sauf mon père qui était impatient de retourner au Québec. Maurice s'en mêla et ordonna à René de faire le détour. Ce serait peut-être la seule chance de sa vie, de pouvoir voir cette vaste étendue d'eau, il ne fallait pas la manquer.

Mon paternel se mit à jurer et à bougonner tout le long du trajet. Après avoir touché à l'eau salée, René mit les gaz au fond et ˚go-back-to-Québec˚. Mon père qui se lamentait toujours de l'inconfort (il était tout recroquevillé) et qui trouvait que mon chum roulait un peu trop vite, aurait été mieux de se la fermer. En effet, René perdit patience et accéléra encore plus. On roulait à toute vitesse lorsqu'on aperçut sur la voie en face de nous une auto-patrouille. Mon père se mit à hurler de ralentir, disant que le ticket serait salé et qu'aux États-Unis, il fallait payer le billet d'infraction avant de repartir.

René éclata de rire et dit à son beau-père:

–Faudrait qu'ils nous rattrapent en premier, et avant que les flics trouvent une sortie sur l'autoroute pour partir après nous autres, on va avoir un boutte de faite. Pis le beau-père, t'as hâte d'être de retour en sol Québécois, ça fait que ferme-là donc!

À partir de là, on se serait cru sur un grand circuit de Formule-Un. Tout le long du retour, René avait la pédale au fond et les polices ne purent jamais nous rattraper. Rendu aux douanes, on nous questionna sur notre séjour, et si on avait quoi que ce soit à déclarer. Étant donné le peu de temps passé aux États, on n'avait pas eu le temps de magasiner, donc rien à déclarer, mais c'était sans compter sur mon paternel.

Les officiers fouillèrent l'auto et trouvèrent un joli paquet emballé dans du papier brun. Ils nous questionnèrent à savoir à qui appartenait le colis. On se consulta tous du regard pour finalement regarder mon père. Ce dernier se déclara propriétaire du paquet et ils le firent sortir de l'auto. Une discussion s'ensuivit. Les douaniers voulaient ouvrir le colis pour voir ce qu'il contenait et mon père s'y opposait farouchement.

Pendant ce temps dans l'auto, c'était la consternation:

–Si le père y'é encore embarqué dans une affaire louche, pis qu'on se retrouve en prison à cause de lui, je vous jure qu'il l'emportera pas au paradis ce coup-là, dis-je.

– Faut toujours qu'il fasse les choses autrement que les autres, me semble que c'est pas compliqué, qu'il le débouche le maudit paquet qu'on sacre notre camp d'icitte, rajouta Maurice.

Trente minutes plus tard, on vit revenir mon père avec son fameux colis intact, et on put repartir. On eut beau le questionner à savoir ce qu'il y avait à l'intérieur, la seule chose que mon père nous dit, c'est que c'étaient ses pilules pour le coeur. Pourquoi, les avoir emballées lui demanda-t-on? Nous ne saurons jamais le fin mot de l'histoire et c'était peut-être mieux ainsi. Avec lui, on ne sait jamais. Et pour éviter toute question, il mit ses mains à sa poitrine en respirant avec difficulté.

On avait fait l'aller retour en un temps record. Et René et moi, on se promit que c'était la dernière fois qu'on allait le chercher dans les États.

Une semaine plus tard, mon père nous conviait tous chez lui, Suzanne et sa famille, mon frère Serge et la sienne ainsi que René, moi et les enfants. À l'entendre parler au téléphone, il avait gagné le gros lot. Avec lui, fallait s'attendre à tout et à n'importe quoi.

On arriva les derniers, et mon père nous présenta son jackpot. Une grande brune frisée au prénom de Liette. Cette femme-là, c'était la bonne, il en était convaincu. Encore une nouvelle grand-mère pour les enfants.

À chaque fois, c'était toujours la même chose. Je demandais à mes enfants d'appeler la nouvelle élue par son prénom, et mon père leur ordonnait de l'appeler grand-maman. À chaque fois, c'était l'engueulade, et à chaque fois, je perdais la partie.

Je fis donc connaissance avec Liette. En jasant, elle dit:

–Ton père est pas mal chanceux d'avoir trois beaux grands enfants comme vous autres.

Je ne pus retenir ma langue et lui rétorquai:

–On est pas juste trois, on est cinq chez nous. Mon père t'a sûrement pas dit qu'il a un autre garçon, Claude qui habite seulement à quelques milles d'icitte, mais ils ne se parlent plus. J'ai aussi un autre frère Mario, qui habite à Sherbrooke. Papa ne lui parle plus; il l'a renié parce qu'il est homosexuel.

Plus personne n'osa parler. Mon père me jeta un regard sombre et me dit:

–Ton frère, le tapette, cé pas mon gars, je le renie. M'astu entendu Julie?

Je me levai debout et me plaçai devant lui. J'osai le regarder dans les yeux et lui demandai:

–Imagine-toi un instant que t'es pas au courant que Mario est homosexuel, le renierais-tu encore?

Mon père ne put répondre que par la négative. Mais je n'avais pas encore terminé avec lui.

–Dans ce cas-là, Mario ne vient pas voir avec qui tu partages ton lit, tu n'as qu'à faire pareil.

Et sur ce, je demandai à René de retourner à la maison. Je laissai tout le monde en plan et quittai la famille. J'en avais assez. La goutte avait fait déborder le vase, en attaquant mon frère sans défense.

Mon père mit quelques semaines à digérer mon affront, mais revint néanmoins à la maison. Liette nous présenta ses garçons et lors d'une de ses visites, elle me demanda si je pourrais l'accompagner à Trois-Rivières. Elle devait y raccompagner son plus vieux. Voyant que j'hésitais, elle finit par me convaincre en me disant qu'elle serait seule au retour et trouverait le temps bien long.

Mon père lui fit ses éternelles recommandations:

–Tu fais attention à mon char, tu le sais Liette que j'ai pas les moyens de m'en payer un autre. S'il arrive quoi que ce soit, on va se retrouver à pied.

Je partis donc, laissant les enfants à René. L'aller se passa à merveille. Son fils était un joyeux luron et racontait des blagues. Au retour, ce fut plus silencieux. Je ne savais quoi dire à cette femme que je ne connaissais pratiquement pas. Je l'aimais bien, comme toutes les autres auparavant, mais sans plus. Rendu à Victoriaville sur le boulevard Jutras, elle fit son arrêt obligatoire et redémarra. Avant que je n'aie le temps de réaliser, je vis une auto s'en venir droit dans ma porte. Au dernier moment, le conducteur donna un coup de volant et aboutit sur l'aile.

Après plusieurs tourniquets, on s'immobilisa. Je demandai à Liette si elle était intacte. Elle était bien plus inquiète pour moi, c'était de mon côté que l'auto avait frappé. Miraculeusement, je n'avais rien, même pas une égratignure. Je sortis de l'auto pour constater les dégâts. C'était pas beau à voir: le véhicule était une perte totale. L'automobile qui nous avait frappées, avait disparu. Je regardai les environs et finis par la dénicher, montée sur le câble d'acier qui retient les poteaux électriques.

Je me dirigeai vers le conducteur, il n'avait aucune blessure lui non plus. Les policiers arrivèrent pour le constat. Y'avait pas à y revenir, c'était nous qui étions en faute. Liette avait fait son arrêt, mais elle n'avait pas vu le véhicule et lui avait coupé la route sur une voie rapide. Restait à appeler mon père pour lui apprendre la nouvelle et lui demander de venir nous chercher.

Liette pleurait et hurlait que le paternel allait faire une crise de coeur en apprenant l'accident. Je changeai donc d'idée et appelai René à la rescousse. Lorsque je pus réussir à lui parler sans pleurer, je lui fis part de l'accident et lui demandai d'aller chercher le paternel et de venir nous rejoindre.

Une heure plus tard, mon chum me serrait contre lui. Quant à mon père, il ne nous demanda même pas si on était indemne. Il nous bouda tout le long du retour. Liette voyant son air de chien enragé, pleura pendant tout le trajet en s'excusant.

Le véhicule fut déclaré perte totale par les assureurs, et mon père dut se résigner à acheter une vieille minoune. Bien entendu c'était la faute à Liette, tout ce qui venait d'arriver.

Deux semaines plus tard, je la vis arriver en larmes à la maison. Je la fis asseoir et lui offris à boire. La seule chose qu'elle me demanda fut une cigarette. Après l'avoir allumée, elle me dit à travers ses sanglots:

–Julie, j'en peux plus. Depuis qu'on a eu l'accident, ton père me mène la vie dure. J'ai pus rien à fumer, pis y veut pas me partager ses cigarettes. Il dit que c'est de ma faute si on a pus d'argent. Il m'a demandé de crisser mon camp. Mais y veut pas que je ramasse mes affaires personnelles. J'ai des affaires, que cé mes enfants qu'y m'ont données, pis je veux les amener. Ton père a dit qu'y a rien qui sortirait de sa maison, sauf moé. Il me prive même sur la nourriture.

Je connaissais mon père. Je savais que tout ce qu'elle me disait était vrai. Je lui demandai combien d'argent elle possédait sur elle. Elle m'avoua ne pas avoir une cenne noire pour se chercher un appartement. Je pris ma canne-de-tabac et lui roulai un paquet de cigarette. Ensuite, je lui demandai où elle voulait déménager. Sainte-Marie-de-Beauce qu'elle me répondit, son plus jeune étant là.

Je regardai René et lui dis:

–Là c'é la dernière fois que je le vois déplumer une femme. Habille-toé, on descend chercher les affaires de Liette chez le paternel. Pis je te jure, que si il essaie de m'en empêcher, j'appelle la police. Toé aussi Liette, tu viens avec nous autres, je ne le sais pas moé, cé quoi qu'y t'appartient dans cette maison-là.

C'est d'un air décidé qu'on se rendit chez mon père. J'entrai la première, suivie de sa blonde. Je la regardai et lui demandai:

–Bon Liette, cé quoi té affaires que tu veux emporter?

Mon père fit un pas dans notre direction et je l'arrêtai net en le menaçant d'appeler la police s'il ne la laissait pas sortir ses biens personnels.

Elle me désigna le lustre au plafond. Je demandai à mon père:

–Cé tu toé qui le démanche de là ou je coupe les fils?

Il ne se le fit pas dire deux fois. Je fis le tour de chaque pièce en ramassant tout ce que Liette me montrait. À chaque fois, je demandais à mon père si s'était bien à elle. Il me faisait signe que oui de la tête et René allait le porter dans l'auto. Lorsqu'on eut fini, je dis simplement à mon père:

–Celle-là c'était la dernière que je te voyais déplumer. T'a fait assez de mal comme ça, je ne veux plus jamais te revoir.

On partit pour ˙Sainte-Marie-de-Beauce˙ dénicher un appartement pour Liette. Lorsqu'enfin, elle trouva ce qu'elle cherchait, on lui remit 20 dollars à donner comme acompte. C'était tout ce qu'on pouvait lui donner et elle le comprit très bien. Après s'être embrassé et lui avoir souhaité bonne chance, je repartis le coeur gros.

Quand Suzanne apprit la nouvelle, elle se précipita chez mon père. Elle découvrit une lettre de suicide où il déclarait que c'était la faute de Liette s'il s'enlevait la vie. Et aucune trace du paternel dans le coin.

Je la vis arriver à la maison, enragée, et m'accuser:

–T'avais pas le droit de faire ça au père.

Avant qu'elle ne puisse continuer, je lui criai au visage tout ce que j'endurais depuis que le paternel était revenu dans les parages:

–Cé qui tu penses qui fait son maudit ménage, cé qui aussi qu'y é obligé d'aller le chercher au diable au vert quand il revient des États, cé qui aussi que l'hôpital appelle en pleine nuit parce que Monsieur s'est évadé. Cé qui encore qui accourt chaque fois qu'il est découragé, pis qui menace de se suicider. Chaque fois qu'il y a un problème, tu t'en laves toujours les mains, pis cé moi qui est pris avec. Combien de lettres de suicide penses-tu que j'ai trouvées? Une pour chaque blonde avec qui ça n'a pas marché. Pis ça c'est sans compter toutes les fois où je ne suis pas d'accord avec lui, pis là il se pogne le coeur à deux mains et sort ces petites maudites pilules. Vas-tu te rendre compte un jour que le père, y'é pas pris du coeur, il joue la comédie pour avoir tout ce qu'il veut. Pis ces chères pilules blanches, cé juste des paparmanes.

Maurice et René prirent mon parti et acquiescèrent à tout

ce que je disais. Suzanne, elle, ne voulait pas voir, elle se bouchait les yeux. Eh bien, si elle voulait prendre la relève, je lui laissais toute la place.

Mon père réapparut quelques jours plus tard en pleine forme et avec une nouvelle conquête. Mais celle-là, je ne voulais pas la connaître. Suzanne et sa famille continuèrent néanmoins à lui rendre visite, et je fus la sans-coeur. Mon père venait de perdre un autre de ses enfants, il ne lui en restait plus que deux maintenant: Suzanne et Serge. Mais pour combien de temps?

À chacune de ses visites, ma soeur me commentait tout les détails de la vie de mon père. Sa nouvelle femme était super fine, gentille, belle et tout le tralala. J'étais bien heureuse pour lui, mais il n'était pas question que je laisse prendre à son jeu une nouvelle fois.

Deux mois plus tard, ma soeur m'apprit que mon père devait se faire opérer pour le coeur. En effet, on devait lui faire des pontages et elle m'implorait d'aller à l'hôpital avec elle. Je refusai en lui rétorquant qu'il ne pouvait pas l'opérer pour le coeur, car il n'en avait pas. En larmes, elle me demanda de lui pardonner le mal qu'il avait fait. Mon père ordonnait de me voir avant l'opération et s'il lui arrivait un malheur sur la table d'opération, ce serait de ma faute. Je n'avais plus de place pour la pitié et ma vie se portait bien mieux depuis que j'avais fait le ménage. Il n'était pas question qu'une fois de plus je me laisse intimider.

Je regardai donc Suzanne partir en larmes pour l'hôpital. Pas une seule fois, je n'eus des remords de conscience jusqu'à la dernière minute. J'étais convaincue que mon paternel jouait la comédie. Quelques heures plus tard, ma soeur m'appelait pour me dire que l'opération avait réussi et que mon père avait pleuré en ne me voyant pas à ses côtés. Je lui rétorquai que j'étais bien contente que les médecins aient pu trouver son coeur et raccrochai. Mais je n'étais pas au bout de mes peines et une fois de plus, la marge entre mon père et mon frère Claude se rétrécissait. Et je le découvris peu après.

Une fin de semaine que moi et René devions nous absenter, Claude et sa femme proposèrent de garder nos trois enfants. On accepta avec appréhension, car nous les faisions garder rarement. À notre retour à la maison, j'eus droit à deux enfants en larmes alors que je leur demandais si tout s'était bien passé. Jean-René fut le premier à déballer le tout:

–Tu devineras jamais mom, cé quoi que mon oncle Claude m'a fait. Il m'a obligé à manger un os.

–Ben voyons gars cé quoi c'histoire là?

–Je te jure mom, que cé vrai, demande-le à Mélissa. On mangeait du steak, pis y'avait un os dedans, ça fait que je l'ai mis de côté. Mon oncle m'a dit de le manger que c'était pas un os. Moé, j'y ai dit le contraire, pis y m'a dit que je ne sortirais pas de la table tant que j'aurais pas fini mon assiette.

Je me tournai vers ma fille, attendant sa version des faits:

–Cé vrai maman, pis Jean-René s'est mis à pleurer, pis mon oncle s'est fâché. Ça fait qu'il a été obligé d'avaler l'os tout rond. Pis cé pas toute, à table on avait pas le droit de parler, pis après souper on a été obligé d'aller se coucher tout de suite.

–Y'a tu eu d'autre chose? Comment ça c'est passé avec ton petit frère Jimmy?

–J'pense qu'il s'en sont occupé comme il faut.

Je n'arrivais pas à croire que mon frère ait pu faire ça et surtout que sa femme n'ait dit mot. Peut-être mon fils avait-il exagéré et que le morceau d'os n'était en fait que du croquant. De toute façon, je finirais par savoir la vérité un jour ou l'autre, me dis-je.

Deux semaines plus tard, le père de ma belle-soeur vint me rendre visite. M. Ledoux ne manquait jamais de s'arrêter à la maison quand il était de passage. Après que je l'eus fait entrer et qu'il vit Jimmy, il s'écria:

–Cé lui, le petit bonjour qui a failli mourir l'autre jour quand ma fille l'a gardé!

–Comment ça?

–Y'était dans sa marchette, pis il a avancé jusqu'à l'arbre de Noël. Là, il s'est mis à manger des guirlandes, pis y sont resté pognées dans sa gorge. Ma fille est allée voir ce qu'il fabriquait quand elle a découvert qu'il avait de la misère à respirer et qu'il commençait à devenir bleu. J'te dis qu'elle a eu une misère noire à lui sortir ça de la gorge, pis elle a eu peur en maudit.

Je me précipitai sur Jimmy et le serrai contre mon coeur. Dire qu'il avait failli mourir et que ni ma belle-soeur ni mon frère ne m'avaient avertie. Là, je l'avais ma réponse, et je me jurai que plus jamais, ils ne garderaient mes enfants."

***

Chapitre 10

1991, l'année de mes 29 ans:

—"Ma vie avec René s'en allait à la dérive. Depuis que j'avais mis son fils au monde, ça s'en allait en empirant. J'avais cru qu'il aurait pu aimer mes enfants, mais c'était trop lui demander. Pour la moindre peccadille, il s'en prenait à Jean-René et Mélissa. Quant à son fils, il incarnait la perfection même. Même si je l'aimais toujours, mon homme, je ne pouvais endurer le traitement réservé à mes enfants. C'était toujours la même rengaine: mes enfants auraient pu être les siens. Après maintes discussions, pleurs et cris, je demandai le divorce. Et il finit par m'avouer qu'il n'avait jamais pu oublier son ex- blonde (ma copie conforme) et que son coeur balançait entre nous deux. Après 10 années passées ensemble, ma vie s'écroulait encore.

En même temps, Lucien le frère de René, venait de se séparer d'avec sa blonde Joanie, la laissant seule avec leur fils.

Ce ne fut facile ni pour nous ni pour les enfants. René menaçait de dire à Jean-René et Mélissa qu'il n'était pas leur vrai père. Donc après avoir consulté une travailleuse-sociale pour lui demander son avis, j'annonçai la vérité aux concernés. Il n'y eut aucun cri, ni reproches. Les enfants comprirent très bien et ne me demandèrent aucune information concernant leur vrai père. Mais je savais bien qu'il viendrait, le temps où je leur devrais une explication.

La maison était à mon nom et elle me fut attribuée. J'obtins mon divorce et me jurai de ne plus jamais me faire reprendre. Maintenant, il était temps pour moi de trouver du travail. Depuis le temps où on vivait d'aide sociale, je me devais de prendre ma vie en main. Mes recherches furent récompensées et je dénichai un emploi dans un bar comme serveuse. Le salaire était moyen, mais les pourboires complétaient le tout.

Ce fut le plus dur pour les enfants. M'ayant toujours eue à la maison et à leur disposition, ils devaient maintenant s'habituer à une gardienne et avec l'expérience chez mon frère, ils étaient plus réticents. Je compensais mes absences en donnant plus d'argent à la baby-sitter pour qu'elle les amène au restaurant et les gâte. Une fin de semaine sur deux, René venait les chercher. Depuis que j'avais appris la vérité à Mélissa et Jean René, ils diminuèrent leurs rencontres pour finir par ne plus y aller du tout. René pouvait ainsi profiter de Jimmy, son fils adoré.

Ma vie était bien organisée (croyais-je). Il n'était pas question qu'une autre personne entre dans ma maison, aussi avais-je une aventure avec un homme marié. C'était la vie rêvée, j'étais toujours la plus fine, la plus belle, je faisais mieux l'amour que sa femme et je n'avais pas à laver son linge sale, ni à l'endurer, le matin au réveil. Je ne vivais que le bon côté de la relation et j'en profitais. Les enfants, bien sûr, n'étaient au courant de rien, je me faisais très discrète (pensais-je).

Un soir de semaine, je vis arriver au bar une figure inconnue. Il se présenta, il se nommait Ricardo. Il se mit à converser et à me raconter sa vie. De taille moyenne, brun, cheveux court, mais avec des gros biceps, je le revis tous les soirs, de cette même semaine. Sitôt mon travail terminé, je rejoignais mon amant, et après avoir fait l'amour sur la banquette arrière, je rentrais à la maison prendre soin de mes enfants qui m'avaient manqué.

Cette vie-là durait depuis plusieurs mois lorsqu'un soir, Ricardo me demanda si je voulais bien sortir avec lui. Il n'en était pas question. Je ne voulais rien savoir; les hommes j'en avais fait une overdose, j'en avais ma claque. Il me laissa tranquille pour quelques jours. Il revint à la charge trois jours plus tard. Il venait de s'acheter une auto et voulait me la faire essayer. Comme je refusais en prétextant ne pas savoir conduire une auto, à transmission manuelle, il proposa de me donner des cours. Il se montra très aimable et me promit de ne plus m'importuner. On serait juste de bons copains et il n'exigerait rien en retour.

Pendant une semaine, au lieu de rejoindre mon amant, j'appris à conduire. La semaine suivante, Ricardo me présentait ses trois enfants; Nicole, Jimmy et le petit dernier, Rocky qu'il gardait un week-end sur deux. Il me parla alors de son ex-femme (la méchante évidemment), qui l'avait laissé tomber pour un autre homme. Depuis, ses enfants étaient pratiquement laissés à eux-mêmes. Ils vivaient avec leur mère et son nouveau conjoint qu'ils devaient appeler papa, dans une maison sans laveuse à linge, sans bain ni douche, car les nouveaux amoureux étaient en pleine construction d'une maison.

Avant que je n'aie le temps de m'en rendre compte, sa fille Nicole arrivait à toutes les deux fins de semaine avec leur linge sale à laver, et Ricardo qui venait de perdre sa maison (à cause du divorce bien entendu) vint habiter chez-moi. La relation avec mon amant prit fin ainsi et je me retrouvai mère de trois autres enfants du même âge que les miens, avec deux Jimmy en plus. Et ma soeur qui n'avait pas changé, m'amenait les siens chaque fois qu'elle voulait s'en débarrasser. Je me retrouvais donc avec neuf enfants dans la maison.

Je me rendis vite compte que Ricardo avait un problème de boisson. Le gentil garçon n'était qu'une façade et maintenant qu'il avait déniché une bonne pour s'occuper de ses enfants, à chacune de leur visite, il me les laissait et lui, échouait à l'hôtel pour revenir ivre-mort. Après quelques mois à torcher ses enfants pendant que monsieur faisait la fête, je lui désignai la porte. Croyant pouvoir m'en débarrasser aussi facilement, je m'étais complètement gourée. Il m'éclata de rire en pleine face en disant:

–Si tu me crisses dehors, je vais aller prendre une petite balade et aller rencontrer la femme de ton ancien amant. Chu certain que ça y ferait plaisir de savoir que tu t'envoyais en l'air avec son mari. Au cas où tu t'en aurais jamais aperçue, je te suivais quand tu finissais ton chiffre, c'é comme ça que j'ai découvert le pot aux roses.

L'écoeurant, il me filait. Moi qui croyais être discrète. S'il n'en tenait qu'à moi, il aurait sorti aussitôt sur la tête. Mais je ne pouvais me résigner à briser le mariage de mon ex-amant. Il aurait tout perdu, sa femme, ses enfants et son travail. Je n'étais pas la seule concernée dans tout ça. Moi, il n'y avait rien à détruire, j'étais seule avec mes enfants, mais lui, comment sa femme réagirait-elle en apprenant que son mari l'avait trompée? Et tout le mémérage que ça aurait fait dans le village.

Je décidai donc de tenir le coup encore un moment, le temps de trouver une solution pour m'en débarrasser.

Le-jour-de-l'an-suivant, on se retrouva tous encore chez ma grand-mère maternelle. Je présentai donc Ricardo et ses enfants à ma famille. Toutes les femmes se pâmèrent d'admiration devant les biceps de mon chum. Elles se mirent toutes à la file indienne pour pouvoir l'embrasser et pour pouvoir toucher à ses muscles, et quand elles avaient fini, elles refaisaient la queue pour pouvoir recommencer. Ma mère et ma soeur étaient de la partie bien sûr, et leur première question fut de savoir s'il avait le pénis aussi gros que les bras...

Ricardo appréciait leur jeu et se laissait toucher partout. Moi qui étais toujours en chicane contre mon père, je ne tenais pas à me chicaner avec ma famille, du côté maternel en plus. Je les laissai donc s'amuser et je ne pris conscience de leur envie que la semaine suivante.

Ma soeur et son mari vinrent nous rendre visite, et on décida d'aller veiller. Sitôt le premier slow entamé, ma soeur me poussa son mari dans les bras et partit danser avec mon chum. Rendu sur la piste de danse, je ne pus m'empêcher de les regarder. Ma soeur se collait le bas du bassin sur le membre de Ricardo qui, faut le dire, l'appréciait au plus haut point. Et ils nous firent un spectacle de déhanchement langoureux. Ils furent le point de mire de toute la soirée. Et Maurice et moi n'eûmes d'autre choix que de les regarder se trémousser et pratiquement se fondre l'un dans l'autre, tellement ils étaient collés.

Évidemment, il n'était pas question que moi, je parle à d'autres hommes, sinon au retour c'était la crise de jalousie et les menaces d'aller trouver la femme de mon ex-amant.

Le week-end suivant, ma soeur et sa famille revinrent nous rendre visite. Depuis qu'elle avait rencontré mon chum, elle ne ratait pas une fin de semaine. Toutes les occasions étaient bonnes pour arriver à l'improviste. On se retrouva donc tous les quatre assis autour de la table lorsque ma soeur partit le bal:

–Hey, Ricardo, ce serait le fun si on faisait un échange de couples, qué cé que t'en dis?

–Mets-en Suzanne que ce serait le fun! Tu pourrais enfin voir comment chu grayé.

–Pis moé, si tu savais comment je suce ça, un homme, tu virerais fou raide.

Maurice demanda à sa femme de se la fermer un peu, car Lisbeth était juste à côté et ce n'était pas un langage à tenir devant les enfants. Je demandai la même chose à mon chum et lui dit de respecter les enfants. On aurait parlé dans le vide que ça aurait été la même chose. Suzanne et Ricardo nous traitèrent de vieux jeu, de ne pas vouloir faire l'échange. Après tout, eux deux étaient prêts. Ma soeur se passait la langue langoureusement sur les lèvres en regardant mon chum et lui se caressait le membre pour lui montrer ce qu'elle manquait. Pendant une demi-heure, ils tinrent le même discours et pendant tout ce temps Maurice et moi, on leur demandait de se respecter un peu plus. Je commençais à être réellement à bout de patience de les entendre proclamer leur désir et de nous traiter en moins que rien.

Maurice tenta dans un dernier effort pour calmer sa femme et voyant qu'il n'y réussissait pas, je frappai la table avec mon poing de toute mes forces et hurlai:

–Toé Suzanne, pis toé Ricardo, si le cul vous chauffe tant que ça, gênez-vous pas pour nous autres, il y a un lit en haut pis profitez-en. Je vous donne mon accord. Allez four- rez en masse qu'on aye la paix une fois pour toutes. Mais vous pouvez pas nous obliger, Maurice et moi à faire pareil.

On se respecte plus que ça.

Ce fut le silence complet. Les enfants avaient sursauté, mais il était temps qu'un de nous deux mette de l'ordre. Si ma soeur voulait s'envoyer en l'air avec mon chum, bravo, je lui donnais ma bénédiction. Et c'était la seconde fois que ma soeur m'offrait son mari sur un plateau d'argent et que je refusais. Maurice aussi refusait, car entre lui et moi, c'était une relation de confiance, d'entraide, de profonde amitié et de confidence réciproque, et on ne tenait pas à briser cela.

Sitôt la visite partie, j'eus droit à une engueulade en règle de la part de mon conjoint. Il me reprochait mon manque de collaboration et d'avoir refusé l'échange. Je sus plus tard que ma soeur avait reproché la même chose à son mari.

Joanie m'appela pour m'annoncer qu'elle s'était fait un nouvel ami et qu'elle tenait à me le présenter. Elle arriva en fin de journée et lorsqu'elle fit les présentations, je restai le bras figé en l'air sans être capable de le tendre au nouveau venu. Merde, pensais-je, pas une autre qui va se retrouver avec des bleus. Car son amoureux n'était nul autre que l'ex-mari de Nicky.

Ricardo se lia vite d'amitié avec le nouveau venu. Faut dire que *qui se ressemble, s'assemble*. Aussitôt que je pus être seule avec Joanie, je la mis en garde contre son amant, mais rien à faire, elle était amoureuse, et mes arguments tombèrent dans l'oreille d'une sourde.

Quelques semaines plus tard, je l'appelai pour avoir de ses nouvelles. Elle me criait en pleurant de la sortir de là au plus sacrant. Je lui donnai le numéro du CLSC le plus près, eux autres pourraient aller la chercher et l'amener dans une résidence pour femmes-battues. Mais Joanie était incapable d'appeler elle-même, ne connaissant pas ses chiffres, je lui demandai donc de faire le 0 et de demander à la téléphoniste de faire le numéro pour elle. Ça urgeait, son amoureux avait tout saccagé dans l'appartement, l'avait battue et menaçait de lui faire sa fête à son retour.

N'ayant plus de nouvelles depuis plusieurs jours, je l'appelai en espérant que son crotté ne serait pas là. La voix que j'eus au bout du fil était lamentable. Joanie m'apprit qu'elle avait pardonné à son bourreau et qu'ils filaient maintenant le parfait bonheur. Mais que dorénavant, elle ne pourrait plus me parler, car son copain lui avait demandé gentiment en lui tordant les bras qui était la personne qui l'avait aidée dans sa démarche de se sauver dans un centre pour femmes-battues. Comme il se montrait très persuasif, elle avait fini par lui avouer que je l'avais aidée.

La fin de semaine de Pâques, Lisbeth m'appela pour me demander d'aller les chercher. Ils avaient plusieurs jours de congé et voulaient les passer chez-nous. Je leur demandai de faire leurs bagages, que j'accourrais aussitôt. Je laissai un message à l'intention de ma soeur et son mari qui était au travail, et je repartis avec les trois enfants.

Le samedi, la plus jeune, Catherina, fut souffrante toute la journée. Le dimanche, elle n'allait toujours pas bien. Elle avait mal au coeur et au ventre. On décida néanmoins d'aller rendre visite à Manuel et sa femme Lison qu'on visitait toujours depuis mon divorce en compagnie de nos neuf enfants. Rendu à destination, je demandai à mon ex-belle-soeur, si sa soeur qui était infirmière ne serait pas dans les parages. Je commençais à être vraiment inquiète pour Catherina. Elle réussit à rejoindre sa soeur qui s'empressa de venir examiner la petite.

Après l'examen, Denise me demanda de ne pas prendre de chance et de conduire l'enfant à l'hôpital. Je ne me le fis pas dire deux fois. Avant de partir, je téléphonai à ma soeur pour lui dire ce qui arrivait et lui demandai de venir immédiatement. Elle me répondit que je ne changerais jamais, je n'étais qu'une poule couvant constamment ses poussins, et que je courais à l'hôpital dès que les enfants avaient un petit bobo. Elle refusa de se déplacer. J'exigeai alors qu'elle me donne le numéro d'assurance-maladie de la petite. On laissa toute la bande de jeunes aux gars; de toute façon Lisbeth était assez vieille pour s'occuper des plus petits. Ensuite Lison et moi partîmes pour l'hôpital la plus près, soit Arthabaska. En route, on dut s'arrêter pour faire prendre l'air à Catherina. Rendu à l'urgence, je n'eus pas à patienter longtemps. On fit prendre des rayons X et je demandai à être présente. Ma nièce n'avait jamais été hospitalisée et n'avait même pas de docteur de famille, je ne voulais surtout pas qu'elle panique. On m'informa ensuite qu'un chirurgien allait venir me rencontrer.

Je retins mes larmes pour ne pas faire peur à ma nièce, mais je savais pertinemment que si un chirurgien se déplaçait un dimanche de Pâques, ce n'était pas pour faire des blagues. Je rappelai ma soeur et lui demandai de monter de toute urgence. Après avoir chialé que je dérangeais ses plans, elle me promit de venir. Une chance que j'avais Lison sur qui je pouvais compter et me remonter le moral. Je n'avais pas pris de chance et m'étais informée s'il y avait urgence, si j'étais en droit de signer pour qu'on opère Catherina. C'était préférable que les parents soient là, mais à défaut de leur présence, je pourrais signer.

Suzanne et Maurice arrivèrent au moment où le chirurgien demandait à me voir. J'entrai avec ma soeur et le médecin nous expliqua qu'il ne fallait pas tarder et l'ouvrir. Sur les rayons X, il avait constaté une bosse anormale, qui pouvait signifier un appendice crevé. Je me mis à pleurer et ma soeur m'ordonna de sortir.

Deux minutes plus tard, la porte s'ouvrait et ma soeur me demandait si sa fille avait mangé quoi que ce soit dans la journée. Je lui répondis par la négative. Elle retourna à l'intérieur pendant que j'attendais dans le corridor. Une nouvelle fois, la porte s'ouvrit et Suzanne me demandait si sa fille avait vomi. Je lui répondis qu'en effet, elle avait restitué un peu au cours de la journée. J'entendis alors le médecin crier à ma soeur:

–Cé qui la mère de c't'enfant là? C'est tu toi ou c'est l'autre qui attend dans le corridor?

Ma soeur dut expliquer au médecin qu'elle était la mère, mais que sa fille était chez nous depuis deux jours, donc elle n'était pas au courant si sa fille avait mangé ou vomi. Le chirurgien demanda à ce que je rentre à l'intérieur pour me questionner. Ensuite, il fit venir la civière pour emmener Catherina en salle d'opération. Ma soeur, avant que sa fille ne parte, lui dit:

–Là, Catherina, le médecin va t'ouvrir le ventre pour aller sortir les bobos que t'as. Je ne veux pas te voir pleurer, ni verser une larme, m'as-tu entendue? Té une grande fille pis j'veux pas t'entendre pleurnicher.

C'était plus que Lison et moi n'en pouvions entendre. On se jeta dans les bras l'une de l'autre en pleurant comme deux Madeleines. Je faisais les cent pas dans le corridor attenant à la salle d'opération en priant Dieu d'épargner ma nièce. Ma soeur était assise seule dans un coin pendant que son mari pleurait à fendre l'âme. Je rejoignis Maurice en pleurant et en m'excusant. Je me sentais coupable parce que c'était arrivé pendant que la petite était chez nous. Je craignais que mon beau-frère ne veuille plus jamais que je garde sa fille. Maurice s'ouvrit alors à moi:

–T'as pas à te sentir coupable Julie, tu sais bien que c'est pas de ta faute ce qui arrive. Et si Catherina avait été à la maison, il y a de fortes chances qu'elle meure avant que ta soeur s'en occupe. Tu lui as sauvé la vie, et ça, je l'oublierai jamais. Si tu savais comment ta soeur a réagi quand tu lui as demandé de monter d'urgence. Elle te traitait de mère poule, que tu t'en faisais toujours pour un rien, et qu'au moindre bobo de tes enfants, tu accourais aussitôt. La seule chose que je demande au bon Dieu, c'est de sauver ma fille, il vient juste de venir chercher mon père, par pitié qu'il me prenne pas un de mes enfants.

C'était la première fois que je voyais Maurice pleurer. Et ma soeur l'ignorait et restait seule dans son coin. Je sortis de mes gonds et empoignai ma soeur par les épaules. Je l'accotai au mur en lui criant:

–Tu vas tu pleurer maudite sans-coeur, ta fille va peut-être mourir, pis tu t'en sacres ben.

Et là, je la secouai tant et aussi longtemps que je ne vis pas une larme couler le long de ses joues. Je retournai ensuite consoler Maurice et lui fis promettre que je pourrais encore garder ses filles.

L'opération se déroula bien. Catherina se retrouva avec une cicatrice de près de 10 pouces sur le ventre. Le chirurgien avait fait une opération exploratrice pour voir ce qui ne fonctionnait pas. Ce qu'il avait découvert me figea de stupeur. La petite avait le ventre rempli de gros ganglions qui se twistaient sur ses intestins. Chaque fois que les intestins se tortillaient autour des bosses, ça lui occasionnait des douleurs au ventre. Croyant avoir envie d'aller faire une selle, la petite courait aux toilettes sans que rien ne sorte. Et quand le tout se relâchait, elle faisait caca dans ses culottes. C'était pour cette raison que ma soeur n'avait pas réussi à mettre sa fille propre complètement. Et c'est aussi pour cette raison qu'elle n'engraissait pas. Par la même occasion, en plus d'enlever les ganglions, il lui avait enlevé l'appendice.

J'étais en colère. Si ma soeur s'était occupé de sa fille, tout ça ne serait pas arrivé. Ma nièce eut droit à son congé, après être restée une semaine à l'hôpital. Et là, j'interrogeai Suzanne à savoir qui allait s'occuper de la petite pour la prochaine semaine où elle ne devait faire aucun effort. Je venais d'engendrer une chicane. Ma soeur refusait de manquer une semaine de travail.

–Si tu veux pas rester à la maison pour t'occuper de Catherina, je l'amène chez-moi.

Pour la première fois de ma vie, je vis Maurice se fâcher et injurier ma soeur.

–Si cé la crisse d'argent qui t'empêche de t'occuper de notre fille, j'vas la payer, ta maudite semaine de salaire, pis tu vas rester à la maison. Cé pas à ta soeur Julie de s'occuper de nos filles, tu trouves pas qu'elle en a assez sur les bras comme ça?

Maurice venait de gagner la joute et ma soeur resta à la maison cette première semaine. Mais j'aurais dû m'y attendre, Suzanne laissa Catherina faire les quatre cents coups, comme de sauter sur son lit pour essayer de toucher au plafond. Et ma nièce se retrouva à l'hôpital encore une fois. Encore plusieurs journées à être au repos et elle put enfin regagner la maison. Mais ma soeur retourna vite au travail. Son nouvel amant lui manquait terriblement.

Au retour à la maison, le téléphone sonnait. Je me précipitai pour répondre. C'était Joanie. Elle m'appelait d'un centre d'hébergement. En pleurant, elle me demanda de lui pardonner le geste qu'elle s'apprêtait à faire:

–Mais voyons Joanie, je n'ai rien à te pardonner.

–Julie, suis enceinte. J'ai rendez-vous demain à l'hôpital pour me faire avorter. Pis je sais que t'es contre ça.

–Pense-z-y comme il faut, avant de faire un geste que tu pourrais regretter toute ta vie. Demande conseil à un thérapeute.

–C'est déjà fait et ma décision est bien prise; et je ne changerai pas d'avis. Y'a juste une chose que je voulais te demander, aurais-tu été prête à adopter mon enfant si je te l'avais donné?

–Tu sais bien que oui, Joanie, mon coeur est toujours assez grand pour un enfant et je lui aurais donné tout l'amour possible.

–Je savais Julie, que je pouvais compter sur toé. Ma première idée était de mener ma grossesse à terme et de te le donner, car moé je suis incapable d'élever un autre enfant. Mais quand mon chum a su que j'étais enceinte, il m'a fait des menaces de mort si je l'empêchais de voir son enfant. Pis je sais très bien que si je te le donnais, cé toi qui aurais les troubles avec le père. Il te ferait toutes les misères du monde, cé un méchant malade. Ça fait que je te demande de me pardonner, mais ma décision est irrévocable.

Après avoir raccroché, je me mis à pleurer. Je savais qu'elle avait raison, mais je ne pouvais concevoir d'enlever ainsi une vie. Tant de personnes désiraient avoir des enfants et ne pouvaient pas, tandis que tant d'autres en avaient et les considéraient comme des moins que rien.

Je visitais toujours mon frère Claude et sa femme, mais plus jamais ils ne gardèrent mes enfants. Leur fils Pat était devenu un délinquant. Était-ce dû au fait que ses parents verrouillaient la porte du congélateur pour ne pas qu'il se serve à manger pendant la nuit quand ce dernier refusait de manger ce qu'il y avait sur la table? Était-ce parce qu'il devait attendre ses parents à l'extérieur en revenant de l'école, la porte étant barrée et ce, même l'hiver pendant les grands froids? Était-ce parce qu'il n'avait droit à aucun ami et n'avait pas le droit de sortir de la cour avec son bicycle comme tous les copains de son âge? Tout ce que je sais, c'est que le jeune se retrouva dans une école de réforme."

***

74

Chapitre 11

Ma relation avec Ricardo en était une de chantage et de menaces. J'avais hâte au jour où je pourrais trouver la moindre anicroche le concernant et le foutre à la porte. À toutes les deux semaines, c'était la même histoire qui se répétait. Le vendredi soir, je devais aller chercher ses enfants à Sherbrooke, son ex-femme refusant de les laisser embarquer avec lui, car il était toujours saoul. Là, je me tapais leur lavage de la semaine, pendant qu'il s'enivrait à l'hôtel. Et le dimanche, je devais aller les reconduire pendant que mon chum pleurait à chaudes larmes de ne pas avoir ses enfants plus longtemps, lui qui les aimait comme un fou.

Bien sûr, il n'était pas question que je fasse le moindre reproche à sa progéniture, ou que je leur demande quoi que ce soit. Moi, j'avais la belle vie, j'avais mes enfants tous les jours, tandis que lui ne les voyait que quatre jours par mois. De plus comme son ex-femme était Témoin-de-Jéhovah, je me devais de tout fêter pour ses enfants qui en étaient privés. C'est ainsi que chaque fois que mes enfants passaient 'l'halloween', ils devaient partager avec les trois de Ricardo.

Même chose aux anniversaires. Je ne pouvais fêter mes enfants que les fins de semaines où ceux de mon chum étaient présents, pour qu'il ne manquent rien, eux qui n'avaient pas le droit à un gâteau avec chandelles. Donc bien souvent mes enfants recevaient leurs cadeaux une semaine en retard ou à l'inverse une semaine à l'avance. Et chaque fois, ils me reprochaient de ne pas fêter la journée même. La chose se reproduisait à Pâques et à Noël.

Quant aux vêtements, c'était la guerre. Nicole voulait toujours porter les vêtements neufs de Mélissa et cette dernière s'y objectait. Nicole allait pleurer à son père qui s'en prenait à ma fille d'être aussi égoïste. Cette dernière avait gain de cause et portait le linge de ma fille.

Tous les trucs étaient bons pour déclarer la chicane. Y a pas à dire, Nicole savait comment s'y prendre. À chaque fois qu'on sortait, elle regardait Mélissa en lui disant que ce qu'elle portait était affreux et démodé. Ma fille partait alors à la course se changer. Nicole en profitait alors pour enfiler ce que Mélissa venait juste d'enlever. Là, la chicane dégénérait en pleurs. Bien sûr, Ricardo prenait le parti de sa fille, ce n'était pas de sa faute à elle, si leur mère ne l'habillait pas convenablement.

Les vêtements de Mélissa se mirent à disparaître. Je m'en pris à elle lorsque je constatai que l'ensemble neuf que je venais de lui acheter n'était plus dans ses tiroirs. Je la traitai de traîneuse, et que si elle se ramassait, elle ne l'aurait pas perdu. En pleurs, elle me demanda si par hasard, Nicole n'aurait pas pu partir avec son linge.

Je lui affirmai que non. Chaque fois que repartaient les enfants de Ricardo, je faisais l'inspection pour voir s'ils retournaient avec le même linge qu'à l'arrivée. Voyant ma fille en larmes et n'ayant pas revu son ensemble depuis le départ de Nicole, je décidai d'en avoir le coeur net.

Deux semaines plus tard, je demandai à ma belle-fille si oui ou non, elle avait apporté le linge neuf de Mélissa chez elle. Elle se mit à pleurer en me disant que je ne lui faisais pas confiance et que je la traitais de voleuse et finit dans les bras de son père. Malgré son jeune âge, elle était très développée et avait toute une poitrine. Et je voyais bien qu'elle aimait quand son père la serrait dans ses bras et lui frôlait les seins, mais encore là, j'étais aveugle.

En les retournant chez leur mère, je décidai d'en avoir le coeur net. Ma fille pleurait encore que ses vêtements étaient disparus et les garçons se chamaillaient. J'étais à bout de patience, c'était toujours moi qui faisais le voyage aller et retour avec les six enfants à bord. Quelquefois Ricardo m'accompagnait, mais plus souvent qu'autrement, il refusait de m'accompagner en prétextant que ça lui faisait trop mal de dire au revoir à ses enfants. Et il échouait au bar à s'enivrer. Je déclarai donc bien haut:

–Mélissa, arrête de pleurer, je vas le retrouver, ton linge. Pis Nicole, pendant qu'on y est, j'voudrais parler à ta mère en arrivant. Pour voir si elle l'aurait pas vu, ce linge- là.

Pendant le reste du trajet, on aurait entendu une mouche voler tellement c'était calme. Rendu à proximité de la maison, Nicole avoua enfin. Oui, le linge neuf de Mélissa, c'était elle qui l'avait. Quand je lui demandai comment elle avait fait pour l'emporter, elle me répondit qu'elle le cachait sous ses autres vêtements. Je lui demandai de me le remettre immédiatement, sinon j'allais entrer moi-même le chercher à l'intérieur, et elle devrait donner des explications à sa mère sur son comportement.

Elle me remit des choses qui avaient disparu depuis longtemps et dont je ne me serais jamais douté qu'elle les avait prises. Je rencontrai quand même sa mère et lui révélai ce que sa fille faisait. De fil en aiguille, je découvris non pas la méchante mère, mais une femme bien gentille qui se dévouait corps et âme pour ses trois enfants.

Je sus aussi que Ricardo n'avait pas perdu sa maison à cause du divorce, mais qu'il se l'était fait saisir.

En revenant, je dus subir le sermon de ma fille. Mélissa me remit sur le nez que je l'avais traitée de traîneuse et je dus m'en excuser. Mais je n'étais pas au bout de mes découvertes. La semaine suivante, un homme se présenta à la maison et demanda à voir mon chum. Comme ce dernier n'était pas là, notre visiteur se proposa de l'attendre. Après une heure de vaine attente, il se présenta en tant qu'huissier. Il venait saisir l'auto que Ricardo n'avait jamais payée et me demandait de lui remettre les clés sans discuter.

Ce que je fis sans poser de questions. Il repartit en compagnie d'un autre homme qui l'attendait à l'extérieur en amenant l'auto. Mon chum arriva deux minutes plus tard et ne posa pas la moindre question sur la disparition de son char. Il m'avoua ensuite être resté caché en attendant que les visiteurs partent. Il avait deviné qui ils étaient.

J'aurais voulu mourir de honte. Moi qui avais toujours fait mes paiements sur ma maison et ne devais rien à personne, voir les huissiers chez-moi me faisait rager d'humiliation.

La semaine suivante, Ricardo disparut une journée pour ne réapparaître qu'à la nuit tombée. Pour une fois, il n'était pas saoul et revenait en auto. Je le questionnai à savoir où il avait prit ce char-là quand il m'apprit qu'il l'avait acheté d'un de ses oncles. Il lui avait fait des chèques-antidatés et il était maintenant propriétaire d'une Renault bleu-poudre qu'il devrait mettre à mon nom pour ne pas se la faire saisir. Le seule problème, me dit-il, c'est qu'il n'était pas connu à la caisse de Stratford et que je devais signer mon nom à l'arrière des chèques, ce qui soi-disant ne m'engageait à rien. Si je doutais de sa parole, je n'avais qu'à appeler son oncle qui me le confirmerait, ce que je fis. Et pour une fois qu'il était sobre, je lui fis confiance et signai mon nom à l'endos."

***

Chapitre 12

"Après que j'eus signé les chèques, j'eus un temps de répit. Ricardo commença à travailler comme bûcheron et s'enivra moins souvent. Du moins je n'en avais pas conscience. Il prenait un coup seulement la fin de semaine. Ma soeur l'adorait toujours et ne voyait pas qu'il était un ivrogne. Seul Maurice semblait se douter de quelque chose, mais n'osait m'en parler et ainsi mettre une blessure à vif. En famille, mon chum était toujours prévenant avec tout le monde, embrassait ma mère, ma soeur et les tantes et partout on m'enviait d'avoir déniché un si bel-homme. Ah, la chanceuse!

Et je n'osais surtout pas leur faire perdre leurs illusions. De plus, comment aurais-je pu dire à ma famille qu'une fois de plus, je m'étais fait avoir par un homme. C'était à penser que je courais quasiment après les troubles et que je pognais juste des pourris dans ma vie.

Encore une fois, mon père se présenta chez nous, comme si rien ne s'était passé. Il me prit dans ses bras en pleurant que je lui avais manqué. Il me demandait pardon du mal qu'il avait pu me faire et d'oublier le passé. Depuis son opération, il disait avoir changé et réfléchi au mal qu'il avait pu me faire. Devant son air de chien battu, je le fis entrer. Et ainsi, il se mit à débarquer en tout temps. Il me raconta qu'avec ma soeur, c'était différent. Elle n'avait pas connu la misère. Son mari lui avait donné tout ce qu'elle avait toujours désiré et n'était qu'une petite fille gâtée, pourrie, sans coeur, qui ne pensait qu'à elle. Tandis que moi, qui avais connu la misère, j'étais la seule à pouvoir le comprendre.

Une fois de plus, j'en eu pitié. Les enfants étaient fous de joie de retrouver leur grand-père, surtout Jean-René qui était resté le préféré de son Papi. Une fois de plus, je me retrouvai à faire les quatre volontés de mon paternel. Je me sentais coupable de ne pas avoir cru à ses malaises cardiaques et en cédant à ses petits caprices, j'espérais ainsi me faire aimer de lui. Je me retrouvai donc à faire son ménage chez lui et à lui faire ses desserts préférés.

L'automne arriva et mon paternel partit pour la fin de semaine à Milan (Estrie), région prodigue de gibier. Le lendemain, il revenait en m'ordonnant de ne plus jamais parler à mon frère Serge. Ce dernier était un gibier de la pire espèce et par sa faute, mon père se retrouverait probablement en prison. Je quittai mon paternel et me précipitai chez mon frère Serge pour savoir le fin mot de l'histoire que mon père n'avait pas voulu me dire.

Rendue à Milan, je questionnai mon frère qui me raconta ce qui s'était passé:

—Tu devineras jamais ce que le maudit vieux shnock a fait Julie? Y'é venu à chasse dans le coin icitte, pis y'a tué. Là, il est venu me demander de l'aide pour sortir son gibier. Il est parti demander le 4 roues motrices à mon beau-père, pis tu connais le père de ma femme, tu sais comment il est bon, il lui a prêté. Là, le père m'a demandé d'aller sortir son chevreuil, seulement à la noirceur. Quand je lui ai demandé cé quoi qu'y avait tué, il a pas voulu me répondre. Pis quand je l'ai questionné si c'était une femelle ou un buck, il m'a pas répondu non plus. Ça fait que là on est parti tous les deux en quatre-roues pour aller chercher son chevreuil. Rendu là, je me suis rendu compte que c'était une femelle. Mais tu connais le père, pas question de la laisser là. On l'a embarquée sur le bicycle, pis rendu au bord du chemin, les gardes-chasse nous attendaient. Ils ont entendu le bruit d'un moteur, ils ont vu des phares, il ne leur restait qu'à attendre qu'on sorte du bois.

Là, on avait l'air fin. Le père avait son fusil chargé sur un véhicule moteur: ça, c'est une infraction. Ensuite la chasse à la femelle-chevreuil est interdite: deuxième infraction. Ensuite c'était le soir et les phares du véhicule était allumés: donc troisième infraction c'est-à-dire avoir tenté de chasser la nuit, un gros gibier avec un projecteur.

Là, pour se défendre, le bonhomme a dit au garde-chasse qu'il ne s'était pas rendu compte que c'était une femelle et qu'il s'en était rendu compte seulement en allant la chercher. Pis que là, on l'avait embarquée sur le quatre-roues pour aller leur porter. Les agents de la conservation de la faune, c'est pas des niaiseux, y en ont déjà vu ben avant nous autres, ça fait que son histoire, a l'a pas pogné. Moi, j'avais le choix: dire la vérité et m'en tirer avec rien, ou raconter les mêmes menteries que le père et faire saisir le quatre-roues de mon beau-père, et écoper d'une amende de 2000. dollars. J'ai quatre enfants à nourrir qué cé que t'aurais fait à ma place, Julie?

–J'aurais fait exactement comme toé et j'aurais dit la vérité, Serge. Tu dois d'abord et avant tout penser à ta femme pis à tes enfants. Le père pis ses menteries, il s'arrangera tout seul.

–Pis cé pas toute, pour expliquer l'arme chargée sur le quatre-roues, le bonhomme a essayé de leur faire accroire, que c'était au cas où on aurait rencontré un ours, pis que c'était pour se défendre. As-tu déjà entendu parlé de ça toé Julie, un ours qui s'attaque à du monde sur un quatre-roues Un ours, quand il entend du bruit, il court se cacher, il attaque pas.

Bon, là, j'étais renseignée. Et je croyais à la version de mon frère. J'en eus la preuve pas longtemps après. Mon père se paya un avocat pour le défendre et demanda que mon frère témoigne pour lui à la Cour. L'homme de loi demanda à rencontrer Serge au préalable pour entendre sa version et il adressa ensuite une lettre à mon père dont je possède une copie et qui se lit comme suit:

Monsieur Amédée N.

Stornoway,

Objet: Plainte en vertu de la loi,

  Sur la protection de la faune.

Monsieur, Suite à la rencontre avec votre fils Serge je vous réponds.

Celui-ci m'a donné sa version relativement aux événements du 6 novembre 1988 pour lesquels vous faites l'objet de trois plaintes en vertu de la loi sur la conservation et la mise en valeur de la faune. À la suite de l'entretien que j'ai eu avec votre fils, je suis en mesure d'affirmer que son témoignage ne pourra nous être utile surtout en ce qui concerne votre intention d'aller porter le chevreuil-femelle aux gardes-chasse.

Si je fais le point de votre dossier, je retiens que les trois chefs d'accusation ont été portés contre vous, deux punissables par $1,500. dollars d'amende et l'un par $400. dollars d'amende. Le premier chef d'accusation est celui d'avoir eu en votre possession un cerf-de-Virginie chassé en contravention avec la loi puisqu'il s'agissait d'une femelle. Le deuxième chef d'accusation est celui de vous être trouvé à bord d'un véhicule en possession d'une arme à feu chargée et le troisième chef d'accusation est celui d'avoir chassé la nuit un gros gibier avec un projecteur.

Avec l'expérience que j'ai de la Cour, je peux vous dire tout de suite que les explications que vous avez l'intention d'offrir à la Cour lors de votre procès risquent fort bien de ne pas être retenues. Je m'explique:

Dans une déclaration faite le 6 novembre aux deux gardes-chasses, vous admettez que c'est vous qui avez tué le chevreuil-femelle avec votre carabine .303. Ceci exclut donc la thèse du deuxième chasseur qui aurait pu avoir tiré sur le même animal d'autant plus qu'aucune expertise balistique n'a été faite sur celui-ci.

En ce qui concerne la possession de l'animal tué de façon illégale, vous devrez expliquer de façon crédible les raisons pour lesquelles vous n'avez pas sans tarder, avisé les agents de la conservation de la faune tout comme vous devrez expliquer pourquoi vous êtes allé, en pleine nuit, chercher cet animal. Il n'est pas certain non plus que le Tribunal accepte votre théorie sur l'erreur *et sur l'identification du sexe de l'animal.*

En ce qui concerne l'accusation de vous être retrouvé sur un véhicule avec une arme à feu chargée, je ne vois pas comment vous pourriez être acquitté de cette accusation parce que l'article de la loi ne permet aucune échappatoire. En ce qui concerne la chasse de nuit, vous étiez en possession d'une arme à feu chargée dans un véhicule 4-roues muni d'une lumière à l'avant dans un endroit actuellement fréquenté par le gros gibier et il vous appartiendra de prouver qu'il n'était pas dans votre intention de faire une chasse de nuit.

Compte tenu de ce qui précède et du fait qu'il y a un risque certain, advenant un procès, que vous soyez condamné au total des amendes s'élevant à 3,400. dollars plus les frais, vous auriez peut-être intérêt à reconsidérer votre position et m'autoriser à négocier pour vous auprès du procureur de la Couronne un ou des retraits de plainte advenant un plaidoyer de culpabilité dans un ou deux dossiers. Je pourrais ainsi tenter d'offrir un plaidoyer de culpabilité sur le chef de possession d'un chevreuil-femelle en échange d'un retrait des deux autres chefs d'accusation et la remise des armes saisies.

J'apprécierais donc que vous puissiez songer à tout cela et me faire part de vos commentaires dans les prochains jours.

Espérant le tout conforme, je demeure...

Et le tout était signé par son avocat. Mon père se retrouvait dans de beaux draps. Mais je ne pouvais pas le plaindre et en plus, il avait essayé d'embarquer mon frère dans son histoire. Ça prouvait à quel point, il ne se souciait guère de nous et qu'il ne pensait qu'à lui. Serge fut donc banni et mon père le renia parce qu'il n'avait pas voulu mentir pour lui sauver la peau. À partir de ce jour, il fut interdit de mentionner le nom de mon frère lorsqu'on se voyait.

À la maison ce n'était pas de tout repos non plus, loin de là. Tard un soir, le téléphone sonna. Je répondis et on demanda à parler à Ricardo. Je tendis l'oreille, essayant ainsi de savoir ce que son interlocuteur lui voulait. Je voyais bien que mon chum était pas gros dans ses culottes lorsqu'il raccrocha. Je n'eus pas à le questionner qu'il se mit à pleurer en me racontant:

–Le char que j'ai acheté, je t'ai menti. Cé pas de mon oncle que je l'ai eu. Pour dire vrai, j'ai emprunté l'argent de la pègre. Pis là, j'ai sauté un paiement parce que j'avais pas d'argent. C'était le mafioso qui m'appelait pour me dire de lui apporter l'argent au plus sacrant si j'voulais pas me retrouver avec un membre-cassé.

J'en croyais pas mes oreilles. Et moi, la dinde qui avait endossé les chèques, étais-je embarquée dans ça jusqu'au cou aussi? lui dis-je. Sûr que oui, qu'il me cria. Mon Dieu priai-je, faites que je sorte intacte de cette histoire de dingues.

Celle-là, il l'emporterait pas au paradis, le salaud. Je promettais de me venger. Il finit par emprunter l'argent d'un de ses copains et voulut partir seul retrouver son mafioso. Pas question. Je l'accompagnerais et exigerais qu'on me remette les chèques que j'avais eu l'imprudence d'endosser.

Je fis garder les enfants et on partit pour une petite ville voisine de Sherbrooke. Le coeur me battait comme un tambour dans la poitrine, mais j'étais déterminée à me sortir du guêpier dans lequel je m'étais fourrée. Rendue devant le local, je pris une profonde inspiration et entrai à l'intérieur. Même les images de mafia à la télé ne m'avaient pas fait cet effet. Au-dessus du bureau trônait le cadre d'un homme habillé en homme de main et il portait même le chapeau de circonstance. J'avais la trouille et je me demandais si j'aurais la force de me retenir de pisser dans mes culottes.

Une armoire à glace se tenait devant moi. Il devait mesurer près de 7 pieds et peser au moins 250 livres. Et pas une once de graisse, rien que des muscles.

Je pris quand même mon courage à deux mains et lui demandai de me restituer les chèques en lui racontant le subterfuge de mon chum pour avoir ma signature.

Il comprit, mais refusa quand même. La seule chose qu'il pouvait faire pour moi était de m'écrire une lettre me promettant de ne pas me toucher ni de m'importuner tant et aussi longtemps que Ricardo ferait les paiements. Je ne pouvais exiger autre chose. Et si l'envie m'avait pris d'aller à la police, ça ferait 'quik'. Ça pouvait pas être plus clair.

Je sortis du bureau en colère avec une feuille de papier remplie de promesses. Ma vie dépendait du bon vouloir de mon chum. Il ne tenait qu'à lui que je vive ou que je meure. J'explosai et lui crachai à la figure qu'il n'était qu'un salaud‑alcoolique et qu'il ne méritait pas de vivre. Notre couple n'en fut plus un à partir de là et on fit chambre à part. Je refusai qu'il me touche dorénavant. Et j'attendais toujours le jour de la revanche."

***

Chapitre 13

"Pendant ce temps, ma soeur continuait à faire des siennes. Maurice venait de vendre une partie de ses terrains dont l'usine voisine avait besoin pour s'agrandir. Le contrat n'était pas encore signé et l'argent entré, que Suzanne l'avait déjà tout dépensé. Elle fit refaire la salle de bains au complet, changea de télé et se fit poser une coupole satellite de plusieurs milliers de dollars. Le réfrigérateur fut changé ainsi que la cuisinière. Quand Maurice eut fini de faire le décompte des dépenses, il ne lui en restait que pour s'acheter un bicycle 4 roues. Il se dépêcha de l'acquérir avant que ma soeur ne finisse de dilapider son avoir. Après tout, cet argent n'appartenait qu'à Maurice, les terrains étant un don que son père lui avait légué.

Toujours aussi friande de fantaisie, elle s'était trouvé un autre amant. Lorsqu'elle me le présenta, je figeai de stupeur. Il ressemblait à mon père comme deux gouttes d'eau. La même grandeur, même corpulence, même moustache. Seuls leurs yeux étaient différents, Émilien avait les yeux d'un bleu profond tandis que le paternel avait les yeux bruns. Bien sûr, quand Maurice était présent, ce n'était qu'un de ses bons compagnons de travail, sitôt qu'il avait le dos tourné, elle ne se gênait pas pour l'embrasser et ce, même devant ses filles à qui elle avait demandé de garder le secret.

Comment pouvait-elle s'envoyer en l'air avec un homme qui avait l'âge de notre père. Son mari, lui, se doutait bien de quelque chose, mais par amour pour les enfants, il se fermait les yeux en attendant que sa nouvelle folie passe. Elle n'en était pas à sa première.

Dans le même temps, elle se lassa de sa TransAm rouge et demanda à son mari de lui acheter une van. Elle argumenta en disant que les filles avaient vieilli et que c'était toujours la chicane à savoir à qui serait le tour de s'asseoir sur la bosse. De plus, l'auto n'était pas pratique, car la valise était pratiquement inexistante. Et l'été, pendant les chaleurs, il enlevait le toit ouvrant, mais s'il se mettait à pleuvoir, il fallait se ranger sur le bas côté pour replacer le t-top. Autrement dit, elle n'en voulait plus.

Avec ma soeur, fallait lire entre les lignes. Elle avait beau trouver toutes sortes de défaites pour ne plus vouloir de l'auto, j'avais vite compris qu'une van serait plus pratique pour s'envoyer en l'air avec son amant. Son mari se plia une fois de plus à ses exigences et lui procura ce qu'elle désirait. Elle fut heureuse pour les quelques semaines à venir.

Elle m'apprit quelque temps plus tard que son amant avait le cancer des poumons. Mais que grâce à une nouvelle invention, elle pourrait parvenir à le guérir. Restait à convaincre son mari de lui fournir les 5000 dollars pour l'achat de la dite machine. Elle réussit encore cet exploit en lui faisant miroiter un avenir plus prometteur où elle resterait à la maison en vendant des minutes de soins sur sa nouvelle acquisition.

Elle m'appela en sautant de joie et me demandait de venir la voir au plus tôt; elle voulait me montrer son achat. On partit donc le week-end suivant chez ma soeur et c'est ainsi qu'elle me fit essayer la machine à miracles, qui la rendrait riche. L'engin en question s'appelait Rhumart et donnait de légers chocs électriques. Après m'avoir demandé ce que je désirais comme soin, –je pouvais demander n'importe quoi– et lui avoir répondu que mon souhait le plus cher concernant ma santé serait de maigrir, elle régla la dose de choc et après quelques minutes, me dit que le problème devrait se régler.

Moi, les miracles, j'ai jamais cru beaucoup à cela, mais si ça pouvait lui faire plaisir d'y croire tant mieux. À chaque jour, elle fit un traitement à Émilien en priant que le miracle se produise. Elle l'aimait d'un amour aveugle et elle était prête à tout pour le garder. Les deux tourtereaux se payèrent même un voyage au Mont St-Hilaire pour consulter une voyante qui leur dirait s'ils avaient raison d'espérer."

***

Chapitre 14

— Dès son retour, je constatai chez ma soeur un changement important. La seule chose dont elle nous rabattait les
oreilles était qu'elle avait des dons de guérisseuse. Elle aban-
donna ses enfants plus souvent à eux-mêmes et je devais
me taper le voyage pour aller les chercher et les amener à la
maison. Chaque fois, je téléphonais à Maurice pour lui dire
de ne pas s'inquiéter, que les filles étaient avec moi.

Ricardo, lui, me piquait une crise chaque fois. Il me reprochait de m'occuper des enfants de ma soeur, de les faire
passer avant ses enfants à lui et répétait que Suzanne n'avait
qu'à s'en occuper elle-même. Et à chaque fois, je lui répondais que s'il n'était pas content, il n'avait qu'à prendre la
porte, ce qui me ferait la plus grande joie. Mais comme toujours, il menaçait de divulguer mon aventure.

Depuis son retour de chez la voyante, ma soeur vivait
en plein ciel. Délices ésotériques. Dans leur vie antérieure,
son amant Émilien représentait Dieu, c'était la raison pourquoi il avait les yeux si bleus. Tant qu'à elle, elle représentait une reine dans l'antiquité grecque qui avait épousé son
roi (Émilien) et ils avaient été séparés par la guerre. Maurice, lui représentait Hitler, c'était donc lui d'une manière
qui avait séparé les deux amoureux. Émilien était revenu au
monde trop tôt, et ma soeur trop tard, d'où la raison du
grand écart d'âge entre les deux. Alors elle se mit à détester son mari et à lui en vouloir. Elle l'appelait même Hitler

en certaines occasions.

À partir de là, elle se découvrit des talents de guérisseuse. Elle partait avec son amant où DIEU voulait bien les mener. Elle faisait l'imposition des mains et se trouva même des talents de chasseuse de démons. Eh oui, elle 'déhantait' les maisons. Maurice, toujours aussi bon, attendait patiemment que sa femme revienne à la raison. Et à la maison. Parfois aussi, elle amenait ses filles dans ses grandes chasses aux sorcières.

Mon père qui avait besoin de 2,000. dollars pour payer son amende de chasse, n'avait pas choisi le bon moment pour faire appel à ma soeur et son mari. Je vis tout ce beau monde arriver à la maison un samedi matin. Quand je leur demandai la raison de leur visite, ma soeur m'apprit qu'elle venait régler ses comptes avec mon père et qu'elle avait choisi un terrain neutre, soit chez moi. Mon paternel prenant son courage à deux mains, demanda à Maurice la somme d'argent dont il avait besoin pour se sortir du pétrin. Avant que mon beau-frère ne puisse ouvrir la bouche ma soeur répondit au paternel en criant:

–Té tu tombé sur la tête, Amédée N. Y'é pas question que mon mari te donne une crisse de cenne noire. T'as faite quoi, toé, pour nous autres depuis qu'on é au monde. Rien.

–Tu sauras ma petite fille que cé moé, qui a eu votre garde légale quand ta mère a demandé le divorce, pis j'ai même emmené les papiers le prouvant. Ta chère maman que tu adores, voulait pas vous avoir, elle aimait mieux fourrer avec tous les hommes qu'a rencontrait. Pis cé encore moé qui a payé le service social. À chaque mois, je payais votre pension, vu que je n'étais pas capable de me retrouver avec 5 enfants sur les bras. Ça fait que je pense que tu devrais me respecter un peu plus.

–T'auras pas une maudite cenne, m'entends-tu. L'argent que Maurice a reçu pour son terrain qu'il a vendu, je l'ai tout dépensé, justement parce que je savais que tu allais me demander de te sortir du trou. J'aime mieux te voir crever en prison, pis avoir ma coupole satellite sur ma maison, j'pense que cé assez clair.

Lorsque j'avais constaté que la discussion menaçait de

dégénérer en chicane, j'avais envoyé les enfants jouer dans leur chambre. Maurice et moi, on assistait donc impuissants à leur joute verbale. Mon père se prit encore le coeur à deux mains, et sortit ses fameuses petites pilules blanches avant de lancer à ma soeur:

–Suzanne, té chanceuse d'avoir un mari bonasse qui te donne tout ce que tu demandes. Avant longtemps, tu vas pleurer tout le mal que tu lui a fait. Pis je te jure que je ne serai pas là pour te ramasser. Té à veille de te manger les doigts de regret.

Sur ce, mon père nous quitta en pleurant. J'en voulais à ma soeur d'avoir choisi ma maison pour régler son différend et je le lui dis. Mais comme elle me l'a si gentiment fait remarquer, elle était chez elle dans ma maison, fallait pas que j'oublie que c'était son mari qui avait signé comme endosseur à la caisse.

Ma soeur fut donc plusieurs semaines sans parler à mon père. Mais le tout finit encore une fois par se replacer et ils se sautèrent au cou en se demandant pardon. Mon père déménagea à Compton et il nous invita, ma famille et celle de ma soeur, à aller souper le jour de l'an au soir. On accepta son invitation, mais en lui mentionnant qu'on arriverait tard, étant donné que le dîner se donnait chez notre grand-mère maternelle.

Le dîner se déroulait bien. Encore une fois, toutes les femmes présentes faisaient la queue pour avoir l'opportunité d'embrasser Ricardo, et ce dernier s'enivrait comme à son habitude. Vers deux heures de l'après-midi, je fis remarquer à Suzanne qu'il faudrait mieux partir maintenant, vu qu'une longue route nous attendait. Mais elle n'était pas pressée et avait du plaisir à faire les yeux doux à tout ce qui avait un membre masculin entre les jambes. Elle s'assoyait sur un, embrassait l'autre et hourra! elle avait du plaisir.

Une heure plus tard, je réitérais ma demande qui tomba dans l'oreille d'une sourde. À quatre heures, ma soeur avait pris une décision: on n'allait pas à Compton. Elle appela mon père et lui annonça que la route était trop verglacée pour prendre le volant et qu'elle ne mettrait pas 9 enfants en péril pour un simple souper (ses trois filles, mes trois enfants et les trois de Ricardo). Et elle raccrocha en continuant de fêter.

Je savais que mon père serait déçu. L'anniversaire à Suzanne était le lendemain et mon paternel avait sûrement dû lui préparer un gâteau. Mais comme je n'avais pas mon mot à dire, je laissais encore ma soeur me guider. Mais plus pour longtemps, son règne achevait.

Deux jours plus tard, ma soeur partit seule avec son mari et ses enfants pour aller rendre visite à mon père. Elle lui téléphona au préalable pour lui annoncer leur arrivée. À son retour, elle débarqua à la maison avec ma mère. Elle était furieuse. La guerre était déclarée avec mon père et elle voulait que j'y participe. Je ne savais même pas ce qui s'était passé là-bas et refusai de m'en mêler. Ma mère prit le parti de Suzanne et pendant une heure, elles me firent la morale.

Ma soeur était tellement en colère qu'avec l'aide de ma mère, elle était allée fouiller dans le passé du paternel. Elles m'apprirent que j'avais des frères et des soeurs dont j'ignorais l'existence. Je n'arrivais pas à y croire, moi qui écoutais religieusement l'émission *Dynastie* à toutes les semaines, je me serais crue en plein téléroman. Je croyais rêver, j'avais peut-être une soeur à quelque part qui me ressemblait. Pendant une heure, elles me prièrent d'appeler mon père et de lui dire ma façon de penser. Je refusais toujours. Comme chaque fois que Suzanne était en froid avec quelqu'un, fallait que tout le monde pense comme elle. Comme je ne bougeais toujours pas et que j'étais assommée par les nouvelles, elles finirent par m'envoyer le coup de grâce; mon père avait eu des aventures homosexuelles. Lui qui avait constamment renié mon frère Mario depuis qu'il avait appris qu'il était gai, s'était envoyé en l'air avec d'autres hommes.

Ma mère et ma soeur ne comprenaient pas que je puisse laisser passer un tel affront. Moi qui avais toujours pris la défense de mon jeune frère et là, je ne faisais rien. Ma soeur me désigna le téléphone et m'implora d'appeler mon père et de faire régner la justice. Il ne restait que moi dans les cinq enfants qui parlait encore à mon père, c'était à moi de prendre la défense des 4 autres.

Ma soeur Suzanne m'amena même un dossier rouge qui

contenait à l'intérieur des lettres venant de mon père.

Anesthésiée de douleur et ne sachant plus quoi penser et à qui faire confiance, je finis par partager une fois de plus, son avis et je composai le numéro de téléphone. Sitôt que j'eus mon géniteur au bout du fil, je lui répétai tout ce que ma soeur et ma mère m'avaient dit:

–Toé Amédée, comment as-tu pu nous mentir aussi longtemps. Cé qui ce femme-là à qui t'as fait un enfant? Combien avons-nous encore de frères et soeurs dont on ignore l'existence? Pis le pire, toé qui as renié ton propre fils parce qu'il était homosexuel et j'apprends que tu t'envoyais en l'air avec d'autres hommes. Comment as-tu pu nous faire ça?

Mon père ne répondait rien. Je l'entendais seulement respirer fort à l'autre bout de la ligne. Je pleurais les larmes retenues depuis tant d'années. Je pleurais mon ignorance à faire confiance à tant de personnes qui m'avaient détruite. J'entendis mon père lâcher un son rauque et raccrocher. Ce fut la dernière fois que j'eus l'occasion de parler avec lui. Ma mère et ma soeur me félicitèrent d'avoir eu le courage, pour une fois dans ma vie, de faire part de mon opinion.

Une semaine plus tard, une enveloppe épaisse arrivait par la malle en provenance de Compton. Je la déchirai avec impatience et je lus son contenu:

"Julie, tu n'aurais pas dû te mêler de cette histoire-là. Je sais que c'est ta soeur et que vous êtes près l'une de l'autre, mais cela ne te concernait pas. Je regrette de ne pas avoir pris le temps de connaître votre mère avant de l'épouser, car l'avoir connue, je ne l'aurais jamais fait. Vous devriez la faire soigner car elle est malade dans la tête, comme son cousin Julius et Cattin qui sont tout deux à l'asile. Je sais depuis longtemps que Joe est le père de ton frère Claude car elle a parti enceinte le temps que je travaillais en dehors et que lui allait coucher chez nous.

Je sais que je n'avais qu'un lit; alors elle ne le faisait pas couchée par terre. Et Yvon R. coureur automobile est le père de ton frère Mario. Julie, regarde en arrière qui t'a embarquée dans le pétrin. Ce n'est pas moi qui a signé pour que tu te maries avec Carmel. Je ne sais pas si il y en a un parmi les cinq enfants que ta mère a mis au monde qui m'appartienne. Laisse-moi en douter.

Et comme je ne peux pas parler, car j'étouffe, alors je te l'écris.

Tu ne sais pas ce que c'est d'avoir 6 attaches de broches dans l'estomac. J'ai été construire le garage de Maurice arrangé comme ça. J'étais étourdi dès que je grimpais dans les échelles.

Ah, t'en fais pas, quand elle a eu besoin de moi ta soeur, j'étais fin. Asteur que tout tourne au beau pour elle, j'ai tous les défauts. Si elle était au moins venue me dire plus tôt qu'elle ne montait pas pour dîner au lieu d'arrêter au restaurant, j'aurais pardonné, mais elle a appelé à 9 heures 30 le matin et elle me dit qu'ils montent nous voir. Ma blonde a fait dégeler du manger pour eux et ils sont cinq. Alors elle en a fait dégeler plus que moins.

On voulait les garder à souper alors que tout était dans le four, elle n'a pas voulu souper non plus. Je ne sais pas si tu l'aurais pris, toi Julie. J'ai été souper chez toi le 26 décembre et il faisait tempête. J'y ai été quand même.

Quelle me dise que Maurice était trop réchauffé et qu'elle ne voulait pas briser sa belle van neuve, je la croirais, mais qu'il faisait tempête, elle a menti. Deux autos sont venues de Sherbrooke et il m'ont dit qu'il faisait très beau. Ils sont repartis à 10 heures et m'ont téléphoné à leur arrivée et m'ont dit que la route était très belle et qu'il faisait très beau.

Julie, je sais par quel chagrin tu es passée, alors je sais aussi que tu peux comprendre cela. Ce n'est pas parce que tes parents sont malheureux, que tu dois l'être aussi. Vos enfants grandissent et ils voient quel respect vous portez à vos parents, alors ils vous porteront le même respect.

J'avais fait mon testament pour vous deux, toi et Suzanne, je te le joins; tu pourras le lire à ta guise, mais je vais tout changer pour laisser aux étrangers tout ce que je possède. À ma mort, il y aura des pleurs et vous l'aurez mérité. J'ai essayé de vous dicter le bon chemin, vous ne voulez rien savoir, alors je ne veux rien savoir de vous autres non plus.

Seule ta mère peut dire si je suis le père de l'un de vous. Quand je pense à toute ces nuits sans sommeil à me torturer pour vous, tout cela a été inutile. Je me suis fait assez de mal pour être opéré à coeur ouvert, voilà le résultat de mon angoisse. Julie, tout se paye en ce bas monde. Je prie Dieu à tous les jours pour vous autres afin qu'il allonge le plus possible votre bonheur, car le prix à payer vous arrivera assez tôt.

Regarde tes enfants en face et ne leur réserve pas ce que tu as vécu toi-même. La vie se chargera d'eux assez vite et vous allez récolter ce que vous semez maintenant. Je te dis soit heureuse et en bonne santé, car tes enfants ne sont pas assez vieux pour se débrouiller seuls. Je te laisse libre de penser à ce que tu veux, mais la vérité est là.

Toute ma vie, j'ai travaillé pour vous ramasser quelque chose et à la fin de cette même vie, je dois rédiger mon testament et laisser à des étrangers ce que j'avais préparé pour vous deux. Alors tant pis si j'ai gaspillé mon temps et de l'encre pour te dire tout cela, mais voilà c'est fait.

Salut."

Et c'était signé Amédée N.

Misère, dans quel merdier m'étais-je encore embarquée. J'appelai Suzanne pour lui faire part du courrier reçu, elle me demanda de garder la lettre, car elle pourrait servir. Elle avait décidé, après avoir discuté avec ma mère, de changer son nom de famille et de prendre celui de jeune fille de ma mère. La lettre que mon père m'avait envoyée servirait en Cour pour prouver que mon paternel nous avait tous reniés. Malgré que Maurice désapprouvait une telle démarche, elle continua néanmoins.

Quelques jours plus tard, Suzanne arrivait à la maison en pleurant. Mon père avait été lui porter une lettre de bêtises pendant qu'elle était au travail. Il lui avait même laissé son gâteau d'anniversaire sur le banc de neige, accompagné de la bouteille de vin qu'elle lui avait apportée. Mais la mienne n'était rien à comparer à tout ce que mon paternel lui disait. Elle me la tendit et j'en pris connaissance:

"Suzanne, je te rapporte ta maudite bouteille de vin et ton gâteau d'anniversaire. Tu es partie en sauvage. Tout d'abord, si tu respires encore et que tu lis ces lignes, c'est ton père et ta mère qui t'ont fabriquée. Parlant de ta mère, elle vous a bourré la tête de menteries depuis trop longtemps.

Elle, tu l'a crue, car c'est une femme comme toi. Ce que tu n'as pas digéré, c'est que je t'apporte la preuve chez Julie, que j'avais votre garde, et que j'ai toujours payé pour vous autres.

T'en fais pas tu ferais moins la péteuse, si Liette allait dire à ton mari qu'il n'est pas le père de Victoria. Chose que tu m'as dite en sa présence sur ton lit d'hôpital à Lac-Mégantic! Si j'étais aussi vulgaire que toi, je déconstruirais tes 2 garages et ton patio. Tu t'es fait un plaisir de dire à ma blonde en Floride que j'avais une autre femme avec moi par ici. T'en fais pas, elle me l'a écrit avant Noël.

Je suis pauvre, mais non bourré de paiements. Ton mari endure, mais prie Dieu qu'il endure encore, car tu te retrouverais les fesses à l'eau. Car si je t'avais écouté quand tu appelais que tu voulais divorcer, tu ne serais pas si hautaine maintenant. Tant mieux si cela s'est passé ainsi car tu n'as pas assez de coeur pour savoir comment ma blonde s'est donné de la misère pour vous faire à manger et faire ton gâteau. C'est une honte, tu a sorti ton caractère de cochon au bon moment. Je te souhaite beaucoup de bonheur car tout se paye et tu vas brailler encore.

Souviens-toi de ce commandement: père et mère tu honoreras, afin de vivre longuement. Je me suis torturé toute ma vie pour vous autres et c'est fini. Ta mère qui est si fine, demande-lui donc ce qu'elle faisait avec son propre oncle et mon frère alors qu'elle changeait de lit sitôt que j'allais me faire geler pour livrer de l'huile.

Quand elle entendait le camion revenir, elle se dépêchait à regagner mon lit. Peut-être cela te fera-t-il réfléchir un peu.

Je te remercie beaucoup de ta visite. Ma blonde a eu une bonne opinion de toi?

Salut.   Ton père.

Quand j'eus fini de lire la lettre, ma première pensée fut pour Maurice. Je lui demandai comment il avait réagi en lisant ses méchancetés. Ma soeur fut la première à prendre la parole en criant haut et fort que ce n'était qu'un ramassis de mensonge. Jamais elle n'avait dit à mon père que Maurice n'était pas le géniteur de Victoria. De toute façon, je connaissais assez bien mon père pour savoir que chaque fois qu'on était pas de la même opinion que lui, il se vengeait.

Et ma soeur, elle se foutait de tout ce qu'une modification de son nom de famille engendrerait, elle ne pensait qu'à elle une autre fois. Elle fit paraître une annonce dans les journaux pour le changement de nom. Elle dut refaire tous les certificats de naissance des enfants et faire changer son nom de famille dessus. Ses papiers de mariage passèrent par le même endroit. Et cartes d'assurance sociale, assurance-maladie.

J'avais maintenant une soeur qui ne portait pas le même nom de famille que le mien. Ah, quelle belle famille! Et tout ça l'enchantait, elle avait réussi à ce que mon père soit seul dans son coin et qu'aucun de ses enfants ne lui parle plus. Je m'en voulais terriblement, mais c'était fait et je n'avais nullement l'intention de revenir en arrière."

***

Chapitre 15

—Je venais de me dénicher un nouvel emploi. Je tenais une petite cantine sur un terrain de camping à Lambton. J'engageai Lisbeth pour m'aider. Ça la ferait sortir de la maison et ça lui donnerait un petit salaire pour ses dépenses folles. De plus, chez ma soeur, c'était de moins en moins rose. Suzanne passait ses week-ends à chasser les démons en compagnie de son amant.

Le vendredi matin, je me présentai chez ma soeur pour aller chercher ma nièce. Lorsque j'arrivai dans la cour, je vis par la grande vitrine du devant, Victoria qui me faisait de grands signes. Je questionnai Lisbeth à savoir c'était quoi, les simagrées que sa soeur me faisait. Elle m'apprit que ses deux autres soeurs étaient malades. J'arrêtai mon véhicule et entrai à l'intérieur. Je demandai aux enfants ce qui se passait. Victoria était malade, avait la nausée et souffrait de maux de ventre. Catherina couvait une grippe et Lisbeth elle, souffrait d'un mal d'épaule. Je leur demandai où était leur mère. Elles m'apprirent que Suzanne était disparue depuis une semaine, et qu'elles ne l'avaient pas revue. J'appelai Maurice à son travail et il me confirma la disparition de ma soeur. Je lui annonçai que je repartais en amenant ses trois filles. Maintenant plus question d'aller travailler. Neuf enfants, passait toujours, mais deux de malades au travers et mon aide Lisbeth qui avait de la difficulté à se mouvoir les bras, c'était direction: la maison.

Je me doutais bien où était disparue ma soeur. J'appelai chez son amant qui vivait toujours avec sa femme. Je demandai à parler à Suzanne. Quand je pus lui parler, je lui appris que ses trois filles étaient malades, chez moi. Son devoir de mère et sa place étaient auprès d'eux. Elle arriva une heure plus tard avec son Émilien d'amour (Dieu en personne). Elle fit l'imposition des mains aux enfants en murmurant des hummmmm, et me dit:

–Bon les filles y vont être correctes asteur, t'as pu à t'inquiéter, je les ai guéries.

Et avant qu'elle ne franchisse la porte pour s'en aller, je lui ai demandé de me laisser leur carte d'assurance-maladie. (Au cas où ses miracles n'auraient pas fonctionné.) Elle nous quitta sans un regard en arrière pour ses enfants et en me disant que j'avais toute sa confiance, que je serais capable de m'occuper de ses trois filles, comme je l'avais toujours fait auparavant, et elle lança les trois cartes de soins de santé sur la table de la cuisine.

J'appelai Maurice à la rescousse et on conduisit les filles au CLSC le plus près. Victoria avait perdu 4 livres depuis le départ de sa mère, et elle était en train de se déshydrater. Catherina couvait une grippe et Lisbeth souffrait d'une tendinite à l'épaule. On ressortit avec une liste de prescriptions pour nos trois malades; Maurice s'empressa de les payer.

Je questionnai mon beau-frère à savoir ce qu'il avait l'intention de faire. Il me répondit qu'il s'occuperait de ses trois filles en attendant que sa femme revienne au bercail. Pauvre Maurice, je le vis repartir avec ses enfants, courageux et fier. Le coeur me serrait à les regarder partir. Nos enfants avaient tous vieilli et comprenaient très bien ce qui se passait. Mes trois enfants pleuraient en regardant partir leurs cousines et ils me confièrent que Victoria les avaient enviés d'avoir une mère qui s'occupait d'eux avec autant d'amour.

La semaine suivante, Suzanne arriva seule. Elle avait besoin de me parler. Elle avait pris une décision, elle resterait avec son DIEU le peu de temps qu'il lui restait à vivre et retournerait avec son mari après sa mort. En effet, son cancer avait évolué, le miracle tant espéré ne s'était pas produit et il ne lui restait que quelques mois à vivre.

Je ne pouvais croire ça. Je lui demandai pourtant:

–Pour qué cé faire que tu restes avec Emilien? Cé quoi qu'il t'apporte que Maurice ne t'a pas déjà donné?

–Émilien, je l'aime comme une folle, en plus il vaut au bas mot un demi-million. C'est toute moé qui va hériter de tout ça, il me l'a promis que sa femme aurait rien.

–Pis tu penses qu'après ça, tu vas retourner avec ton mari et qu'il va accepter comme si rien n'était?

–J'espère que Maurice sera pas trop fâché. Des fois tu sais, il me fait peur, un peu.

–Ça ferait longtemps que j'aurais eu peur à ta place. Après tout ce que tu lui as fait endurer, je ne comprends pas qu'il ne t'ait pas fait la peau encore. Tu le mérites pas, ce gars-là. Y'é ben trop bon pour toé.

Suzanne partit en pleurant et disant que je ne la comprenais pas. C'était la première fois de ma vie que j'osais lui dire le fond de ma pensée et ne me pliais pas à ses caprices.

Maurice revint avec les filles, le vendredi soir suivant. Il avait l'air abattu. Ricardo lui demanda de l'accompagner à l'hôtel pour prendre un verre. On fit garder nos neuf enfants et je les accompagnai. Mon beau-frère se commanda une bière, en prit une gorgée et me dit:

–Cé pas le temps que je prenne un coup et m'enivrer. Mes enfants ont besoin de moi avec eux, y'a assez de leur mère qui les a abandonnés. Même si je ne bois que les fins de semaines, c'est encore trop. Si ça vous dérange pas, j'aimerais mieux m'en aller d'icitte et aller rejoindre mes filles. Je buvais parce que ta soeur me rendait fou des bouttes avec toutes ces aventures qui finissaient plus, mais là, elle a crissé le camp, j'ai pu de raisons de boire.

Et là, il remit son verre de bière intact sur la table et ne s'enivra plus jamais."

***

Chapitre 16

"De retour à la maison, Ricardo donna ses conseils à mon beau-frère. Il n'était pas question que le pauvre endure encore plus. Il était temps qu'il se prenne en main. Il aurait dû se regarder dans le miroir avant de donner des conseils aux autres, mais je m'abstins de tout commentaire.

Je conseillai à Maurice de prendre un avocat. Ça faisait assez longtemps que ma soeur partait avec un autre et revenait, et lui toujours aussi bon, la reprenait toujours et lui pardonnait ses escapades. Il devrait dorénavant penser à lui et à ses filles. Il m'avoua qu'il n'aimait plus Suzanne depuis des années, mais qu'il l'endurait pour les enfants. Il n'était pas question que ma soeur ait la garde légale, mais maintenant que Lisbeth était rendue à 14 ans et pourrait l'aider, ils arriveraient à s'en sortir.

Je lui promis de faire tout mon possible et d'être là pour l'aider chaque fois que mes nièces auraient besoin de moi. Maurice se rendit chez l'avocat que je lui avais conseillé et demanda le divorce. Moi, de mon côté, je descendais tous les week-ends chez Maurice, faisais le ménage, préparais à manger aux enfants pour la semaine et depuis que ma soeur avait emménagé à St-Césaire avec son DIEU, ma mère venait me donner un coup de main.

Elle ne pouvait pas croire que sa fille tant adorée ait pu faire cela. Abandonner tout; son mari à qui elle n'avait rien à reprocher et ses enfants. Mais elle espérait que ma soeur revienne à la raison.

Le partage des biens fut mis sur le tapis. Maurice possédait la maison sur le terrain que son père lui avait légué, plusieurs terrains et des lots à bois. Il se mit à calculer ce qui reviendrait à Suzanne. Celle-ci exigeait la moitié de tout. Mon beau-frère la ramena vite sur terre en lui annonçant qu'elle ne pouvait toucher à rien des legs qu'il avait reçus de son père.

Chacun calcula de son coté et Maurice en vint à la conclusion que si la question était débattue en Cour, il ne devrait à ma soeur que 6000. dollars. Suzanne ne partagea pas la même avis. Mais après que Maurice ait appris à Émilien que ma soeur l'avait endetté de 21,000. dollars avant de partir, ils arrivèrent aux mêmes chiffres.

Maurice fit donc un chèque de 5000. dollars, et pas une cenne de plus, et demanda à ma soeur de choisir. Soit elle prenait le chèque et débarrassait le plancher sans rien apporter, soit la question serait débattue lors du divorce. Suzanne s'empressa de prendre l'argent. Pour ce qui était de la garde des enfants, ils ne s'obstinèrent même pas. Ma soeur ne voulait pas les filles, elle les laissait volontiers à leur père. Maurice fut bien soulagé, car il était prêt à mettre tout son avoir en jeu pour garder ses enfants.

Je travaillais toujours à Lambton et je profitais que je pouvais appeler sans frais pour communiquer avec Maurice à tous les midis. À chaque jour, je m'informais des enfants, comment ils prenaient leur nouvelle vie, si ça allait bien à l'école. Et lui, dans tout ça, réussissait-il à passer au travers?

À chaque jour, de nouvelles confidences sortaient. J'appris à Maurice le calvaire que je vivais avec Ricardo, qu'on faisait chambre à part, qu'il ne pouvait passer une journée sans boire, qu'il s'endettait à cause de la maudite boisson. Je lui demandai alors une chose qui me chicotait depuis quelque temps:

–Maurice, je le sais que cé grâce à toé si j'ai ma maison aujourd'hui. Sans ta signature, j'aurais rien de tout ça. Tu m'en voudrais-tu beaucoup, si je mettais la maison à vendre. Tu as toujours été mon conseiller financier et je n'ai jamais pris de décision sans te demander ton avis. Mais là, je n'en peux plus, tout le monde se bagarre pour cette maudite cabane-là. Ma soeur qui m'a demandé de signer un testament en sa faveur et Ricardo qui me fait du chantage pour que je fasse un autre testament et lui léguer la maison, si je viens qu'à partir. Cé à croire que tout le monde espère que je crève au plus vite pour se l'approprier.

Maurice n'était pas au courant que ma soeur avait exigé de telles conditions pour qu'il m'endosse. Mais ça ne le surprenait pas du tout. Partout où il y avait de l'argent en jeu, Suzanne n'était pas loin et je serais à même de le reconnaître avant longtemps. Il me dit cependant:

–À ta place, ça ferait un boutte que je l'aurais mise en vente, la maison. De toute façon, tant qu'à ramasser des bons à rien qui ne se cherchent qu'une place pour rester, té aussi bien de vendre.

Je fus soulagée d'un énorme poids. Je craignais que Maurice ne me fasse plus confiance si je vendais la maison. C'était lui qui m'avait donné une chance dans la vie et je me débarrassais de cette aubaine.

Le soir même, j'achetai une pancarte et la posai sur le parterre. Lorsque Ricardo arriva, il me questionna pour savoir c'était quoi cette nouvelle-là. Je lui rétorquai que ma décision était prise et que je ne changerais pas d'idée. Pauvre lui, il était déjà à penser comment il allait dépenser cet argent-là. Il voulait un chalet, une piscine, et emmenez-en des projets! Parti pour la gloire, l'hurluberlu!

Ce dont il ne se doutait pas, c'était qu'il ne faisait pas partie de mes projets d'avenir et qu'avant longtemps j'aurais enfin la clé tant espérée pour mettre fin à son chantage.

Le week-end suivant, je retournai entretenir la maison et m'occuper de mes nièces. Par chance, mes enfants me suivaient tout le temps et ils m'aidaient autant qu'ils le pouvaient. Chacun faisait sa part (sauf mes nièces qui se faisaient servir comme des princesses), sinon je n'aurais pas réussi à passer au travers. Pendant ce temps, mon beau-frère bûchait dans le bois par les fins de semaine et travaillait à l'usine la semaine. Il n'avait pas d'autre choix, m'apprit-il. S'il voulait se sortir un jour de toutes les dettes que ma soeur lui avait laissées, fallait travailler! Je ne le voyais donc que sur l'heure des repas où il s'empiffrait comme un cochon en vantant mes talents de cuisinière.

Avant de partir, je faisais la liste d'épicerie que les filles respectaient scrupuleusement, même si bien souvent, elles ne savaient pas ce qu'elles achetaient. Étant habituées de se faire des toasts la semaine et de manger au restaurant la fin de semaine, elles rechignèrent les premières semaines. Je leur demandais seulement de goûter, et si ça ne leur plaisait pas, elles n'avaient qu'à me le dire.

Ce fut donc moi, qui leur fis découvrir la lasagne, la-sauce-spaghetti-maison, les oeufs farcis, biscuits, gâteau, pouding. Et ce, sans compter la viande qu'elles n'étaient pas habituées de manger: elles ne connaissaient que le jambon et le boeuf-haché. Tous les dimanches matins, c'était le gros déjeuner comprenant: oeuf, bacon, patates rissolées, jambon et saucisse. Je réveillais les enfants vers 11 heures et les servais.

Ricardo ne faisait que crier que je n'étais disponible que pour mes enfants et ceux de ma soeur, et que ce n'était pas à moi de tout prendre sur mes épaules. Maurice n'avait qu'à s'engager une bonne à tout faire. Je lui rétorquais que les enfants avaient assez vécu de changements comme ça, sans en plus leur imposer un visage inconnu. Et s'il n'était pas capable de comprendre ça, il n'avait qu'à prendre ses guénilles et décrisser au plus sacrant. Encore une fois, il me fit des menaces de divulguer mon terrible secret.

La semaine suivante, comme je parlais avec mon beau-frère, il m'apprit que l'école venait de le contacter par courrier et que le professeur désirait lui parler concernant la petite dernière, Catherina. Comme il travaillait et ne pouvait appeler, car à sa sortie de travail l'école était fermée, je lui répondis de retourner travailler, que j'allais appeler l'école et voir c'était quoi le problème et lui en faire part.

J'appelai et demandai à parler au professeur de ma nièce. Je lui demandai où était le problème, mais elle refusait d'en discuter au téléphone. Ma présence serait bien appréciée l'après-midi même. Pis moé qui étais en train de peinturer l'intérieur du restaurant où je travaillais. Comme l'été était fini et que le camping était fermé, mon employeur m'avait demandé si je serais intéressée à faire la peinture de l'intérieur de la bâtisse. J'avais accepté immédiatement étant donné que je pouvais y aller à mon rythme; et si une journée, j'avais plus urgent à faire, le lendemain, je n'avais qu'à continuer où j'étais rendue. De plus, je commençais à l'heure que je voulais et finissais quand ça me plaisait. Je ne pouvais pas demander mieux. J'attendais que mes trois enfants soient partis pour l'école avant de me rendre à mon travail, et je revenais avant que les enfants n'arrivent à la maison. C'était l'idéal pour eux et pour moi qui ne voulais pas que ce soit une gardienne qui élève mes trois-amours.

Donc j'étais beurrée de peinture et n'avais pas d'autre linge de rechange, mais je me devais d'aller voir ce qui se passait à l'école de ma nièce. J'arrivai donc bien colorée à l'école. Je ne me doutais pas que tant de monde attendait ma venue. Le directeur, le pédagogue, le professeur, et tous les spécialistes me regardaient. Je m'excusai de ma tenue en leur expliquant que j'étais en plein travail lorsqu'ils m'avaient demandé de venir.

C'était jour de congé pour les élèves, je demandai donc à visiter la classe de ma nièce et à ouvrir son pupitre. J'agissais exactement comme je faisais quand j'avais une réunion pour les miens. À la différence que je ne recevrais pas d'éloges, contrairement à ce que j'étais habituée d'avoir de mes trois enfants. Le pupitre de Catherina avait l'air d'un vrai dépotoir. Je me demandais bien comment elle faisait pour trouver ses choses au travers de ce fouillis impossible. Le professeur surprit mon regard et me demanda ce que j'en pensais. Je n'aurais jamais toléré une telle chose de la part des miens que je lui dis.

Il m'invitèrent à prendre place dans la grande salle de conférence et entamèrent chacun à leur tour:

–Catherina n'écoutait pas en classe, négligeait ses devoirs, se foutait complètement des règlements imposés, ne parvenait pas à suivre les autres et pour finir le tout, elle était en retard de deux années.

Je bondis malgré moi hors de ma chaise et demandai:

–Comment se fait-il qu'elle soit en retard de deux ans et que vous ne l'avez jamais fait doubler d'année, c'est insensé.

Ils se regardèrent tous et après que la directrice leur ait fait un signe, le professeur m'avoua:

–Je crois que leur mère est ta soeur si je ne me trompe, alors tu es en droit de savoir. Suzanne savait que Catherina avait des problèmes à l'école. Et chaque fois, elle promettait de s'en occuper en l'aidant à la maison, mais elle n'en faisait jamais rien. Et la dernière fois qu'on l'a appelée pour lui faire part des difficultés qu'on avait avec sa fille, elle nous rétorquait que si on ne la laissait pas tranquille avec ça, ce serait son mari qui viendrait nous voir et qu'il viendrait avec le .12 (fusil). On avait intérêt à la laisser tranquille.

Par chance que je m'étais rassise, car je serais tombée en bas de ma chaise. Je leur demandai de me répéter ce qu'ils venaient de me dire. La directrice consulta le dossier et me le confirma une nouvelle fois. Ils prenaient tous Maurice pour un fou dangereux, qui aurait pu arriver armé avec un fusil à l'école. Je les ai détrompés rapidement en leur expliquant que ma soeur n'avait dit ça que pour se débarrasser d'eux et fuir son devoir de mère. Je les remerciai de m'avoir reçue et d'avoir été aussi francs, et leur promis qu'ils auraient de mes nouvelles d'ici la fin de la semaine.

Le lendemain midi, je contactai Maurice et lui appris ce qui s'était passé à l'école. Mon beau-frère ne pouvait croire que Suzanne ait pu descendre aussi bas. Il me demanda ce que je pensais qu'il serait le mieux pour sa fille et lui recommandai d'engager un professeur privé par les soirs, pour qu'elle puisse reprendre les années perdues.

Maurice prit les choses en mains et paya un professeur privé à sa fille. Elle allait donc à l'école le jour et sitôt sortie de l'autobus, le jeune frère de Maurice, diplômé en éducation, attendait Catherina à la maison et la faisait travailler. De plus, même si Maurice détestait les animaux et s'était juré qu'il n'en rentrerait jamais un dans la maison, promit à sa fille ce qu'elle désirait depuis longtemps. Si elle faisait des efforts pour passer son année, il lui achèterait un chaton. Encore là, il avait suivi mon conseil: si on voulait obtenir des efforts scolaires de la part de nos enfants, on devait faire des concessions et leur donner l'occasion de montrer qu'ils étaient capables de prendre leurs responsabilités. Et le chat serait la meilleure occasion pour Catherina de faire ses preuves. Elle devrait le soigner et lui donner à manger à tous les jours. De plus, cela lui ferait un compagnon agréable avec qui partager ses angoisses et ses moments de solitude.

J'étais bien placée pour le savoir. Combien de fois n'avais-je pas surpris Jean-René qui tenait l'oreille de son chien dans les airs et qui lui chuchotait ses secrets les plus intimes. J'arrivai donc avec des tortues et un aquarium pour les filles avec l'accord de Maurice. Mes nièces sautèrent de joie et la maison commença enfin à reprendre vie, ce pour quoi mon beau-frère ne cessait de me remercier.

Les semaines suivantes, les confidences se firent plus personnelles. J'avouai à Maurice tout d'un trait:

—Tu sais, je ne sais même pas si un jour je vais être capable d'avoir une relation sexuelle normale avec un homme. Je me suis tellement fait piétiner que j'en suis devenue frigide. Si tu avais la moindre petite idée de tout ce que je peux avoir enduré, que ça m'a écoeurée des hommes pour le reste de mes jours.

Maurice ne soufflait mot à l'autre bout du fil et je regrettais déjà de m'être épanchée sur lui quand il prit la parole:

—Si tu savais seulement ce qui m'arrive depuis que ta soeur est partie. Chu pu capable de bander. J'ai peur de ne plus pouvoir jamais faire l'amour à une femme. Suzanne m'a tellement écoeuré avec le sexe, tu peux pas te douter à quel point. Fallait faire l'amour à tous les soirs, et encore là c'était jamais assez. Des fois, quand je travaillais 70 heures par semaine et que j'étais brûlé, je me couchais en dessous du lit pour pouvoir dormir et avoir la paix, pis je te jure que c'est vrai ce que je te conte là. Là, ta soeur me boudait tant que je ne l'avais pas baisée. Fais-toé-z-en pas, un samedi que je revenais plus tôt du bois parce que ma scie-à-chaîne était brisée, j'ai pogné ta soeur en train de se faire siphonner le clitoris par la balayeuse. Ça, c'est sans compter toute les fois où elle m'a trompé. Je te le dis, je ne sais même pas si un jour, je serai capable d'avoir une érection. Un gars doit avoir l'air niaiseux en maudit, il rencontre une belle femme et quand il vient pour passer aux actes, ça lève pu.

Je lui affirmai qu'avec le temps, tout finirait par se replacer, il était encore trop tôt, la douleur était encore trop récente. J'essayais de le convaincre et d'en faire autant pour moi par la même occasion."

***

Chapitre 17

— Je n'avais plus jamais eu de nouvelles de mon père, mais ma soeur elle, arriva à l'improviste chez moi, accompagnée bien sûr de son amant. Je la regardai à la dérobée et ne pus m'empêcher de constater qu'elle portait les mêmes pantalons que la dernière fois où je l'avais vue. Je ne posai aucune question, mais je me doutais pas mal de ce qui lui arrivait. Émilien lui avait tout fait jeter son linge en promettant de lui en acheter du neuf, il en avait les moyens. Ça ne marchait sûrement pas aussi bien que Suzanne essayait de me le faire croire. Mais elle se disait heureuse et passait ses journées à faire des guérisons-miracles. La belle vie quoi!

Depuis le départ de ma soeur, ma mère m'appelait tout les jours. Elle s'inquiétait de Suzanne qui ne lui donnait aucun signe de vie. Comme à mon habitude, voulant que tout le monde soit heureux autour de moi, je faisais donc les appels interurbains pour avoir des nouvelles que je communiquais ensuite à ma mère en la rassurant. Pour la première fois de ma vie, j'avais une maman.

Quand je ne l'avais pas au téléphone, je la voyais débarquer chez nous à 7 heures du matin. Elle s'ennuyait et venait passer la journée avec moi. Pendant le temps que ça a duré, j'ai réellement cru qu'elle m'aimait, mais encore là, je m'étais trompée. Je n'étais qu'un remplacement en attendant le retour à la raison de l'enfant-prodigue.

La rentrée des classes arriverait bientôt et je devrais aller habiller 6 jeunes au centre d'achats. Maurice me remit de l'argent pour ses filles, j'empruntai sa van et partis donc pour une journée emplie de surprise. En partant, ce ne fut pas de tout repos. Les 6 jeunes se chicanaient pour avoir la place en avant à côté de moi. Je mis fin aux discussions en leur disant que Lisbeth étant l'aînée, c'était à elle que revenait ce droit. Les enfants pour se venger firent un bruit d'enfer jusqu'à destination en criant et en chahutant.

Je n'était pas sitôt arrivée que Catherina, Jimmy et Jean-René partaient de leur côté tandis que Mélissa et Victoria allaient du leur. Lisbeth, la plus vieille, était capable de s'acheter ce qu'elle désirait elle-même. Je n'avais pas assez d'yeux pour les surveiller tout les cinq et j'étais à bout de souffle. J'entendais Victoria qui me criait:

–Julie viens icitte, je veux que tu me dises si ça me fait bien ces souliers-là.

–Mom, tu peux tu me regarder et donner ton avis sur mes jeans?

–Mom, j'ai tu le droit d'avoir un gilet de ce prix-là?

–Julie, t'as pas regardé mes souliers!

–Bon, cé à mon tour Julie, j'veux que tu viennes me voir.

Je ne savais plus où donner de la tête. Il y en avait toujours un qui rouspétait que je ne lui accordais pas assez d'attention et Victoria était la plus difficile. Elle ne pouvait se résigner à acheter quoi que ce soit, sans avoir essayé tout ce qu'il y avait dans le magasin au préalable. Voyant que je ne pourrais arriver à contenter tout le monde, je leur demandai de faire leur achat eux-mêmes: ils n'auraient qu'à me le dire au moment où il serait temps de payer.

L'avant-midi achevé, on se retrouva tous les 7 au restaurant. Je dus les sermonner comme s'ils étaient encore des enfants de deux-ans. Seule Lisbeth savait tenir sa place. Quant aux cinq autres, je les aurais égorgés avant l'arrivée du dessert. Ils se lançaient des frites et des petits pois, et lorsque je menaçai les filles de tout dire à leur père, elles m'éclatèrent de rire en pleine face et je m'aperçus que Victoria était cachée en dessous de la table. Les enfants me firent honte comme jamais je n'aurais pu l'imaginer.

Ils rotèrent et pétèrent comme des cochonnets et je dus écoper de regards lourds de reproches tout autour de nous. N'en pouvant plus, je les laissai faire leur magasinage seules et on se donna rendez-vous à 3 heures 30 dans le centre du mail. Je me promis bien que les miens seraient punis pour leurs incartades sitôt arrivés à la maison.

Pendant le retour, les enfants se plaignirent d'avoir encore faim. Une fois de plus, je me laissai amadouer et arrêtai devant un autre restaurant en leur faisant promettre de se tenir tranquilles. Catastrophe: ce fut pire à celui-ci. Un couple âgé m'a même trouvée très patiente d'avoir autant d'enfants. Les filles m'appelaient maman, elles trouvaient drôle que tout le monde se retourne et me regarde avec des yeux de pitié d'être pognée avec une gang de jeunes qui savaient pas passer parmi le monde. De retour dans l'auto Jimmy me dit:

—Mom, tu devineras jamais qué cé que Catherina a faite dans le magasin. Quand on a dîné au restaurant, elle cé caché des biscuits soda dans ses poches. Pis rendue dans la boutique de linge, elle les a sortis de leur emballage, les a écrasés pis elle les a mis dans une paire de pantalons.

—Cé pas la meilleure ça, me dit ma fille Mélissa, Victoria prenait des bobettes sexy et se mettait ça par-dessus ses culottes, pis elle faisait une parade dans le magasin. Elle a fait la même chose avec des brassières. Pis ça, cé sans compter de ce qu'elle a fait avec du rouge à lèvres.

Je n'osais même pas questionner ma fille, j'avais trop peur de savoir la réponse, et je commençais à bouillir de rage. Mais comme ce n'étaient pas mes enfants, c'était pas à moi de les réprimander, c'était à leur père. Mélissa, voyant que je ne répondais rien, continua:

—J'vais te le dire ce que Victoria a faite. Elle essayait du rouge à lèvres, pis après ça elle s'essuyait la bouche après des vêtements dans le magasin.

Si je m'étais écoutée, je les aurais laissées sur le bord du chemin pour les faire réfléchir. Lisbeth par contre ne laissa pas passer l'affront:

—Attendez vous autres, que je dise à papa cé quoi que vous avez faite. J'te dis que vous auriez pas agi d'a même

111

avec maman.

–Ben justement, avec maman, elle nous donnait des claques sur la gueule pour rien, ça fait que là, on en profite. Avec maman, on avait même pas le droit de traverser avec nos bicycles chez le voisin pour aller voir nos cousines, la seule chose qu'on était autorisées à faire, c'était le ménage. Pis toé Lisbeth, tu commenceras pas à jouer à la mère avec nous autres. Chu assez contente que maman a crissé son camp, tu viendras pas prendre sa place certain.

C'était Victoria qui venait de crier à sa soeur. Sans les approuver, je pouvais comprendre ce qu'ils ressentaient tous. Dans chaque couple, y a toujours un des deux qui est plus dur que l'autre et que les enfants craignent, moi, mes enfants avaient toujours eu peur de mes conjoints et chez ma soeur, c'était elle, le bourreau. Maintenant que les enfants se retrouvaient avec deux moutons comme parents, ils en profitaient. Et ils n'avaient pas fini de m'en faire voir de toute les couleurs."

***

Chapitre 18

—Une semaine plus tard, ma mère m'appelait en larmes. Des bruits couraient à l'effet que ma soeur revenait à Lac-Mégantic. Seule. Je lui promis de me renseigner et de lui faire part de ce que j'aurais découvert.

Je communiquai avec Suzanne à St-Césaire et lui demandai ce qu'il en était. Ma soeur essayait de paraître joyeuse, mais je savais qu'il y avait quelque chose qui clochait:

—Cé tu vrai Suzanne, que tu reviens vivre par icitte, seule?

—Oui, cé vrai. Mé si je reviens seule, cé parce qu'Émilien va pas bien du tout. Et il veut pas être une charge de plus pour moé, ça fait qu'il a décidé de retourner chez sa femme pour y mourir. Il veut que je garde que le beau de lui et non le voir agoniser.

—Tu sais Suzanne, tu peux sûrement faire accroire aux autres que t'es heureuse, mais avec moé, ça pogne pas. Les deux fois où t'es venue me rendre visite, tu portais les mêmes pantalons trop petit pour toi. Avoue-le, que les promesses qu'il t'avait faites, il les a pas tenues.

J'entendis ma soeur pleurer et entre deux sanglots m'avouer:

—Yé parti, pis vu que tout était à son nom, à partir de lundi, j'aurai plus d'électricité, ni de téléphone, plus rien, il a tout fait débrancher.

—Bon o.k., prépare-toé, on va aller te chercher.

—Oui, mé les meubles sont tous à moé, je les ai achetés icitte quand on a emménagé.

—Suzanne, donne-moé le temps de faire quelques appels, pis je te donne de mes nouvelles.

J'avais vu juste: ma soeur était désemparée. Je me revoyais en Ontario, seule et loin de toute ma famille. Fallait que je fasse quelque chose. J'avais envie d'appeler Maurice et lui demander de me prêter sa van. Je sais qu'il l'aurait fait avec joie, mais si je lui avouais que c'était pour aller chercher son ex-femme, je ne crois pas que ça l'aurait enchanté. De plus, je ne voulais pas profiter de sa bonté et détruire notre amitié grandissante.

J'appelai donc ma mère et la mis au courant des derniers développements. Celle-ci contacta mon frère Claude et on mit un plan en route. Le lendemain matin on partirait tôt, nous autres, avec l'auto, ma mère et son copain avec leur van et mon frère Claude avec un trailer et on irait sortir ma soeur de là.

Je fis part de la nouvelle à Suzanne qui me remercia de ne pas la laisser tomber. Comme toujours, Ricardo et moi étions sans le sou, l'alcool primant dans ses achats. On emprunta donc de l'argent pour mettre de l'essence dans l'auto et voler au secours de ma soeur.

Rendu à destination, on réussit à empiler le tout dans nos voitures respectives et les meubles dans le trailer. Mais j'aurais dû m'en douter, ma soeur était pas si mal prise que cela. Elle avait toujours les 5000 dollars que Maurice lui avait remis à son divorce et elle avait réservé un appartement à Lac-Mégantic pour être plus près de son amant qu'elle aimait toujours et dont elle espérait recevoir le magot à sa mort.

À partir de là, ce fut une suite de déplacements entre son appartement et celui d'Émilien. La femme de ce dernier commençait à en avoir ras le bol, de voir débarquer sa rivale à tout bout d'champ et donner des ordres chez elle, mais pour l'amour qu'elle éprouvait toujours pour son mari et devant ses dernières semaines de vie, elle s'inclinait sans mot dire.

Mes trois nièces ne virent pas d'un très bon oeil leur mère revenir dans les parages. À l'école, on se moquait d'elles depuis que Suzanne était partie avec un homme âgé et qu'elle faisait des exorcismes. Les nouvelles vont toujours vite dans nos petits villages et déjà, tout le monde était au courant des déboires de ma soeur.

Je continuais néanmoins de faire le ménage et à manger chez Maurice. Suzanne m'encourageait de continuer: au moins avec moi, ses filles ne manqueraient de rien.

Le samedi soir suivant, un de mes oncles fêtait son anniversaire de mariage dans un hôtel et toute la famille y était invitée. Mon beau-frère devait y être. Après tout, même s'il venait de divorcer, il avait passé 15 ans à endurer ma soeur, il faisait toujours partie de la famille. Maurice se fit vite une nouvelle conquête en la personne de ma cousine nouvellement séparée. Je voyais bien que ça dérangeait ma grand-mère, mais je n'y pas porté attention sur le coup. La soirée se déroula à merveille et bien sûr Ricardo s'enivra comme à son habitude et 'cruisa' toutes les femmes présentes.

La semaine suivante, comme j'avais affaire en ville, j'appelai ma grand-mère et lui demandai si elle voulait m'accompagner au restaurant. Chaque fois que j'avais affaire dans le coin, je n'oubliais jamais de l'inviter. Elle accepta avec plaisir et j'allai la chercher chez elle. Ma grand-mère représentait tout pour moi, c'était la seule personne juste dans la famille. Elle aimait tout son monde égal, et combien de fois avait-elle pris Mélissa chez elle pendant ses congés scolaires pour avoir de la compagnie!

Ma mère et ma soeur l'avaient surnommée la "banque à piton" car à chaque fois qu'elles planifiaient une sortie, elles amenaient leur "banque", soit ma grand-mère qui payait toutes les dépenses. C'est ainsi qu'elles allèrent à l'oratoire St-Joseph à chaque année toutes dépenses payées. Une semaine de vacances en Abitibi et le magasinage faisait aussi partie de leur sortie. Ça fait qu'en arrivant au restaurant, une fois de plus, ma grand-mère demanda à payer mon repas. Je lui pris alors la main et lui dis doucement mais fermement:

–Grand-maman, quand je t'amène au restaurant avec moi, c'est pas pour que tu paies mon repas, c'est moi qui t'invite. Je veux que tu comprennes ça et que tu l'acceptes. Sinon je ne t'appellerai plus quand je vais être de passage. Je veux que ce soit bien clair entre nous et que ce ne soit pas à recommencer à chaque fois que je t'amène.

Je vis une larme couler le long de sa joue, et elle me remercia. Elle me promit aussi de ne plus jamais ouvrir son porte-monnaie quand je l'amènerais avec moi. La discussion s'engagea sur ma vie de couple et si je trouvais bien difficile d'avoir deux maisons à entretenir ainsi que 9 enfants. Je lui répondis que je me débrouillais assez bien, quand elle dit:

–J'vois pas du tout ta cousine Sylvette pis Maurice ensemble.

–Pourquoi les voyez-vous pas faire leur vie ensemble?

–Sylvette a trois garçons, pis y sont durs les petits maudits, ils feraient du mal aux trois filles. Pis chu pas certaine que ce soit la bonne femme pour Maurice pis les enfants.

–Oui, mé grand-maman, si tu les vois pas ensemble, avec qui tu le vois d'abord Maurice? Il a le droit de refaire sa vie, lui aussi.

–Chu d'accord avec toé, mais la meilleure femme pour lui, ça serait toé.

Je restai estomaquée. Grand-maman divaguait sûrement. Elle vit mon air étonné et poursuivit:

–Cé qui la femme qui s'occupe de ses trois filles depuis qu'elle est revenue de l'Ontario? Cé qui celle qui a amené Catherina à l'hôpital d'urgence? Vos 6 enfants ont été élevés ensemble comme frères et soeurs. Tu té toujours occupé des filles comme si c'étaient les tiennes. Pis on commencera pas à jouer à la cachette, on sé bien toutes les deux que ta soeur ne s'est jamais contentée d'un seul homme, pis qu'elle était même pas capable de lui faire à manger. Cé où que Maurice allait s'emplir le ventre chaque fin de semaine? Tu ferais une maudite bonne femme pour lui pis ses filles. La femme qu'il a toujours désirée, à la maison, ses repas prêts, et qui s'occupe des enfants. Sylvette a bien des qualités, mais cé pas une femme pour lui. Elle est indépendante et travaille, et ses trois garçons en ont dedans.

Je lui fis remarquer que j'étais toujours avec Ricardo et que j'avais aussi ses trois enfants à m'occuper. Mais c'était sans compter sur l'entêtement de ma grand-mère:

–Ricardo, c'pas un gars pour toé, t'en as jamais parlé, tu t'es jamais plaint, mais toute la famille voit ben que cé un alcoolique. Tu viendras pas me dire que té heureuse avec un pareil énergumène?

Elle voyait juste. Mon chum était un ivrogne et à chaque mois, c'était la même chose. Il retardait ses paiements d'auto et le mafioso appelait à la maison et faisait des menaces. Je devais emprunter de l'argent pour le payer et ainsi préserver la paix. Qu'aurais-je donné pour avoir eu un chum comme Maurice? Même si je ne l'aimais pas d'un amour fou, il restait néanmoins l'homme idéal.

Parlant de l'homme idéal, je l'appelai le samedi suivant. Les filles étaient parties avec leur mère et je voulais savoir comment Maurice réagissait de se retrouver seul. Ça faisait pas loin d'une heure qu'on conversait au téléphone lorsque j'entendis une voix derrière:

–Maurice, j'ai entendu une voix, pourquoi que tu m'as pas dit que t'avais de la visite?

–Ah, cé pas grave, cé juste Sylvette qui est icitte.

–Maurice, ça se fait pas ça, on parle depuis au moins une heure ensemble, et tu la laisses toute seule.

–Ça dérange rien ça, chu content que tu m'appelles pour avoir des nouvelles.

–Écoute Maurice, on se reparlera la semaine prochaine, o.k. je te laisse à ta visite.

Et je raccrochai. Je ne comprenais pas que mon beau-frère manque de savoir-vivre à ce point. Qu'allait penser ma cousine de son attitude? Elle l'enverrait sûrement aller voir ailleurs et elle aurait pas tout à fait tort. Il avait agi comme si elle ne représentait rien à ses yeux, et comme si mon téléphone avait plus d'importance qu'elle. J'essaierais de lui en parler la prochaine fois.

Cette même fin de semaine, j'eus ma belle-mère sur le dos. Elle me fit un sermon parce que je m'occupais trop de mes nièces et de leur père. Fallait que je fasse attention maintenant que mon beau-frère était seul; c'était dangereux que je brise mon ménage en partant avec l'ancien mari de ma soeur. Je lui fit remarquer qu'elle n'avait jamais parlé quand son fils se vautrait sur la piste de danse avec ma soeur, mais elle me répondit que ce n'était pas la faute de son fils, il était en boisson ce soir-là. Comme si le fait d'être ivre pardonnait tout.

La semaine suivante, comme à chaque fois, j'appelai Maurice. Je lui demandai des nouvelles de son week-end et tentai de lui faire comprendre que notre conversation du samedi était déplacée, étant donné qu'il avait de la visite.

–Faut pas que tu t'en fasses avec ça, Sylvette cé juste une amie, y cé rien passé. Pis de toute façon cé fini avec elle.

–Comment ça?

–Elle m'a invité à son appartement l'autre soir. Quand j'ai entré, j'ai vu que dans la chambre des enfants, le lit était pas faite pis c'était tout à l'envers. Elle venait juste de me dire que ça faisait trois semaines que ses garçons étaient chez leur père. Ça fait que j'en ai eu assez d'une traîneuse avec ta soeur sans en pogner une autre avec elle. J'ai eu assez peur que j'ai pris mes cliques pis mes claques, pis j'ai crissé mon camp au plus vite.

Et là, j'entendis rire Maurice. Je ne pouvais passer sous silence le sermon que j'avais eu:

–Tu devineras jamais quoi? J'ai eu droit aux remontrances de ma belle-mère en fin de semaine. Vu que t'es maintenant tout seul, elle voit d'un mauvais oeil que j'aille chez vous faire à manger pis faire du ménage. Elle a peur, tu sauras jamais de quoi? Elle a la trouille que je plaque son gars là pour toé.

Maurice partit à rire de plus belle en m'avouant:

–Tu devineras jamais ce que mon frère m'a dit à l'usine à matin? Ils ont passé à Stratford en fin de semaine et ils ont vu que ta maison était à vendre. Il est passé à côté de moi et m'a dit : "*Sacré Maurice, on te demandera pas pourquoi Julie a décidé de vendre, sacré Maurice, je te comprends va.*"

J'éclatai de rire à mon tour. Ma belle-mère qui s'imaginait que je partirais avec Maurice et le frère de ce dernier qui était certain que je vendais ma maison pour aller habiter avec mon beau-frère. Maurice et moi trouvions que certaines personnes avaient l'imagination fertile.

La fin de semaine suivante, on avait un party. En venant pour retourner à la maison, je ne trouvai plus les clefs de l'auto. J'eus beau chercher, mais en vain. On se fit donc reconduire, Ricardo, moi et les 6 enfants à la maison. Rendu là, je pris le deuxième set de clefs et demandai à Ricardo s'il voulait m'accompagner et retourner chercher l'auto. Il répondit par la négative en m'expliquant que les enfants étaient fatigués et avaient besoin de sommeil. Je repartis donc seule. Rendu à destination, je constatai que les fameuses clefs que j'avais perdues étaient sur le siège, côté conducteur. J'étais certaine d'avoir regardé à cet endroit et de ne pas les avoir vues. Sans me poser plus de questions, je repartis donc au volant, direction: la maison.

Enfin rendue chez moi, à plus de deux heures du matin, j'entrai doucement pour ne pas réveiller les enfants. J'ouvris la porte et restai figée sur place. Nicole, la fille de Ricardo se tenait debout, face à son père, et n'ayant pour seul vêtement que sa petite culotte. Son père lui caressait les seins. Je fermai la porte rageusement et les fis sursauter.

Nicole regagna vite sa chambre. J'attendis les explications:

–Cé pas ce que tu penses. Ma fille a mal au sein depuis qu'elle a eu un accident. Pis sa mère est pas capable de s'en occuper. Je faisais juste regarder cé où qu'elle avait mal, voir si elle avait pas une bosse.

Je ne répondis rien à cela. Encore une fois, c'était moi qui me faisais des idées. J'avais déjà vécu une expérience semblable et je m'étais enfuie de l'Ontario avec mes deux enfants en découvrant que mon ex-mari se faisait faire une fellation par ma fille. Mais au moins cette fois-ci, j'étais soulagée, ce n'était pas Mélissa qui en avait écopé.

Le lendemain, je questionnai quand même ma fille qui me répondit par la négative. Non, Ricardo ne l'avait jamais touchée. Mais il s'enfermait régulièrement avec Nicole dans la-salle-de-bains. Le soir venu, je me couchai sur le divan. Toute la nuit, j'essayai de dormir, mais en vain. La seule chose qu'il me restait à faire fut un examen de conscience. Qu'avais-je fait de ma vie? Premièrement, j'avais marié un inconnu et m'étais retrouvée loin de tout. Je m'étais battue pour que mes enfants ne puissent jamais revoir leur père biologique. Je m'étais remariée avec René que j'aimais comme une folle, mais qui était incapable d'aimer mes enfants.

Pour rachever le tas, je restais avec un alcoolique qui s'amusait avec sa fille. Oui, qu'avais-je fait de ma vie, sinon me laisser diriger et contrôler par tous et chacun, à commencer par mon père. J'étais la seule fautive, je n'avais qu'à m'en prendre à moi-même. Je faisais partie de ces femmes qui aiment trop et qui feraient n'importe quoi pour un sourire, un mot gentil et pour avoir des marques de tendresse.

Je pensai à ma mère qui ne me parlait plus depuis que ma soeur était de retour. Que pourraient dire mes propres enfants de moi plus tard? Que j'avais été une mère qui s'était laissé contrôler toute sa vie? Quel héritage laisserais-je à ma fille: celui d'une femme qui n'était pas capable de prendre une décision par elle-même, le visage d'une éternelle victime? C'était trop, je me devais d'agir et vite pour changer la situation.

Le lendemain matin. aussitôt que Ricardo se fut levé, je lui lançai:

—Aujourd'hui, tu fais tes bagages et ceux de tes enfants et tu décrisses d'icitte.

—Aurais-tu oublié que je peux envoyer ta petite vie tranquille en l'air, je n'ai qu'à raconter la petite aventure que tu as eue avec un homme marié. Chu certain que sa femme adorerait le savoir.

—Tes menaces ne marchent plus. Pars, va lui dire, mais t'auras même pas le temps de te rendre que tu vas avoir la police au cul.

—Comment ça, cé quoi cette histoire-là?

—Essaye-toé pis tu vas le savoir, si t'as rien à te reprocher. Mais comme je suis au courant de certaines choses que tu as faites, chu convaincue que tu vas avoir ben trop la trouille pour faire quoi que ce soit.

Je le vis blêmir. J'étais prête à tout. Même à communiquer avec son ex-femme et lui avouer qu'il s'amusait avec Nicole et que cette dernière y prenait plaisir. Je le regardai en plein dans les yeux et il vit bien que je ne bluffais pas. Il fit une dernière tentative:

–Que tu veuilles me mettre à la porte, je le comprends. Mais jamais je ne croirai que tu n'aies pas assez de coeur pour mettre mes enfants dehors aussi.

C'était fini, la bonne Julie qui avait pitié de tout le monde. Je me sentais coupable d'être obligée d'en arriver là, et que ses enfants vivent une telle situation, mais c'était fini, il ne m'aurait plus par la pitié.

–Non, je n'ai plus de coeur, et tu amènes tes enfants avec toi, j'espère que cé clair. Tu n'as que jusqu'à cet après-midi pour ramasser tes guénilles, après ça, ce sont les polices qui vont te sortir. Pis oublie pas ton mafioso, t'as intérêt à le payer, sinon je te traîne en Cour pis je crache le morceau.

Ça c'était du bluff. Car je ne me voyais pas avouer à un juge que j'étais embarquée dans la pègre jusqu'au cou. Mais qui veut les moyens...

Je le regardai faire ses valises. Son butin contenait facilement dans l'auto et je le vis partir avec ses enfants. L'après-midi même, je l'appelai chez sa soeur et lui demandai de rester là que j'allais récupérer l'auto qui était à mon nom. Il eut beau chialer, rien à faire, c'était mon auto, et je l'avais maintes fois payée depuis qu'il restait avec moi. Des comptes d'épicerie à 700. dollars par mois, c'était régulier, sans compter tout l'argent donné à chaque deux semaines pour aller porter ses enfants. Tout l'argent que ça me coûtait en habillement, encore pour ses petits. Sans compter mes chèques d'impôt qu'il était supposé donner au gars qui nous avait vendu le bois de chauffage et qu'il avait dépensé à l'hôtel: une somme de plus de 1000. dollars.

Je récupérai donc mon auto et il me regarda partir au volant. Je venais de tuer Julie Nadeau. Elle n'existait plus. On l'avait détruite à petit feu à force d'abuser de sa naïveté et de sa confiance. Je l'enterrais avec joie. Et à partir de ce jour, je me fis la promesse que seuls mes enfants auraient droit à mon amour inconditionnel et sans limites, et que les autres devraient se contenter de ne voir qu'un pâle reflet de moi-même."

***

Chapitre 19

"La nouvelle transition de l'ancienne Julie à la nouvelle, ne se fit pas sans heurts. Je contactai Maurice et lui appris la nouvelle de ma liberté retrouvée; il m'apprit alors qu'il m'aimait et me demandait de faire un bout de chemin avec lui. Je l'avertis néanmoins: il n'était pas question qu'un homme passe avant mes enfants, ils seraient toujours les premiers et il devrait se contenter du peu que je serais disposée à lui donner. Tout le monde avait vu avant nous ce que nous-mêmes essayions de ne pas voir: on était faits pour aller ensemble.

Maurice vint me rendre visite ce week-end-là. On était assis devant le feu de foyer lorsque le téléphone se fit entendre. Je répondis et restai sans voix en entendant mon interlocuteur. Le mafioso à qui Ricardo devait de l'argent me menaçait, car celui-ci n'avait pas fait ses paiements. Je lui appris qu'on était séparés et que s'il voulait avoir son argent, il n'avait qu'à courir après mon ex-chum, et je lui communiquai la nouvelle adresse ainsi que le numéro de téléphone pour le rejoindre.

Sitôt le téléphone raccroché, je ne pris pas quatre chemins et expliquai à Maurice dans quoi j'étais embarquée. Si on voulait que notre relation ne soit pas faite de menteries et de tricheries, je lui devais la vérité. Je lui fis comprendre que c'était mon problème et que je réussirais à m'en sortir.

Dès lors, chaque dimanche soir, j'avais le mafioso qui

m'appelait et me faisait des menaces si je ne payais pas les dettes de Ricardo. J'appelai ce dernier et lui fis le compte-rendu des appels et le prévins qu'il avait intérêt à s'en occuper sinon je le traînerais en justice. J'eus la paix pour quelque temps.

Ma soeur vint me rendre visite et je ne pus m'empêcher de lui annoncer la bonne nouvelle à l'effet que Maurice et moi, on sortait dorénavant ensemble. Elle me sauta au cou en me disant à quel point ça la rendait heureuse. Son mari méritait une bonne femme qui s'occuperait de lui; et moi, je méritais un homme comme son ex-mari. Elle n'avait rien à lui reprocher et de plus, elle était certaine que je m'occuperais bien de ses trois filles.

Depuis le retour de l'enfant-prodigue, ma mère ne m'appelait plus. J'essayai bien quelques fois d'entrer en contact avec elle, mais je m'aperçus vite que je la dérangeais. Je lui demandai même de venir me voir, ce à quoi elle répondit:

–J'peux pas aujourd'hui, faut que j'aille en ville.

–En ville où?

–Ben voyons Julie, en ville en ville.

J'aurais bien aimé qu'elle me dise où elle allait, j'aurais peut-être pu y aller, moi aussi. Je ne sus que le lendemain par la femme de Claude, que ma mère était allée à Victoriaville avec ma soeur, magasiner. Elle étaient passées devant la porte de chez moi et ne s'étaient même pas donné la peine d'arrêter en passant. J'aurais aimé mieux qu'elle me dise simplement la vérité: "Julie, je vais magasiner avec ta soeur, pis on ne te l'a pas offert parce que tu amènes tout le temps tes enfants avec toi. Pis moé, pis Suzanne on s'est débarrassé des nôtres, pis on commencera pas à endurer les tiens."

J'aurais préféré ça à toujours me faire bourrer de menteries. Mais à l'époque, je ne savais pas que le fait d'abandonner ses enfants, se léguerait de génération en génération, et que même avec plusieurs enfants, un seul serait digne de ma soeur et de ma mère.

J'avais décidé de me prendre en main et la première affaire fut de me dénicher un emploi convenable. Il n'était pas question que je dépende d'un homme. J'appliquai donc pour un poste de gérante du terrain de camping à Lambton. Ayant déjà travaillé comme cuisinière du casse-croûte, j'avais de bonnes références. Le travail durerait 20 semaines, je devrais m'occuper de tout: le restaurant, 82 terrains à faire la pelouse, les entrées et les locations. Un travail de pas moins de 70 heures par semaine. J'étais prête. Lisbeth m'aiderait au restaurant et les garçons seraient capables d'aider à l'entretien du terrain. Quant à Catherina, Victoria et Mélissa, elles étaient assez âgées pour aider à la vaisselle.

Pendant tout l'été, je me défonçai au travail. À chaque soir, Maurice venait me rejoindre et aidait mes fils à faire la pelouse. À chaque semaine, je donnais une paye à nos 6 enfants et pour eux c'était le bonheur total. Ils n'auraient pu rêver mieux. Ils s'étaient fait des amis, partaient en bateau, faisaient de la voile, du ski-nautique, se baignaient à satiété et récoltaient en plus un salaire pour le travail effectué.

. J'avais un salaire fixe, sans compter les profits que je faisais avec le restaurant; donc plus je faisais d'heures pour satisfaire les clients, plus je faisais d'argent. Combien de soirs, des campeurs vinrent me demander de leur faire à manger à deux heures du matin et je m'exécutais. Le lendemain, à 8 heures, j'étais encore prête pour une nouvelle journée. Donc plus d'argent pour gâter mes trois chérubins. Tout ce que mes enfants me demandaient, ils l'avaient. Jean-René désirait une table de ping-pong pour sa fête: chose demandée, chose reçue. Jimmy voulait un nouveau bicycle: pas de problème. Mélissa désirait s'habiller des pieds à la tête pour sa prochaine rentrée à la polyvalente: désir accordé. Elle voulait que je lui achète un clavier en plus: chose accordée.

Ma mère vint me rendre visite et elle pleurnichait, car Suzanne venait de perdre son amant. Ma pauvre soeur, n'avait rien récolté de son demi-million; il avait tout laissé à sa femme. En plus, elle devait se battre pour récolter l'assurance de 2000. dollars qu'elle avait prise sur sa tête avant qu'il ne meure. Pour rachever le tout, ma soeur se retrouvant toute nue dans la rue sans le magot et se payait une dépression. Elle avait dû être hospitalisée. Et j'aurais dû m'y attendre, Suzanne criait à qui voulait l'entendre que je lui avais volé son mari et ses enfants, et que si je n'avais pas fait une telle bêtise, elle serait toujours mariée et heureuse avec Maurice. J'avais détruit leur bonheur, selon elle. Je fis remarquer à ma mère que je n'étais pour rien dans la merde en laquelle se retrouvait ma soeur et que de toute façon, elle était bien placée pour le savoir.

Un froid s'installa alors entre nous deux et le pire fut à venir lorsqu'à l'anniversaire de Jimmy, il reçut une carte d'anniversaire de ma mère. À chaque anniversaire des enfants, elle leur envoyait 5 dollars par la poste, mais cette année-là en ouvrant sa carte, mon fils ne trouva rien. Je le vis partir sans un mot et en larmes déposer sa carte sur la bibliothèque. Comme l'ancienne Julie tentait quelquefois de reprendre le dessus, je lui demandai d'appeler sa grand-mère et de la remercier pour l'envoi, et en prenant le parti d'excuser ma mère, je lui fis remarquer qu'elle était peut-être trop pauvre cette année et que c'était la raison pour laquelle il n'y avait rien.

Catherina qui assistait à la scène regarda Jimmy en lui chantant:

–Moé, j'le sais pourquoi que grand-maman t'a rien donné, pis j'te l'dis pas.

Je me retournai vers ma nièce et lui donnai l'ordre d'arrêter immédiatement de faire pleurer mon fils et de dire ce qu'elle savait. Voyant mon air fâché, elle finit par avouer:

–Grand-maman, ne donne plus rien aux autres parce qu'elle garde tout pour moi, elle m'a donné 50 dollars à ma fête, pis elle m'a dit de pas le dire aux autres.

Maintenant j'étais fixée. Ma mère n'avait jamais eu qu'une seule enfant soit Suzanne, et elle ne pouvait aimer tous ses petits-enfants pareil, donc, elle n'en avait qu'une: Catherina. Mais il n'était pas question que j'encourage son manège et je lui dis à sa visite suivante:

–Tu sais maman, Jimmy a eu beaucoup de peine à son anniversaire quand il a reçu ta carte. Même si 5 dollars ne représentent pas beaucoup pour nous, pour lui c'était grandiose. Mais j'imagine que t'étais cassée et que c'est pour ça que tu ne lui as pas envoyé rien.

Je venais de lui tendre un piège; elle sauta à pieds joints

dedans.

–Oui, j'te dis que j'étais pas mal serrée, pis cé pour ça que j'ai pas pu rien y donner.

Je regardai alors celle qui prétendait être une mère et lui rétorquai:

–Dans ce cas, je ne vois pas comment tu as pu donner 50 dollars à Catherina à sa fête. Tu changeras pas hein, faut toujours que tu fasses du mal à tes enfants. Seule Suzanne est épargnée, pis là, cé rendu que tu t'en prends à tes petits-enfants. Vois-tu, j'ai vu mon fils Jimmy pleurer par ta faute, pis je te jure que c'était la dernière fois. Depuis qu'on est au monde que tu nous fais du mal à nous, tes enfants, mais là, t'as été trop loin. Mes enfants ça s'appelle 'touchez-y-pas', pis je plains celui ou celle qui va leur faire du mal, parce qu'ils vont se retrouver sur mon chemin. Ça fait que j'aimerais mieux que tu les voies plus, plutôt que de leur faire de la peine.

Sur ce, je vis ma mère ressortir. La nouvelle Julie, avait réussit à s'affirmer et ce ne serait pas la dernière fois.

Je travaillai tout l'été au camping. Le temps de la rentrée arrivait à grand pas et mon contrat prenant fin, je retournai vivre dans ma maison à Stratford."

***

Chapitre 20

– Émilien était décédé en ne laissant rien à ma soeur. Cette dernière se mit à nous faire vivre un vrai calvaire. Comme chaque fois qu'elle était malheureuse, quelqu'un devait payer pour et ce serait nous. Elle ressemblait de plus en plus à mon père dont je n'avais toujours pas de nouvelles.

Une fin de semaine où elle avait Lisbeth avec elle, elle lui fit prendre de la drogue. Ma nièce revint gelée ben raide à la maison et nous raconta son aventure. Toutes les choses qui étaient interdites quand elle était avec Maurice, devenaient maintenant possibles pour se venger.

La fin de semaine suivante, elle emmena magasiner Victoria. Elle partait pour l'habiller pour la rentrée, nous dit-elle. Elle revint avec une facture de 250 dollars que Maurice devait payer.

Comme on ne se voyait que les fins de semaine, mon chum et moi, ma soeur profitait donc de ses deux journées pour nous mener la vie dure.

La plus vieille de mes nièces commença à sortir les week-ends. À chaque soir, Maurice et moi on se partageait les voyages. Si le vendredi, c'était lui qui allait la chercher à la sortie du bar, le lendemain soir, c'était à mon tour de me faire réveiller à 3 heures du matin pour faire le taxi. Et cela se répéta pendant des mois jusqu'à ce que cette dernière put enfin avoir son permis de conduire. Mais on préférait faire le taxi que voir cette dernière revenir avec n'importe qui, et surtout en boisson.

Depuis que j'avais travaillé au camping et ramassé de l'argent, je pouvais maintenant me permettre d'amener ma grand-mère une fois par semaine au restaurant. Avec le temps, je développais une relation exceptionnelle avec elle. Je partageais ses confidences et elle les miennes. Elle se renseignait à chaque fois:

–J'espère que les filles à Maurice te font pas la vie dure? Si oui dis-le moi, je vais leur parler. Après tout ce que tu fais pour eux, pis que leur mère leur a jamais donné, sont mieux de t'apprécier.

–Ça va ben grand-maman, j'ai pas à me plaindre. J'ai enfin l'homme idéal que j'ai toujours recherché.

–Je vais être indiscrète, mais point de vue sexe, ça va tu bien. Je connais ta soeur qui passait son temps à se plaindre, pis je veux savoir si elle avait des raisons de toujours se lamenter.

Chère grand-mère, je n'avais jamais abordé un tel sujet avec elle, et ça me gênait tellement de lui faire part de mes soucis. Je décidai d'y aller avec mon coeur:

–Tu sais grand-maman, je ne m'appelle pas Suzanne et je ne suis pas tellement portée sur la chose. Pour dire la vérité, je suis complètement frigide depuis ma relation avec Ricardo. Mais j'ai bon espoir que le tout va se replacer. Par chance, j'ai Maurice qui est ben compréhensif à ce sujet. Faut dire qu'avec ma soeur, y en a vu de toute les couleurs. Disons qu'on s'apprivoise tranquillement et qu'on panse nos blessures ensemble. Mais le plus beau de tout ça, grand-maman, c'est qu'on est toujours en complet accord et qu'on se chicane jamais. On n'a même pas eu un seul sujet ou on n'était pas du même avis. J'pourrais pas demander mieux.

–Chu assez contente pour vous deux, vous le méritez assez. Mais pour revenir au sexe, dis-toé ben qu'avec ton grand-père, j'ai jamais rien ressenti non plus. Dans ce temps-là, on faisait l'amour seulement pour avoir des enfants, pis je te dis que j'avais hâte qu'il finisse de faire son devoir. Cé pour ça qu'après sa mort, je suis toujours restée seule. Pis j'ai une confidence à te faire, mais faut que tu me jures de jamais le dire à personne. Si tu en parlais, je suis certaine que personne voudrait me croire et qu'on m'enfermerait à l'asile avec la camisole de force. Pis promets-moi de pas rire de moé.

–Ben voyons grand-maman, qu'est-ce que t'as à me dire de si grave? Va y je te promets de pas rire.

–Avant qu'Émilien meure, ta soeur est arrivée avec lui à la maison. Pis là, ils se sont mis à me dire que le fantôme de ton grand-père rôdait dans la maison et que c'était pour ça que j'avais jamais refait ma vie après son décès. Là, ils se sont levés tout les deux debout et se sont mis à faire des incantations en levant les bras au ciel. Tu aurais dû les entendre dire à ton grand-père de quitter les lieux au plus vite. "Huummmmmmm, grand-papa, nous t'implorons de toute notre foi, de quitter ces lieux, que grand-maman puisse refaire sa vie hummmmmmm."

Malgré ma promesse, j'éclatai de rire, suivie de ma grand-mère. J'imaginais la scène, les ayant déjà vus faire des incantations, et les larmes se mirent à couler malgré moi.

–Julie, surtout ne raconte jamais ça à personne, le monde penserait que cé moé qui est rendue folle.

Je savais bien que ma grand-mère avait toute sa tête. Et j'avais de la peine pour elle. Que ma soeur et son amant osent faire une telle chose dans son propre domicile sans son consentement, était de la pure folie. Je commençais à croire que ma soeur avait besoin de soins et ça pressait.

Au fil de nos rencontres, ma grand-mère se mit à me demander de menus services:

–Julie, je ne voudrais pas te faire perdre du temps, je le sais que tu aimes retourner chez toi avant que tes enfants soient rentrés de l'école, mais j'aimerais ça, aller au comptoir-familial (une friperie), pis vu que je reste trop loin, j'peux pas y aller à pied.

–Ben sûr, pis ça va me faire plaisir de te donner une 'raide'.

En retournant à la maison, je dus me rendre à l'évidence. Ma grand-mère était sans le sou. Combien de fois je l'avais vue payer des robes de 200 dollars chacune à ma mère et à ma soeur, et maintenant elle s'habillait au comptoir. Je constatais aussi, que j'étais la seule qui la sortait de sa maison. Vu qu'elle n'avait plus d'argent pour payer les voyages, les restaurants, et les vêtements, on la laissait à elle-même. Je me promis alors de ne jamais manquer nos rendez-vous de chaque semaine et d'en prendre soin.

On eut la paix pour quelque temps. Ma soeur avait renoué avec notre père, (sans lui avouer qu'elle avait changé de nom de famille) et alla le rejoindre en Floride avec Catherina. Bien sûr, il n'était pas question d'amener ses deux autres filles avec elle; seule la dernière méritait son attention et avec qui elle pouvait faire ce qu'elle voulait. Pendant une semaine, ce fut le paradis sur terre.

Lorsque ma nièce revint, le petit jeu de ma soeur recommença de plus belle. Ma mère qui disait n'avoir aucun parti pris, se mit à plaindre ma soeur; après tout, elle était tellement malheureuse que ça faisait pitié à voir. Comme j'avais hâte que Suzanne se fasse un nouvel amoureux pour nous foutre enfin la paix!

Avec le temps, ce qu'on pensait bénin empira. Ma soeur invitait même Lisbeth à partager son nouveau petit copain avec elle. Elle voulait juste lui donner un cours, à savoir comment bien satisfaire une femme au lit. Après tout, elle ne voulait pas que sa fille soit déçue par son chum.

Quant à mon amie de fille Nicky, elle s'était fait un nouveau chum. J'étais devenue sa baby-sitter de dépannage. Chaque fois qu'elle désirait sortir, elle m'envoyait ses deux enfants. Bien souvent, je me privais de sortir moi-même pour garder. Maurice m'ouvrit les yeux un samedi avant-midi alors qu'encore une fois, je refusais de l'accompagner, car j'avais ses deux enfants:

–Dis-moé pas que tu gardes encore les enfants à Nicky? Tu vois pas qu'elle ambitionne sur toé? Dis-moi seulement combien de fois elle a gardé les tiens?

– Ça n'a jamais adonné, les fois où je le lui ai demandé, soit elle travaillait, soit elle sortait.

–As t'a tu déjà offert de les garder au moins?

Fallait bien que j'admette que non, elle ne s'était jamais

offert à me libérer, ne serait-ce qu'une heure ou deux. Maurice n'avait pourtant pas terminé:

–Est partie où cette fois-là, pis à quelle heure est supposée revenir?

–Elle m'a promis qu'à deux heures au plus tard, elle serait revenue. Pis elle est allée chez le bijoutier.

–Chu certain qu'elle sera pas revenue à cette heure-là! Elle serait ben folle de pas en profiter, elle a une bonne gardienne fiable.

Une fois de plus, Maurice avait raison. À trois heures, voyant qu'elle n'était pas encore arrivée, j'appelai à la bijouterie et on me dit qu'on ne l'avait pas vue. Je laissai le message qu'elle me rappelle sitôt arrivée. Une heure plus tard, Nicky se manifestait enfin:

–Julie, y'a tu un problème avec les enfants pour que tu essaies de me rejoindre chez le bijoutier?

–Tu m'avais assurée que tu serais de retour pour deux heures. J'attends que tu sois revenue pour sortir avec mon chum pis mes enfants. Pis là yé rendu 4 heures. J'pense que t'a assez ri de moé, cé la dernière fois que je garde tes enfants. Pis si à 5 heures, si t'es pas revenue, j'envoie tes enfants chez le voisin.

–Bon o.k j'arrive.

Ce fut la dernière fois que je gardai ses petits et ce fut même la dernière fois aussi qu'elle me parla. Chaque fois qu'elle me rencontrait, elle changeait de trottoir. Elle n'avait plus besoin de moi, maintenant qu'elle avait divorcé d'avec son ex-mari, et si j'avais été réellement son amie, elle aurait compris que les services ne se font pas seulement à sens-unique. J'eus beaucoup de peine longtemps encore, mais Maurice me faisait comprendre que je méritais une meilleure amie qu'elle.

Par chance, il me restait Sue, une amie sincère qui ne m'appelait pas seulement pour que je la dépanne ou que je lui rende service. Elle n'oubliait jamais ma fête, venait voir si j'avais besoin de quoi que ce soit et m'appelait simplement pour me dire bonjour et avoir des nouvelles de moi et des enfants. Cette amitié dure encore et je l'apprécie au plus au point, maintenant que j'ai appris à écarter les profiteuses et ceux qui sont toujours en peine et dont la seule motivation est de gruger toute ton énergie."

***

Chapitre 21

–À chaque week-end, je faisais l'aller chez Maurice. J'étais sur l'assurance-chômage, mais je me débrouillais bien. Avec l'argent amassé au courant de l'été, j'avais fini par me sortir du trou dans lequel je m'étais embarquée avec Ricardo. Et je n'avais plus eu de nouvelles du mafioso.

Lisbeth eut enfin son permis de conduire et Maurice lui acheta une vieille-minoune. Au moins nos nuits ne seraient plus entrecoupées et ma nièce pourrait voyager ses soeurs qui commençaient à sortir, elles aussi.

Je crois que ce fut un des pires temps, la fameuse crise-d'adolescence. C'était party par-dessus open-house. La maison se remplissait d'ados qui s'enivraient, se droguaient et faisaient l'amour continuellement. Comme Suzanne était incapable de donner de bons conseils à ses filles, autres que de fourrer à plein cul avec n'importe qui, je devins donc la conseillère sexuelle. Je me retrouvai donc avec les problèmes des menstruations, de la pilule anticonceptionnelle, des condoms, de la drogue et de la boisson.

Maurice ne s'en mêlait pas. Après tout, c'était moi que ses filles venaient voir quand elles avaient un problème. Et des pépins avec 6 enfants, c'est pas ça qui manquait.

Lisbeth désirait prendre la pilule contraceptive. Je lui ai conseillé d'aller voir un médecin. Elle revint avec la prescription. Et annonça à son père que ce n'était que pour régulariser ses règles. Comme elle était trop gênée pour aller la chercher elle-même, j'étais le cobaye tout désigné. Donc à chaque mois, je profitais du fait qu'on allait faire les commissions. Je me présentais à la pharmacie. Je demandais la prescription. Ça faisait déjà 6 mois que le manège se répétait inlassablement et à chaque fois, Maurice me disait: "J'peux pas croire que ses menstruations doivent pas à veille d'être régularisées depuis le temps. Là, je vais lui dire que cé fini."

Ça faisait 6 mois que j'entendais la même rengaine, jusqu'à ce que j'en aie eu assez et lui répondis:

–Maurice, arrête de te boucher les yeux. Ça fait longtemps que les menstruations de ta fille sont régulières. Pis non, elle arrêtera pas de prendre la pilule. Ta fille a des relations sexuelles: va falloir que tu te le mettes dans la tête.

Mon chum garda le silence tout le long du voyage. Il ne pouvait se faire à l'idée que sa fille vieillissait et que bientôt, elle partirait de la maison.

Mais on était pas au bout de nos peines pour autant et on allait de découverte en découverte.

Je profitai de la semaine de relâche de mes enfants pour faire le grand ménage chez Maurice. Je commençai par le salon quand rendue au-dessus de la bibliothèque, je trouvai une assiette d'aluminium contenant des épluchures de banane en train de sécher. J'avais pas besoin d'un dessin pour savoir ce que Lisbeth en faisait, elle se roulait un joint.

Deux jours plus tard, j'étais rendue dans la cuisine quand je découvris, cachés dans le fond d'un tiroir, des couteaux avec le bout noirci. Comme Maurice et moi, on se disait tout, je ne pouvais passer sous silence mes découvertes. Quand je lui montrai les ustensiles calcinés, il me dit:

–Cé tu rendu que les filles jouent avec le feu quand on est parti asteur?

–Non Maurice, cé pas à jouer avec le feu qu'elles ont brûlé les couteaux. Ça, il y a deux solutions, soit elles s'en servent pour fumer du hasch, ou soit pour fumer de l'huile.

Mon chum, ne comprenait plus rien. Je dus lui donner un cours sur les drogues. C'était pourtant pas bête, on prend deux couteaux qu'on fait rougir au-dessus d'une chandelle, ensuite on met une 'bit' de'hasch entre les deux et on respire la boucane qui se dégage. Même chose pour l'huile.

Maurice doutait encore de mes paroles quand je lui remis l'assiette d'aluminium contenant les épluchures de banane séchées. Après en avoir discuté avec ses filles, Lisbeth avoua: ça lui appartenait. Ça ne servirait à rien de les engueuler, la seule chose qu'on pouvait faire était de les mettre en garde et de leur expliquer les dangers. On ne pouvait quand même pas se mettre à les priver de sorties. Quand elles allaient chez leur mère, cette dernière leur montrait même comment fabriquer de l'huile à partir de cannabis.

C'était un éternel recommencement. On prônait l'abstinence de drogue, ma soeur fumait avec elles. On demandait le respect dans les relations sexuelles, Suzanne leur conseillait de s'envoyer en l'air avec tout ce qui avait un entrejambes masculin, en leur rappelant que c'était le meilleur moyen de savoir avant de s'embarquer avec un homme, s'il en valait la peine. Et ma propre mère les encourageait dans cette voie. Par chance, depuis notre dernière prise de bec, elle n'avait pas revu mes enfants.

Lisbeth s'était fait un amoureux que je lui avais déconseillé. C'était un pas-bon qui ne travaillait pas, ne pensait qu'à s'amuser et se droguer et incapable de se ramasser. Voyant qu'on était en désaccord avec son choix, sa mère et la mienne lui firent prendre un appartement en ville et c'est ainsi qu'elle se retrouva à 16 ans pognée avec un bon à rien.

Ne voulant pas l'abandonner, Maurice payait son épicerie et lui donnait de l'argent. Tout ce qu'elle avait amassé en travaillant avec moi, son crotté lui avait dilapidé. Et ainsi à chaque fois qu'on garnissait son réfrigérateur, son copain invitait sa gang de chums qui ne repartaient qu'une fois les armoires vides. Ça ne dura qu'un temps et elle revint vivre chez son père. Bien sûr, Suzanne et ma mère qui l'avaient mise dans un tel pétrin, l'avaient abandonné après s'être rendu compte dans les bras de quel garçon, elles l'avaient poussée.

On en fut quitte pour avoir la paix pendant une couple de fins de semaine. La fois suivante, ce fut Victoria qui nous appela en pleurant. Elle voulait qu'on aille la chercher.

Quand je lui demandai où était sa mère, elle me répondit qu'elle était partie chasser des sorcières et qu'elle se retrouvait seule. On partit donc chercher ma nièce.

Quant à la plus jeune, Catherina, ma soeur s'en servait pour vider petit à petit la maison. Tout ce que ma soeur désirait avoir, elle le demandait à la petite. Je m'apercevais bien que certaines choses disparaissaient sans savoir pourquoi, et maintenant j'avais la réponse.

Maurice, lui, se disait qu'avec le temps ma soeur se lasserait de nous faire des ennuis et que tout rentrerait dans l'ordre. C'était seulement que pour se venger de notre bonheur qu'elle faisait tout cela et qu'elle finirait par comprendre. J'avais hâte à ce jour! "

***

Chapitre 22

Mes trois enfants grandissaient bien. Je n'avais encore rencontré aucun des problèmes que Maurice vivait avec ses filles et je me considérais choyée. Faut dire que je discutais beaucoup avec Mélissa qui était en âge de comprendre. Je lui expliquais que si elle désirait être respectée, elle devait commencer par se respecter elle-même, et que ce n'était pas en couchant avec le premier venu qu'elle y parviendrait.

Depuis que je vivais seule à Stratford, je m'impliquais beaucoup auprès des enfants. Présidente du comité d'école, après consultation, j'avais fait venir la GRC pour nous donner un cours sur les drogues douces et dures. Et en tant que parent, il était de mon devoir de me renseigner et de m'informer. Je participais aussi aux activités scolaires des enfants, en les accompagnant à leurs cours de natation ou au patin sur glace.

Ma relation avec Maurice était l'idéale. On ne se voyait que les fins de semaine. J'accordais donc tout mon temps à mes trois enfants la semaine entière, développant ainsi une relation particulière. Mes enfants grandissant et le peu d'écart d'âge nous séparant, je devins vite plus une amie à qui on pouvait se confier qu'une mère intransigeante. Je les gâtais le plus possible, mais sans tomber dans l'excès. Je ne passais pas une journée sans leur dire que je les aimais et ils me le rendaient bien.

La seule chose que j'exigeais d'eux était la franchise. Je

ne tolérais pas les mensonges. J'aimais mieux qu'ils me disent mes quatre vérités en pleine face, plutôt que de le faire dans mon dos. Et je leur demandais la même chose envers les personnes de leur entourage, ce qui ne faisait pas l'affaire de tout le monde. Mais au moins, ils n'étaient pas hypocrites. Ce fut la raison pour laquelle je me retrouverais souvent dans le bureau du directeur à l'école.

Le printemps arriva enfin et je recommençai à travailler au camping à Lambton. Ce travail plaisait énormément aux enfants qui en profitaient pour s'amuser. Mais pour moi, c'était autre chose. Comme je devrais habiter là bas pendant tout l'été, je craignais de laisser ma maison sans surveillance pendant 20 semaines. Le problème se régla quand une de mes amies me proposa de louer ma maison à son frère et qu'il possédait de très bonnes références.

Je lui fis confiance et partis le coeur léger après avoir fait signer un contrat à mon locataire qui stipulait que je reprenais possession de ma maison à la fin de mon travail au camping, et que laissant le téléphone et l'électricité à mon nom, il devrait payer ce qu'il aurait dépensé en chauffage et en interurbains.

Toute notre petite famille étaient impatiente de revoir les amis de l'année précédente et moi, j'avais enfin trouvé une grande famille. Un nouveau couple de campeurs s'ajouta cette année là. M. et Mme. Valcourt me plurent immédiatement ainsi qu'aux enfants. N'ayant eu qu'un seul garçon, ils m'adoptèrent comme si j'étais leur propre fille.

À chaque sortie, ils revenaient toujours avec un cadeau pour nos 6 enfants. Quand ils partaient sur le lac, ils se faisaient toujours un plaisir d'amener les enfants faire un tour de ponton. Comme mon anniversaire tombait à la même date que M. Valcourt on se mit à fêter ce jour ensemble et ça continuerait au fil des ans.

Le monsieur et la madame devinrent Paul et Dorothée. Ils nous présentèrent leur fils et sa femme ainsi que leur trois petits-enfants qui vinrent passer une partie de l'été au camping. Une grande complicité se fit alors entre les enfants. Et chaque fois que Paul ou Dorothée s'adressaient aux nôtres, ils se faisaient appeler pépère et mémère et ce, sans qu'aucune jalousie de la part de leurs petits-enfants ne vînt ternir leurs ententes.

Mes enfants avaient enfin trouvé des grands-parents qui les adoraient et j'avais trouvé un père et une mère qui m'aimaient tendrement. À chaque sortie, il me faisait plaisir de les amener avec moi et tous les soirs, ils se retrouvaient tous au restaurant du camping.

Mon frère Claude vint me rendre visite et m'apprit que ma maison avait l'air abandonnée, la pelouse n'ayant jamais été tondue. Comme il était stipulé sur le contrat que ce travail revenait à mon locataire, je décidai de me rendre à mon domicile pour voir ce qui se passait et par la même occasion me faire payer le loyer qu'il me devait depuis un mois.

Lorsque j'arrivai à Stratford, je constatai immédiatement l'état de délabrement de mon terrain. Je frappai à la porte, mais personne ne vint m'ouvrir. Possédant toujours une clé, je me permis d'entrer, même si Maurice me disait que c'était illégal d'entrer ainsi sans avoir averti au préalable mon locataire de ma venue.

Sitôt entrée, une bouffée de chaleur m'arriva en plein visage. Mon chum se dépêcha d'aller voir le thermostat et constata que celui-ci était réglé à son plus haut. Il faisait 90 degrés de chaleur dans la maison et les plinthes électriques fonctionnaient à plein régime en plein mois de juillet. Mon regard se tourna vers le salon quand j'aperçus que mon éléphant en ivoire, cadeau de ma soeur en temps de grâce, était cassé et que des morceaux jonchaient le tapis.

Mon foyer était dans un état de saleté épouvantable. Des tisons avaient brûlé mon tapis et la cendre en recouvrait une partie. Je fis le tour de la maison à la course pour me rendre compte des dégâts et je ne vis que vaisselle sale qui traînait, linge éparpillé et saleté repoussante.

Je refermai la porte et demandai à Maurice de me conduire au plus vite à l'endroit où travaillait mon locataire. Quand je le vis, je l'injuriai et lui crachai au visage tout ce que j'avais vu. De plus, lui dis-je, il devait me donner l'argent qu'il me devait dans les plus brefs délais. Il s'excusa pour la saleté de la maison en invoquant trop travailler et n'avoir pas eu le temps de s'en occuper, ajoutant qu'il remédierait à ça le lendemain. Quant à l'argent, il ne comprenait pas que je ne l'aie pas encore reçu, car il m'avait envoyé un chèque par la poste deux jours plus tôt.

Je repartis donc en n'ayant pas d'autre choix que de me la fermer. Mais le lendemain, j'appelai la Régie du Logement et m'informai de mes droits. Pauvre idiote, j'aurais dû m'en douter, les lois sont faites pour protéger les maudits pas bons? Je ne pouvais rien faire, sinon espérer qu'il veuille bien me payer.

Trois jours plus tard, n'ayant pas reçu d'argent, je retournai à ma maison. Toujours personne. Je pris ma clé pour ouvrir la porte et vérifier si l'intérieur avait meilleure allure. Incapable d'entrer. Croyant ne pas avoir la bonne clé, je demandai à Maurice de me prêter la sienne. Même chose. Je regardai mon chum et lui dis:

−Ah, le maudit pas bon, il a changé la poignée de porte.

−Ben voyons Julie, cé'impossible

−Tu penses toé, dans ce cas-là, donne-moi une explication: pourquoi nos deux clefs marchent pas? Amène-moi à son travail, je vais lui faire une autre petite-visite.

Lorsqu'il me vit arriver, mon locataire ne fut pas surpris du tout. Comme je lui demandais ce qui se passait avec la poignée de porte, il me rétorqua qu'il avait accidentellement brisé celle-ci et qu'il l'avait simplement remplacée. Et qu'il me ferait faire un double de la clef la semaine même. Quant à l'argent c'était incompréhensible, il allait vérifier avec la caisse si le chèque était passé et m'en donnerait des nouvelles le lendemain.

Je repartis de là en beau maudit, en me promettant de faire quelque chose pour régler ça. La semaine suivante, toujours pas de nouvelles de mon bon locataire. Comme c'était plus tranquille au camping dans la semaine, j'en confiai la garde à Lisbeth et accompagnée de mon fils Jean-René qui devenait un homme, je repartis pour Stratford.

Toujours pas moyen d'entrer à l'intérieur de la maison. Mon fils me regarda avec un petit sourire en coin et me dit:

−Mom, qu'est ce que tu dirais de ça, on rentre à l'intérieur pis on sort toutes ses affaires dehors?

–J'voudrais ben mon gars, mais faudrait commencer par être capable d'entrer.

Jean-René me fit un large sourire. À l'aide de ses deux mains, il fit glisser la vitre qui se détacha de son caoutchouc, entra la main à l'intérieur et débarra la porte en me disant:

–Tu vois mom, cé aussi simple que ça. T'avais qu'à le demander.

Je remis de l'argent à mon fils qui se dirigea à la quincaillerie acheter une nouvelle poignée de porte. Pendant ce temps, j'appelai ma bonne amie et lui demandai de venir ramasser les affaires de son frère, sinon elle les retrouverait au milieu du chemin.

Je savais que ce que je faisais était illégal, mais c'était le seul moyen de me débarrasser d'un profiteur, d'un menteur et d'un bon à rien qui ne paierait jamais.

Sa soeur arriva immédiatement et je la regardai sortir les affaires de son frère. Mon fils se proposa de l'aider, mais je m'y objectai. Si jamais il y avait quoi que ce soit de brisé, je ne voulais pas qu'il puisse nous accuser d'avoir volontairement abîmé ses choses, donc pas question de toucher à quoi que ce soit. Jean-René en profita alors pour changer la serrure de porte. Quand il ne resta plus rien, je refermai derrière moi et on repartit.

Je n'eus plus jamais de nouvelles de mon locataire, sauf que je constatai qu'il s'était payé du bon temps à mon compte. Quand ma facture de téléphone arriva, je sursautai, elle montait à plus de 200. en appels longue-distance. Moi pis ma veine, j'étais encore tombée sur un crotté. En tout, j'avais perdu environ 1,500. dollars pour avoir loué ma maison. Mais à partir de là, je commencerais à détecter les profiteurs du premier coup-d'oeil. Enfin, c'est ce que je pensais.

Le rêve de vendre ma maison fut sur le point de se réaliser. J'avais trouvé un acheteur potentiel. Il vint me rendre visite à mon lieu de travail et après une poignée de mains, sans acompte, on conclut l'accord. Les enfants sautèrent de joie. Ils n'auraient pas à perdre leurs amis d'été et iraient à la même école. La semaine suivante, mon acheteur m'appela pour me dire qu'il avait changé d'avis. Je me retrouvai avec 3 enfants en larmes sur les bras et Maurice qui espérait me voir se rapprocher de son domicile, fut déçu.

La semaine suivante, mon voisin de Stratford m'appela. Il avait entendu parler que ma maison ne s'était pas vendue en fin de compte et il en était bien heureux, il la désirait. Cette fois-ci, pas question de me faire avoir; s'il la voulait, il devrait verser un acompte. Il arriva le lendemain soir avec l'argent en garantie et on prit rendez-vous chez le notaire. Cette fois-là fut la bonne et mes enfants partirent annoncer l'heureuse nouvelle à leurs amis. Maurice rayonnait de bonheur, la facture d'appels longue distance serait inexistante et je ne serais qu'à quelques milles de chez-lui. On pourrait donc se voir plus souvent. Restait à me trouver un appartement et à vider ma maison de son contenu. Paul et Dorothée se proposèrent immédiatement pour me venir en aide.

Je confiai le camping à Lisbeth et me trouvai rapidement un grand appartement de 7 pièces et demie en plein centre du village de Lambton. Avec l'aide de mes nouveaux parents, on vida ma maison de Stratford pour déménager le tout à ma nouvelle demeure.

Pendant 20 semaines, je réalisai ce qu'était une famille unie sans discorde et sans jalousie. Je voyais arriver la fin de l'été le coeur gros à la pensée de perdre mes parents d'adoption. Mais tel ne fut pas le cas. Ils promirent de venir nous rendre visite souvent et nous donnèrent leur adresse à Farhnam pour qu'on aille les voir. Après les embrassades et les pleurs réciproques, je les regardai partir pour retourner à la ville, le temps du camping venant de prendre fin.

Je pris possession de mon appartement sitôt mon travail estival terminé. Je n'avais pas encore rencontré le propriétaire étant donné qu'il restait à Montréal. J'avais donc remis à son intermédiaire 6 mois de chèques-antidatés. Ce serait beaucoup plus facile ainsi, le propriétaire n'aurait pas à courir à tous les mois pour se faire payer et je n'aurais pas à rester à la maison à attendre que celui-ci vienne récolter son dû. Après mon aventure avec mon ancien locataire, je savais maintenant les troubles qu'occasionnait le fait d'être propriétaire.

Mélissa fut enchantée de sa nouvelle école. Elle avait commencé à la polyvalente de Lac-Mégantic. Quant à Jean-René et Jimmy, ils furent reçus à la petite école du village où tout se déroulait à merveille. Et moi, ne tenant pas à passer l'hiver à ne rien faire, je m'inscrivis pour retourner à l'école.

Le lundi soir, Jean-René entra de l'école en colère et il pleurait en me disant:

–Attends les filles elles, mais que je les pogne, elle vont payer pour les niaiseries qu'elles ont faites.

–Qué cé qui se passe mon gars, raconte-moé ça.

–Y'a une fille qui est venue m'engueuler à l'école, elle m'accusait d'avoir fait des mauvais coups dans le téléphone. J'y ai dit que c'était pas moé, mais a voulait pas me croire, a faisait juste me crier après, pis me dire que la prochaine fois elle allait appeler la police. J'y ai demandé quand est-ce que c'était arrivé, pis a m'a dit hier. J'y ai juré que j'avais pas appelé chez elle, mais elle a un afficheur pis elle m'a donné le numéro d'icitte. Cé qui tu penses qui a fait des coups d'après toé? J'avais l'air d'un maudit beau niaiseux.

–Bon Jean-René, je vais régler ça ce soir. Je demandai à Maurice de venir me voir avec ses deux jeunes filles. J'avais affaire à elles. Se doutant qu'elles avaient fait une bêtise, mon chum arriva vingt minutes plus tard avec les deux lascars. Je fis venir les 5 enfants et les questionnai à savoir qui avait joué avec le téléphone. Ils se regardèrent tous avant de me répondre. Finalement, on finit par trouver les coupables. Catherina avait appelé le soudeur du village en lui demandant de lui venir en aide car elle avait un téton de décollé. Victoria avait appelé le curé en prenant une voix forte et disant (cé Jésus, cé Jésus) et Mélissa pour ne pas être en reste avait fait semblant d'appeler pour ne pas passer pour une pissoute, mais il n'y avait personne au bout de la ligne et elle conversait toute seule.

Maurice se fâcha. Il n'en revenait tout simplement pas que des enfants aussi tranquilles puissent changer à un tel point. Elles étaient rendues des adolescentes et on devait les surveiller comme des enfants de deux ans. Après les avoir privées de sorties, on se retrouva seuls tous les deux à converser. C'était à prévoir, nos enfants n'avaient pas eu d'enfance. Ceux de Maurice avait vieilli avant leur âge en devant entretenir la maison, et les miens n'avaient pratiquement pas le droit de bouger avec René. Ils reprenaient simplement le temps perdu; ils tentaient de revivre ce qui leur avait tellement manqué: les espiègleries de l'enfance.

Le week-end suivant, Michel A. un ami du camping vint passer la fin de semaine avec son fils Philippe. Lui qui avait toujours vu nos enfants polis, bien élevés, prêts à rendre service à tout le monde, faillit tomber à la renverse quand on approcha à la table. J'avais à peine déposé les plats sur la table que nos 5 derniers se garrochèrent sur la bouffe en s'obstinant à celui que ne se servirait pas le premier. Je rougis de confusion et regardai Maurice s'il allait intervenir. Mon chum eut beau leur expliquer que ce qu'ils faisaient était impoli, il parlait dans le vide. Je regardai Michel et dis:

–Je m'excuse, j'sais pas ce qu'il ont de travers ces temps-ci, ils sont pas du monde. Tu connais nos enfants, tu cé ben qu'il ont pas l'habitude d'agir ainsi. Chu vraiment désolée qu'ils profitent de ta visite pour faire leurs niaiseries.

Par chance, Michel était un vrai bouffon et il partit à rire. Après le souper, une autre surprise nous attendait. Les filles refusaient de m'aider à faire la vaisselle. Elles avaient déclaré une grève. Ce n'est qu'au bout de plusieurs minutes, après que Lisbeth eut sorti le tue-mouches et les menaça de leur en donner un coup, que je pus enfin obtenir de l'aide. On cherchait Catherina qui avait disparu quand enfin Jimmy nous montra le dessus des armoires de la-salle-de-bains: elle s'y était glissée pour se sauver de m'aider.

Le week-end n'était pas fini pour autant. Philippe qui avait toujours été élevé avec des adultes, trouvait que notre foyer ne manquait pas d'animation et il s'y plaisait. Nos enfants commençaient seulement à l'endoctriner avec leurs mauvais coups. À trois heures du matin, je ne dormais toujours pas. Les ados menaient un vacarme du diable. À bout de patience, je me levai et ouvris la porte de chambre des garçons à la volée, pour pouvoir les pogner sur le fait.

Je ne découvris que Philippe, Jean-René et Jimmy qui semblaient dormir profondément. Pourtant, j'étais convaincue avoir entendu les filles. Je retournai donc me coucher. Je ne sus que le lendemain que tous les jeunes étaient réunis dans la chambre des garçons et s'amusaient à se faire peur, c'était la raison du vacarme et des cris. Évidemment, elles m'avaient entendu me lever et Catherina avait eu juste le temps de se cacher derrière la porte (J'avais failli lui péter la porte en pleine face) Mélissa et Victoria s'étaient cachées dans la garde-robe.

Le dimanche soir, nos invités nous quittèrent en promettant de revenir nous voir. Philippe avait adoré venir chez-nous. Le lundi matin étant un jour férié, Maurice en profita donc pour entrer son bois pour l'hiver. Je lui fis remarquer que nos 5 enfants qui avaient été tellement sages devant nos invités, méritaient sûrement de lui donner un coup de main.

Je vis le visage de Maurice s'éclairer et il fit venir les 5 enfants:

–Tout le monde s'habille en semaine, pis vous venez m'aider à entrer le bois dans la cave. Pis je veux pas un mot de rouspétage, vous nous avez fait pâtir pendant 2 jours, j'vas faire passer votre vlim, moé. Jimmy, toé, vu que té le plus petit, tu vas monter sur la corde de bois, pis on va te passer les morceaux.

Je profitai de la tranquillité pour confectionner des tartes et du pain de ménage. Au bout de 3 heures, Victoria entra dans la maison et me demanda à être exemptée de corder du bois. Elle avait un mal de ventre terrible. Je lui rappelai qu'elle ne devait sûrement pas avoir le même mal la veille et que si elle voulait se plaindre, elle devait aller trouver son père.

Je vis une bande d'affamés arriver pour le dîner, mais sitôt sorti de table, Maurice amena toute la bande à l'ouvrage. À la fin de la journée, ils avaient entré 13 cordes de bois à la cave et nos joyeux moineaux se couchèrent tôt. Je crois que c'était le meilleur moyen de calmer leur ardeur et de leur faire dépenser leur trop-plein d'énergie. Et le mal de ventre de Victoria avait passé sans qu'elle puisse se sauver du travail.

Un cours d'anglais intensif se donnait à Lac-Mégantic et je le suivis à raison de 30 heures/semaine pendant 12 semaines. Je profitais de mes dîners pour rendre visite à ma grand-mère qui n'allait pas très bien depuis quelque temps et qui se retrouva à l'hôpital.

Quelques jours plus tard, on lui remit son congé. Comme à chaque jour, j'allais passer mon heure de dîner avec elle, quand en entrant dans la chambre, je la vis qui m'attendait avec sa valise. Elle désirait que je la ramène chez elle, ce que je fis.

Une semaine passa sans que j'aie des nouvelles d'elle. J'appelai chez elle à chaque jour, mais toujours personne. Je commençais à être réellement inquiète, mais je me disais que ma mère avait dû l'amener passer quelque temps chez elle. À la fin de la semaine, n'y tenant plus, j'appelai mon frère Serge et lui fis part de mes inquiétudes. Il me promit de se renseigner et de me donner des nouvelles.

Il me rappela aussitôt après avoir communiqué avec ma mère. Le lendemain de sa sortie, ma grand-mère n'allant pas mieux, on l'avait hospitalisée de nouveau. Je n'en croyais pas mes oreilles, ma mère était au courant et ne s'était même pas donné la peine de m'appeler. Elle savait pourtant que je visitais grand-maman tous les jours. Elle venait de me trahir une fois de plus en gardant tout secret. C'était clair qu'elle ne voulait plus me parler en agissant ainsi. Si elle avait aimé sa mère un tant soit peu, elle se serait empressée de m'appeler.

Le lundi midi, je me précipitai à l'hôpital rendre visite à grand-maman. Quand elle m'aperçut, son visage s'illumina et elle me dit:

–Si tu savais comme chu contente de te voir, tes visites me manquaient. Mais je comprends que tu ne sois pas venue avant, tu as tes cours pis tes enfants à t'occuper pis t'as pas juste ça à faire que de venir me rendre visite.

Je m'excusai sans lui donner la raison de mon absence et lui promis d'être là à chaque jour. Je ne tenais pas à lui faire de la peine en lui avouant que sa propre fille ne s'était pas donné la peine de m'informer qu'elle était de retour à l'hôpital.

La deuxième semaine que je lui rendis visite, elle dépérissait à vue d'oeil. Elle m'apprit qu'on allait l'opérer le lendemain pour aller voir ce qui ne fonctionnait pas. Je lui promis de venir la voir.

Sitôt le cours terminé, je courus à mon auto et vite direction hôpital. J'arrivai à bout de souffle sur l'étage et une infirmière vint à ma rencontre:

—Tu dois venir voir ta grand-mère?

—Oui.

—Elle n'est pas dans sa chambre, elle est en salle de réveil. Mais comme tu viens la voir à tous les midis, j'imagine que tu aimerais lui parler quand même?

—Oui, vous seriez bien gentille de m'amener la voir.

—Si t'as pas peur du sang, y'a pas de problème. Mais je te le dis tout de suite, elle est branchée à toutes sortes de machines.

—J'en ai déjà vu d'autres, vous n'avez pas à avoir de crainte, j'perdrai pas connaissance.

Lorsque j'arrivai près de ma grand-mère, je lui touchai le bras. Elle s'éveilla et essaya de me parler, mais je l'arrêtai. Des tubes lui sortaient de la bouche et je ne tenais pas à ce qu'elle souffre. Je lui dis simplement que je l'aimais beaucoup, de prendre soin d'elle et que je serais au rendez-vous le lendemain-midi.

Quand je fut ressortie, je m'informai à la garde s'il y avait au moins une personne parmi ses enfants qui était venue la réconforter et l'attendre à sa sortie de la salle de réveil. Cette dernière me répondit négativement, et que j'étais la seule à venir lui rendre visite.

Je retournai en vitesse à l'école et arrivai à la minute près où on entrait en classe. Depuis que ma grand-mère était hospitalisée, je courais continuellement. Le matin, c'étaient les lunchs des enfants et le mien à préparer, et le départ pour l'école. À ma pause de l'avant-midi, j'appelais à l'hôpital et parlais à ma grand-mère pour lui dire que j'allais dîner avec elle. Si la pause était retardée et que je l'appelais plus tard, elle paniquait tout de suite et craignait que je ne puisse être auprès d'elle. Sitôt midi sonné, je me précipitais à l'hôpital et la faisais manger. Je grignotais ensuite une bouchée de sandwich et après l'avoir embrassée, je retournais en vitesse en classe.

J'arrivais toujours essoufflée et à l'heure pile pour le début des cours. Par chance, mon professeur savait où je passais mon heure de dîner et me demandait des nouvelles à chaque retour:

–Hi, Julie, how is your grandma today? I hope she's better than yesterday?

Le soir, je retournais à la maison encore à la course, le souper m'attendait, aussi mes devoirs et ceux des enfants ainsi que le lavage et le ménage. Après les bains, j'appelais Maurice et lui donnais des nouvelles de ma grand-mère. Je lui confirmais que je serais là au prochain week-end à faire l'entretien de sa maison et sa bouffe. Seul repos au programme, les dimanches après-midis où on allait rendre visite, soit à mes frères soit à Paul et Dorothée à Farhnam.

Dans mon nouvel appartement, j'allais de découverte en découverte. Que ce soit le soir ou le matin, j'étais incapable de prendre une douche ou un bain, je manquais toujours d'eau chaude. Je ne comprenais pas qu'une telle chose puisse se produire, ayant vu à la cave la tank à l'eau chaude qui contenait 60 gallons. Le même phénomène se reproduisait quand c'étaient les enfants qui prenaient leur douche. Je communiquai donc avec le propriétaire qui me promit d'arranger le problème.

De plus, au plus froid de l'hiver, ma laveuse à linge qui était dans le solarium, refusa de démarrer un soir. J'appelai Maurice à la rescousse. Il vint et constata que l'eau était gelée. Je contactai encore M. Poissonneault, le proprio, qui me répondit:

–T'as juste à t'acheter une petite chaufferette électrique et la ploguer, pis le problème va être réglé.

–J'te ferai remarquer que c'est pas à moi de payer le chauffage de l'appartement. Sur le bail, il est stipulé que tu fournis l'huile à chauffage, pis moi je paie l'électricité. J'ai pas à payer pour chauffer un appartement où on gèle.

Il me promit une fois de plus de régler le tout le plus vite possible.

Le lendemain de l'opération de ma grand-mère, j'étais comme à mon habitude fidèle au poste. J'entrai dans sa

148

chambre et la trouvai plus pâle que de coutume. J'étais affairée à couper sa viande lorsqu'elle me dit:

–Tu sais, y m'ont ouvert pour rien. Y'a pu rien à faire.

–Comment ça, grand-maman?

–Cé c'te maudite bibitte-là qui me mange en dedans.

Je refusais de croire que ma grand-mère puisse avoir le cancer. Non, c'était impossible, pas elle qui n'avait jamais fait d'abus, jamais fumé, jamais bu. L'infirmière qui était à côté d'elle ne disait mot. Pour détendre l'atmosphère et lui changer les idées, je dis à ma grand-mère:

–J'ai rarement vu de la viande aussi coriace, ce devait être un vieux boeuf enragé de ne pas avoir assez servi de jeunes taures, cé pour ça qu'il est aussi raide.

Le gag eut l'effet escompté et l'infirmière sortit en gloussant pendant que grand-maman essuyait ses larmes. Comme je ressortais de la chambre, j'arrivai face à face avec ma belle-soeur, la femme de Serge. Au moins, je pouvais compter sur mes frères et leurs femmes pour rendre visite à ma grand-mère, car certains de ses enfants dont ma mère fait partie, et ma soeur, l'avaient complètement abandonnée. Je pris Caroline à part et lui expliquai que grand-maman s'imaginait avoir le cancer. Cette dernière refusait d'y croire elle aussi. On se dirigea donc voir les infirmières et je leur dis:

–Je m'excuse, mais j'aimerais qu'une d'entre vous aille parler avec ma grand-mère. Elle s'est mise en tête qu'elle avait le cancer et ça l'aidera pas à sa guérison. Pouvez-vous s.v.p. aller démentir ses suppositions?

Je vis plusieurs paires d'yeux nous regarder. Une infirmière se dirigea vers nous et nous conseilla de rencontrer son médecin. Là, on avait compris. Ma grand-mère avait bel et bien le cancer. Et à partir de là, son état de santé se détériora de jour en jour.

Comme les soucis n'arrivent jamais seuls, à l'appartement c'était devenu invivable. Les enfants de mon charmant propriétaire possédaient une clef et entraient chez moi comme dans un moulin. Jean-René les découvrit un soir alors qu'ils étaient au sous-sol en train de laver leur divan, et qu'ils s'étaient servi à même ma buanderie pour se procurer des serviettes.

S'il n'y avait eu que cela, j'aurais pu comprendre, mais je n'étais pas au bout de mes peines.

Le block contenait 4 appartements. Et juste à coté du mien se trouvait la banque. Au-dessus de celle-ci demeurait le fils du propriétaire. Quant au loyer au-dessus de moi, il était vacant. La belle vie, pensais-je. Pas personne pour piocher au-dessus de ma tête, mais j'allais déchanter vite fait.

- Une nuit, vers 3 heures du matin, j'entendis un bruit énorme qui me réveilla en sursaut. Ma première pensée fut qu'on avait fait sauter le coffre-fort de la banque qui se trouvait dans la cave. Je descendis à la vitesse de l'éclair au soussol pour me rassurer que mes trois enfants n'avaient rien. Je fis le tour des chambres, mais j'avais trop la trouille pour aller vérifier dans la cave si mes pensées étaient exactes.

Une fois rassurée concernant mes enfants, je retournai à ma chambre sans pouvoir fermer l'oeil du reste de la nuit.

Le lendemain après-midi, le professeur d'anglais me demanda d'aller au téléphone. C'était mon garçon qui m'appelait en revenant de l'école et il avait l'air énervé. Je me précipitai et sitôt que j'eus Jean-René, il me dit:

–Mom, faut que tu t'en viennes tout de suite. Cé plein d'eau à la grandeur de la cuisine et de la salle-à-manger, le plafond coule.

Croyant que mon fils faisait un drame avec rien, je lui répondis:

–Cé pas grave, t'as juste à mettre un plat en dessous de la fuite. De toute façon, mon cours se termine bientôt.

–Mom, tu te rends pas compte de la situation. J'peux pas mettre un plat, des fuites, y en a plein. Tout le plafond au complet coule, y'a jamais assez de plats icitte pour tout ramasser.

Je le rassurai en lui promettant de venir immédiatement. Je m'excusai auprès de mon professeur et gagnai rapidement mon auto. Rendue à mon appartement, je ne fus pas déçue, mon fils n'avait pas exagéré, au contraire, il n'en avait pas assez mis. Le plafond coulait comme une champlurè, et des morceaux de gyproc tombaient dans un vacarme hallucinant sur mes meubles de cuisine. Dans les armoires, même constatation. Dans la chambre à coucher, même rengaine.

Des coulisses d'un brun rouille ornaient maintenant la cuisine et la salle à dîner au complet, et l'eau sortait par les lumières du plafond. Je me dirigeai à la banque et demandai à la préposée d'appeler le propriétaire, ce qu'elle fit devant moi. Après lui avoir parlé, elle me remit la clef du loyer au-dessus de moi, en me demandant d'aller vérifier ce qui se passait. Ce que je fis sans tarder.

Rendue au deuxième étage, je ne pus que constater le désastre. Je comprenais maintenant la raison d'un tel grabuge. La toiture était finie et l'eau entrait à pleine porte. Le bruit qui m'avait réveillée dans la nuit, c'était le plafond qui avait lâché sous la pression de l'eau en s'écrasant sur le plancher, donc au-dessus de ma tête.

Je contactai le propriétaire en lui faisant part des dégâts. Il me promit de s'en occuper aussitôt...

Mais comme je doutais de sa parole, vu qu'il n'avait pas encore réparé le solarium où l'eau gelait –on se lavait tous les jours à l'eau froide–, je ne pris aucune chance et montai au deuxième, munie de mon appareil photo.

Je pris un film complet des dégâts et fis de même dans mon appartement. Maintenant, il ne me restait plus qu'à attendre ce qu'il allait faire avec tout ça.

J'oubliai les problèmes de mon appartement et partis avec mes trois enfants chez Maurice pour le week-end. C'était la fête de Lisbeth; j'invitai donc sa marraine et son conjoint à venir souper le samedi soir et je préparai un gâteau de fête. Sitôt le repas terminé, les enfants regagnèrent le sous-sol et on put en profiter pour bavarder avec nos invités. Au bout d'une heure de tranquillité, notre visite nous complimenta d'avoir des enfants aussi tranquilles et sages. On aurait entendu une mouche voler.

Justement, c'était trop calme dans la maison, il y avait quelque chose de louche. Je descendis en vitesse au sous-sol pour le découvrir-vide. Bon, les enfants avaient décidé d'aller jouer dehors. Pas de quoi en faire un drame, pensais-je, après tout c'était rendu des adolescents.

Une demi-heure plus tard, 5 énervés faisaient irruption dans la cuisine, tremblant de peur et essoufflés. Je leur demandai ce qui leur arrivait et c'est Mélissa, ma fille, qui prit la parole:

–On voulait juste se faire du fun. On a pris du matériel à cave pis on a fait des trous dedans pour les yeux pis on cé mis ça sur la tête. Là on a fait le tour du rang. Cé pas grave même si on dérange les voisins, cé toute la parenté à Maurice. Ça fait qu'on cognait dans la vitre de chaque maison pis on faisait des hou, hou! hou, pis après ça, on allait se cacher pis on riait comme des fous. On avait du fun en maudit jusqu'à ce que l'on arrive à la dernière maison du rang. C'est un méchant malade, ce gars-là. Il est sorti dehors avec son fusil pis il criait: "Mes petits christ, mé que je vous pogne, je vous tire un coup de .12 au cul." On a eu la peur de notre vie. On est parti à la course pour s'en revenir ici.

C'était pour quoi donc déjà que notre visite nous avait louangés? Ah oui, des enfants tranquilles et calmes. Je vois bien que maintenant, ils avaient changé d'idée."

***

Chapitre 23

Quelque temps plus tard, on m'apprit que grand-maman était en phase terminale et que ce n'était qu'une question de jours. Tous ses enfants arrivèrent donc à son chevet et ils firent une liste pour se partager les heures de garde. Ma grand-mère délirait et on fit venir le curé qui lui administra les derniers sacrements.

Je ne pus en supporter davantage et sortis en pleurant. Mon cours d'anglais étant maintenant terminé, je me proposai de faire les nuits, accompagnée de mes frères. Quant à ma mère, ses frères et sa soeur, ils feraient la garde de jour.

Quand j'appris la nouvelle à mes enfants, ils voulurent m'accompagner. Je dois dire que je les trouvai vraiment exceptionnels ainsi que les enfants de Maurice et ceux de Serge. Toute notre vie fut chamboulée. On dormait le jour et on veillait la nuit. Même nos repas ne furent plus ce qu'il étaient. On se partageait un repas préparé sur le pouce. Mes frères s'occupaient d'amener le café qu'on dégustait avidement pour se tenir éveillés.

Évidemment, ma soeur Suzanne ne partagea pas nos heures de garde: elle restait avec ma mère. C'était la première fois que je revoyais ma mère depuis bien longtemps et je lui demandai pourquoi elle ne s'était pas donné la peine de m'appeler quand grand-maman était retournée à l'hôpital. Elle fit la personne bien intentionnée qui avait beaucoup trop de peine et qui m'avait complètement oubliée.

Donc chaque soir, à partir de 6.00 heures, ma soeur, ma mère, mes oncles et tante quittaient le chevet de ma grand-mère et s'en allaient souper copieusement tandis qu'on prenait la relève, accompagnés de nos enfants.

J'aurais dû soupçonner que la garde de jour serait une vrai farce, ce que je constatai un dimanche en allant à l'hôpital. Comme à chaque fois qu'il y avait un héritage en vue, ma soeur était là et commandait tout ce beau monde. Grand-mère n'était pas encore décédée que Suzanne voulait monter à St-Georges et faire préparer sa carte mortuaire et, ce sans compter les réservations du salon-funéraire. On n'avait pas à s'inquiéter, ma soeur prenait tout en main. Elle s'engueula avec Serge quand elle demanda à ce que tout le monde fournisse de l'argent pour acheter les fleurs qu'elle avait choisies. Serge lui répondit qu'il n'était pas question qu'il paie pour des fleurs. Il paierait plutôt pour faire chanter des messes. Elle cria sa colère et nous lança des injures en plein dans la chambre de ma grand-mère.

Là, c'en était trop, je leur demandai de se la fermer, disant que grand-maman même, si elle était dans le coma, entendait tout ce qu'on disait et méritait quand même un peu de respect. Une infirmière qui avait entendu les éclats de voix vint confirmer mes dires.

Je regardai ma mère et lui demandai à quand remontait la fois où il avait trempé les lèvres de la mourante. Celles-ci étaient craquelées et desséchées. Ma mère me répondit que ça ne servait à rien. Je m'approchai à côté du lit, pris l'éponge prévue à cette effet et en parlant doucement à grand-maman, je lui trempai les lèvres devant le regard de toute la famille et d'une infirmière qui venait d'arriver.

Cette dernière se tourna vers ma mère et la famille en disant:

–Cé bien ce que tu fais là, même si Mme. L. est dans le coma, elle entend tout et lui mouiller ainsi les lèvres, ça lui fait énormément de bien.

J'espérais que le message serait clair. Au lieu de passer leur journée à se chamailler pour l'héritage, ma mère aurait pu s'en occuper un peu plus. Après tout, c'était elle et ma soeur qui avaient passé des années à lui siphonner son argent.

Pendant nos nuits de garde, j'en appris plus sur la vie de mes frères que pendant toutes les années à se rencontrer. On se faisait confidences par-dessus confidences. Je leur parlai de mes années passées au foyer nourricier, et de mon mariage avec Carmel. Serge me parla de son enfance alors que je n'étais pas encore au monde et que nos parents n'étaient pas encore divorcés. C'est ainsi que j'appris qu'il s'était retrouvé à l'hôpital à l'âge de 3 ans. Une de nos tantes l'avait retrouvé enfermé dans une garde-robe dans un bien piteux état: il ne marchait plus. Il était resté près de 9 mois à l'hôpital. Quand il était ressorti, c'est ma grand-mère qui l'avait pris en charge, ma mère étant incapable de s'en occuper. C'était pour ça qu'elle l'enfermait à longueur de journée. Quand les enfants de Serge tentaient de questionner ma mère pour savoir ce qui s'était passé, elle leur répondait chaque fois "J'me souviens pas de ça." Je comprenais maintenant pourquoi Serge disait de ma mère qu'elle souffrait du syndrome de la mémoire sélective: elle ne se souvenait de ce qu'elle voulait bien se rappeler.

Comment pouvait-on oublier que son enfant ait passé près d'une année à l'hôpital? Moi, je me rappelais du moindre bobo de mes enfants.

Une semaine passa ainsi. Maurice me recommanda de me reposer, je ne pourrais pas tenir longtemps comme ça. De plus, je recommençais à travailler au camping deux semaines plus tard et je me devais de refaire mes forces pour affronter des semaines de 70 à 80 heures. Même si ça me brisait le coeur d'abandonner ma grand-mère, je fis part à mes frères que ce serait ma dernière nuit de veille. Ce même soir, quand ce fut mon tour de garder, ma nièce Sonia m'accompagna. Je pris la main de ma grand-mère et pendant que je lui caressais la figure, je lui chantai une berceuse.

Malgré mes larmes, je l'entendis lâcher une plainte. Je croyais avoir rêvé ce cri quand ma nièce me regarda et dit:

–Grand-maman t'entend chanter, Julie, as-tu entendu ça?

Je continuai au travers de mes sanglots, car c'était la première manifestation qu'on avait d'elle depuis qu'elle était dans le coma.

Le lendemain soir, je restai à la maison et me reposai. Le surlendemain au midi, alors que je partais pour l'hôpital, le téléphone sonna. C'était mon frère Claude, qui m'apprenait que grand-maman était partie, que c'était fini. En ce 24 avril 1994, elle venait de perdre la lutte qu'elle avait livrée contre le cancer.

Je me précipitai néanmoins à l'hôpital. Malgré tout ce que ma mère m'avait fait, je lui avais demandé une faveur: qu'elle me garde le bracelet d'hôpital de ma grand-mère. C'était le seul souvenir que j'aurais d'elle et qui me tenait à coeur. En arrivant devant elle, je lui demandai:

–T'as-tu gardé ce que je t'avais demandé?

–Cé quoi que tu m'avais demandé donc Julie?

–Ben tu le sais que je voulais avoir son bracelet d'hôpital, tu sais à quel point ça me tenait à coeur.

–Ah non Julie, je m'excuse, j'ai complètement oublié ça.

–Est où l'infirmière qu'y a enlevé.

–Yé trop tard asteur Julie, ils l'ont jeté.

Sur ce, je vis ma mère faire un sourire en coin à ma soeur Suzanne. Je ressortis de l'hôpital en pleurant devant tant de mauvaise foi. La seule chose à laquelle je tenais après tous ces dîners en compagnie de ma grand-mère, on me l'avait volée. En plus de perdre la personne qui m'était la plus chère, on me refusait le seul souvenir que j'aurais pu conserver d'elle.

Encore là, j'ai pardonné à ma mère. Après tout, j'avais fait la promesse à grand-maman de tout faire pour m'entendre avec ma mère. J'allai donc lui rendre visite une semaine avant la fête des mères et lui demandai:

–Môman, tu fais quoi à la fête des mères?

–Ah, j'ai été invitée pour dîner.

–Pis pour le soir, tu fais quoi?

–Je serai pas là non plus.

Je m'attendais au moins à ce qu'elle m'accorde une petite heure à la fête des mères, ben non, c'était trop demander. J'eus la réponse la semaine suivante alors que Catherina arriva à la maison en m'annonçant qu'elle allait manger au restaurant avec sa mère et sa grand-mère pour la fête des mères et que toute la journée leur était réservée à elles seules.

Qu'est-ce que je m'étais imaginé? Qu'elle m'aurait fait une petite place dans son coeur? Le miracle tant attendu n'avait pas eu lieu et ne se produirait jamais. Je devais me mettre dans la tête que même malgré tous mes efforts, ma mère ne m'aimerait jamais."

***

Chapitre 24

—Après les funérailles, je recommençai à travailler au camping et ce fut ma plus dure année. Je n'arrivais pas à surmonter ma peine suite au départ de grand-mère qui avait été bien plus qu'une mère. Pendant des mois, je fus incapable de m'endormir le soir sans pleurer et sans faire de cauchemars. Pendant des mois, je pleurai ma grand-mère qui ne reviendrait jamais, car je savais pertinemment que j'avais enterré ma mère par la même occasion.

J'avais tant espéré que cette dernière finisse par m'aimer que le réveil fut d'autant plus brutal. Mais fallait me rendre à l'évidence: pour ma mère on n'existait pas, ni mes enfants et moi, ni Serge et ses enfants, ni mon frère Mario. Seul mon frère Claude continuait à se battre contre ma soeur pour avoir une petite place. Quand arrivait la fête des mères, Suzanne lui faisait comprendre qu'il n'y avait pas de place pour lui dans ses projets pour la journée. À force d'arguments et de tiraillage, il finissait par pouvoir profiter d'un peu de temps avec notre mère.

Combien de méchancetés lui avait-elle fait alors que Claude et sa femme se pointaient en visite et que ma soeur lui disait:

—Désolé pour toé Claude, mé on a réservé au restaurant pis on t'a pas compté.

Il avait les larmes aux yeux en me racontant l'histoire mais il était fermement résolu à se battre pour se garder une place. Tant mieux pour lui s'il avait la force de tenir tête à notre soeur, mais moi, elle m'avait épuisée et je gardais mes énergies pour ma petite famille.

De plus, un appel téléphonique m'apprit que Ricardo, mon ex-chum, était très malade, il se mourait d'un cancer du poumon. Ma première pensée fut alors très méchante, je me demandais qui allait payer son mafioso, s'il décédait. Je compatissais cependant avec sa famille dans la très grande épreuve qui l'attendait.

Mais je me devais de remplir ma tâche et la vie devait suivre son cours.

Par chance que j'avais Paul, Dorothée ainsi que leurs petits-enfants. Grâce à eux, je réussis à passer au travers et l'amour que ma famille n'aurait plus jamais de ma grand-mère, mes parents d'adoption nous en comblaient. De plus j'avais tous les campeurs qui formaient une vraie famille et qu'on visite encore aujourd'hui. Dominique et Charles me furent d'un grand secours et chaque fois que j'avais de la peine, je pouvais compter sur eux pour me remonter le moral. C'est ainsi que Pierre, Lise, Gérard, Thérèse, Jean-Marc, Guylaine, Michel, Pierrette, Michel A., se retrouvèrent avec nous à chaque week-end pour des parties de poches et de "darts" (fléchettes).

L'été prit fin beaucoup trop vite et c'est toujours avec pleurs et embrassades qu'on se quitta avec promesses de s'écrire et de se visiter."

***

Chapitre 25

–À la fin de mon contrat au camping, on m'informa qu'un cours de cégep allait se donner à Lac-Mégantic. Le cours se donnait par le collège Champlain de Lennoxville, mais ce seraient les professeurs qui se déplaceraient. Je m'inscrivis donc pour me former en gestion micro informatique et je fus acceptée. Pendant 8 mois, j'apprendrais les mathématiques commerciales, la comptabilité, ainsi que quantité de logiciels dont Lotus, Dbase, Windows et Fortune 1,000.

Deux semaines avant de commencer, un appel me bouleversa. C'était la nièce de Ricardo qui m'apprenait qu'il venait de mourir. Je lui demandai alors quelle était leur intention concernant la dette qu'il avait contractée avec le mafioso, mais la famille s'en lavait les mains.

Après plusieurs heures à tourner en rond, à me torturer l'esprit, je pris mon courage à deux mains et appelai le fameux prêteur:

–Ici, c'est Julie N. J'voulais simplement savoir si Ricardo avait payé sa dette envers vous?

–Non, mais il va avoir de la visite à nouveau avant longtemps. Pis toé, cé de où que tu appelles?

–Ça, c'est pas important, je veux savoir combien il vous devait encore?

–Faudrait que je le calcule parce qu'il a pas payé souvent, pis les intérêts montent en maudit.

–Ben comptez combien il vous doit, pis je vous rappelle dans 15 minutes.

–Surtout, fais pas un longue distance pour ça, donne-moé ton numéro de téléphone pis je vas te rappeler.

–Y'en é pas question, je vous rappelle dans 15 minutes.

Et je raccrochai.

Fallait absolument que je récupère les fameux chèques que j'avais eu la misérable idée de signer à l'endos. Surtout que le beau-frère de Ricardo m'avait donné la trouille depuis qu'il avait vu des hommes de mains venir cogner à l'appartement de mon ex-chum et le menacer, même en ayant constaté que ce dernier était très malade.

Je recomposai le numéro au bout de 20 minutes.

–Cé Julie N. avez-vous eu le temps de calculer?

–Oui, ça monte à 3000 dollars en tout. 2175 dollars de chèques, à part des intérêts.

–J'vous offre 1000 dollars pour avoir la paix, pas une cenne de plus, cé à prendre ou à laisser. Ricardo y'é mort pis vous serez jamais payé.

–J'peux vraiment pas accepter, mais dis-moi où tu vis, je pourrais aller te rencontrer et on pourrait en discuter.

Un chausson aux pommes aussi avec ça? Y m'prenait tu pour une cave ou quoi, comme si j'allais lui donner mes coordonnées et voir apparaître ses sbires sitôt raccroché.

–Non, je vous dirai jamais où je reste ni mon numéro de téléphone, et vu que vous voulez rien savoir, je suis désolée, mais c'est tout ce que je possède, j'ai pas un sou de plus.

–Rends-toi à 1500 dollars et je te remets tous les chèques que t'as endossés, je t'en donne ma parole et bien sûr, ce doit être du liquide.

–Bon cé d'accord.

Je raccrochai après qu'on se soit fixé un rendez-vous pour le lendemain. J'appelai Maurice et lui fis part des derniers développements. Il n'était pas d'avis que j'aille payer ce type. Mais ce n'était pas lui qui était embarqué dans cette galère et c'était à moi d'essayer de m'en sortir indemne. Que pouvais-je faire d'autre? Je n'avais aucune preuve en main, sauf la lettre qu'il m'avait signée, me promettant de me laisser tranquille si les paiements étaient effectués.

De plus, les fameux chèques que je tenais tellement à récupérer, n'étaient pas faits au nom du mafioso en question, c'aurait été trop beau. Non, ce dernier passait par un intermédiaire qui endossait les paiements et les lui remettait. À quel nom pensiez-vous que les chèques était faits? M. Untel mafioso? Non, c'était beaucoup mieux imaginé: après tout, j'avais affaire à des pros.

Je passai une nuit à me torturer l'esprit. Mais maintenant les dés étaient jetés. Trop tard pour revenir en arrière. Je me présentai à la caisse et retirai de mon compte l'argent dont j'avais besoin. Pas de gaieté de coeur. Cet argent provenait de la vente de ma maison et ça me fendait le coeur de voir ce pognon partir pour une erreur commise.

Je pris donc le volant en tremblant de tous mes membres et avec le coeur qui palpitait, en me demandant si je réussirais à me rendre à destination. C'était la première fois que je m'absentais sans donner mon itinéraire aux enfants ou du moins leur laisser un numéro pour me rejoindre en cas d'urgence. Je leur avais seulement expliqué que je devais sortir et que je serais de retour, avant leur retour d'école.

J'étais à quelques kilomètres de mon frère Claude lorsqu'une idée me vint. J'arrêtai donc chez lui pour découvrir que ce dernier était absent, mais que sa femme était là. Je lui demandai:

—Carmen, ça te tenterait tu de venir prendre une 'raide' avec moi dans les environs de Sherbrooke?

—Ben sûr Julie, que j'aimerais ça t'accompagner.

—Avant de dire oui, faut que je te demande quelque chose et surtout ne me pose pas de questions. Tu vas venir me porter à l'adresse que je vais te donner. Pendant que je vais être dans la maison, tu vas aller m'attendre au restaurant du coin. Si une demi-heure plus tard, je ne suis pas venue te rejoindre, tu appelles la police et tu leur indiques la maison où je vais être.

—Julie, dans quoi té embarquée?

—Si je te le dis pas Carmen, cé pour ta propre sécurité. Si

162

tout s'est bien passé, en revenant je te le dirai.

—Bon cé d'accord, je viens avec toi.

Merci mon Dieu, j'avais quelqu'un sur qui compter en cas de pépin. Le reste du trajet se fit dans le silence. J'égrenai un chapelet en prières et promis que si je me sortais indemne de cette histoire, plus jamais je ne me laisserais avoir. Plus j'approchais du but et plus ma nervosité grandissait. Je devais à chaque instant me rappeler que je ne pouvais faire marche arrière, car j'aurais pris mes jambes à mon cou et serais retournée au bercail.

Je passai droit devant la maison et la désignai à Carmen:

—Tu vois, cé dans cette maison-là que je vais être.

Je continuai un peu plus loin et laissai le volant à ma belle-soeur en lui désignant un restaurant par là. Après tout, je connaissais le coin, ce n'était pas la première fois que je venais. Je lui demandai de m'attendre en prenant un café comme convenu.

En marchant, je me dirigeai vers mon poteau d'exécution. J'avais l'impression d'aller à l'échafaud. Je pouvais même sentir la corde se serrer autour de mon cou et la bile me remonter à la gorge. Dans quelques instants, je serais fixée, soit il me remettait les chèques, soit c'était un guet-apens et j'y laissais ma peau après qu'il m'aurait volé les 1 500 dollars que j'avais sur moi.

J'arrivai trop tôt devant la porte. Je n'étais pas encore prête à affronter ce gunman. Je frappai et n'entendis rien. Peut-être après tout, avais-je tellement eu peur que je n'avais pas cogné comme je le pensais. Le coeur me débattait si vite et si fort que je me retournai pour voir si on ne l'entendait pas à la ronde. J'avais l'impression que tous les passants me regardaient et je ne les voyais plus comme étant des piétons, mais comme des hommes de mains prêts à me faire la peau à la première occasion.

Le bruit d'une porte qui s'ouvre me fit me retourner. C'était lui qui menait le bal. Je lui remis donc l'enveloppe contenant une partie de mon maigre pécule, qu'il se mit à compter immédiatement. Il me demanda alors:

—Té tu venue tout seule?

–Non, j'ai quelqu'un qui m'attend au restaurant et si je réapparais pas d'ici une demi-heure, elle appelle la police.

Un sourire éclaira son visage. Il me remit une enveloppe contenant les papiers tant attendus. Je ne pris pas le temps de vérifier si tout y était. Je n'avais qu'une seule hâte et c'était de déguerpir au plus sacrant. Comme j'avais la main sur la poignée de la porte, il me demanda le nom du salon funéraire où Ricardo serait exposé et je lui dis. Après tout, il ne pourrait plus lui faire de mal, il était mort. Comme s'il avait lu dans mes pensées il ajouta:

–Simple vérification, je veux voir si tu m'as bien dit la vérité: je vais envoyer un de mes hommes voir de près.

Je rejoignis Carmen qui m'attendait en comptant les minutes écoulées devant une tasse de café. J'en commandai un moi aussi pour donner le temps à mon coeur de battre à une vitesse normale et on refit le trajet en sens inverse.

Sitôt rendue dans l'auto, je remis l'enveloppe à Carmen et lui demandai de vérifier si tout les chèques étaient bien là. Elle n'avait qu'à les mettre en ordre par la date, ainsi elle verrait s'il en manquait. Eh bien non, tout y était. Ce n'est qu'à ce moment-là que les nerfs m'ont lâché et que je pus enfin respirer d'aise. Je lui avouai alors ce que j'étais allée faire et elle me trouva très courageuse et pleine d'audace.

Moi, je ne me trouvais pas brave du tout. Les jambes commençaient seulement à arrêter de trembler ainsi que mes mains. La sueur perlait à mon visage et j'étais en eau. Mais j'étais fière de m'être sortie indemne de cette histoire. Maintenant, je pourrais vivre sans avoir éternellement cette épée de Damoclès qui me pendait au-dessus de la tête.

Je ne fis aucun acte de présence au salon funéraire où Ricardo était exposé. Cette page de ma vie était bel et bien tournée et même sa mort n'avait pas réussi à me faire oublier le calvaire dans lequel il m'avait embarquée. Peut-être les années me feraient-elles oublier le mal qui me minait en dedans, car pour l'instant, j'étais incapable de lui accorder mon pardon."

***

Chapitre 26

1993, l'année de mes 31 ans:

—Je commençai enfin mes nouveaux cours, pendant que Mélissa et Jean-René étaient rendus tout les deux à la polyvalente. Seul Jimmy était encore au primaire. À chaque retour à la maison, c'était toujours la même routine, j'arrivais pour découvrir une gang d'adolescents en train de jouer au Nintendo et de s'empiffrer comme des gloutons.

Les jeunes étaient devenus tellement habitués de venir s'échouer chez nous après les cours, qu'ils se permettaient même d'ouvrir le frigidaire et de se préparer un gueuleton en attendant de retourner chez eux pour le souper. Je me retrouvais à payer la bouffe pour la moitié des jeunes du village, même si je ne connaissais pas la plupart de ces ados.

C'est ainsi que quand j'avais le goût de me préparer une salade, il n'y avait plus de fromage: un jeune l'avait mangé. Je confectionnais les beignes à coups de 400 et tout ce qu'il restait à la fin de la semaine était les graines éparpillées à la grandeur du salon. Même chose pour les galettes. J'étais incapable de garder un sac de chips ni de pop-corn dans la maison, les goinfres d'ados les dévoraient sitôt achetés.

Par chance, Mélissa m'aidait beaucoup pour l'entretien de l'appartement. L'envie de mettre tous ces jeunes à la porte me tentait de plus en plus. Mais où les miens se seraient-ils ramassés? Au moins, j'avais l'esprit tranquille à l'école, car je savais que je les retrouverais à la maison à mon retour. Et pendant qu'ils vidaient le réfrigérateur et les armoires de ma cuisine, ils n'étaient pas dans le village à faire les 400 coups. Maigre consolation.

Chaque fois que j'allais faire des commissions dans le village, je me faisais arrêter à tout bout de champ et les mêmes commentaires se répétaient:

–Mon Dieu Julie, veux-tu ben me dire qué cé que tu fais pour endurer tous ces jeunes-là chez vous?

–J'te dis que té patiente; moé ça marcherait pas comme ça chez nous, j'te le jure.

–Julie, j'espère que mon jeune est pas trop tannant quand il va chez vous? Té pas tannée de le voir à tous les soirs?

–Ça n'a pas de bon sens Julie, ma fille mange chez vous à tous les soirs, pis ben souvent a couche chez vous, mé que tu saille tannée, tu la renverras à la maison.

–Ah, Julie, on est ben content que nos jeunes se tiennent avec les tiens, pendant ce temps-là au moins, ils traînent pas dans le village.

À chaque fois je leur répondais:

–Si moi, je les endure pas, qui va le faire et prendre la relève? Si moi, je les mets dehors, qui va les ramasser?

Par chance, les ados m'écoutaient. Un soir par semaine, c'était le grand ménage et je ne me gênais pas pour leur demander de l'aide. Après tout c'est eux qui viraient la maison sans dessus dessous.

–Jean-François, tu passes la balayeuse dans tous les appartements.

–Steve, tu fais l'époussetage sur tous les meubles.

–Nathalie, aide Mélissa à desservir la table et faire la vaisselle.

– Pierre, tu vides toutes les poubelles de chaque appartement.

–Jean-René, tu fais le ménage de ta chambre et tu aides Jimmy à faire la sienne.

–Francis, tu passes le balai dans la salle à dîner.

Quand je revenais de faire l'épicerie, j'entrais dans la maison et je lançais à la ronde:

–O.K. les jeunes, venez sortir les commissions de l'auto et serrer le manger à sa place. Quand c'est pour ouvrir le frigidaire et le garde-manger pour vous empiffrer, vous savez où sont les choses, vous devez donc savoir où les ranger.

Je ne touchais à aucun sac, les ados faisant tout ce que je leur demandais sans rechigner. Ça me coûtait une fortune juste pour faire manger tout ce beau monde et les profits de la vente de ma maison étaient en train de se dilapider. Mais c'était pas grave, j'étais la mère la plus open de tout le village, celle qui faisait le mieux à manger, celle qui les comprenait le mieux et la mère idéale que tous ces ados auraient bien voulu avoir.

Et moi qui n'avais pas eu d'adolescence en m'étant mariée à 16 ans, moi qui n'avais même pas eu d'enfance en foyer nourricier, je savais que j'étais la mieux placée pour les comprendre et leur ouvrir ma porte et mon coeur. Les ados enviaient mes enfants d'avoir une mère aussi 'cool' et ouverte d'esprit, et je devins leur confidente.

Le téléphone sonnait au beau milieu de la nuit et lorsqu'à moitié endormie, je prenais le récepteur, c'était pour me faire demander:

–Julie, je m'excuse de te réveiller, mais pourrais-tu voir si mon gars est couché chez vous, il est pas encore entré.

Je me levais, faisais le tour de tous les appartements en enjambant le corps d'une gang de jeunes, en soulevant couverture après couverture pour dégager leurs visages, jusqu'à ce que je tombe sur le bon. Je le réveillais et le réprimandais de ne pas avoir averti ses parents qu'il ne rentrerait pas coucher. Mais celui-ci me répondait qu'il s'était endormi en écoutant le film. Je retournais au téléphone et disais:

–Cherche plus, ton gars est icitte, couché dans le salon.

–Merci Julie, au moins je sais qu'il est en sécurité chez-vous.

Et là, je retournais me coucher en essayant de me rendormir. Mais je ne pouvais rien reprocher à ces jeunes, ils venaient pour jouer au Nintendo et Play-Station, ou pour se louer des cassettes de films d'horreur qu'ils écoutaient une partie de la nuit quand ils étaient en congé d'école le lendemain.

C'est ainsi que je fus encore surprise désagréablement quand mon compte d'électricité arriva. Ça montait à une petite fortune. Je fis part de cet état à Maurice qui me rétorqua qu'avec la maison pleine d'ados, ça ne pouvait faire autrement. Je sortis alors mes premiers comptes qui dataient de mon arrivée à l'appartement alors que les jeunes n'avaient pas encore commencé à se ramasser à la maison: ils étaient identiques. Le problème ne venait donc pas de là.

Ça faisait plus d'une année que j'étais là et les problèmes de douche froide, de la laveuse à linge qui refusait de marcher, car l'eau était gelée, des coulisses qui ornaient les pièces, résultat du dégât d'eau, des enfants du proprio qui entraient pendant mon absence, n'étaient toujours pas réglés. De plus, s'ajoutait à cela, le mur de l'extérieur qui s'effritait par l'usure et dont les briques tombaient sans qu'on s'y attende le moins, donc interdiction aux enfants de jouer à l'extérieur de l'immeuble. Et maintenant, les comptes d'électricité faramineux qui m'arrivaient en pleine face.

J'étais épuisée de me battre avec le propriétaire qui me répondait à chaque fois qu'il allait s'occuper de tout, que je n'avais pas de raison de m'inquiéter. Je profitai de la visite de Maurice pour lui faire examiner le compteur d'électricité; celui-ci tournait à une vitesse folle même si rien ne fonctionnait dans l'appartement.

Un doute lui traversa alors l'esprit en suivant les fils électriques:

–Julie, je pense que tout le bloc est connecté sur ton compteur.

–Té tu sérieux?

–Oui, pis cé la même chose pour la tank à eau chaude, cé pour ça que vous avez jamais d'eau chaude.

–Comment je vais faire pour prouver ça?

–Je vais monter au deuxième chez le fils du proprio et lui demander de faire couler l'eau chaude, ensuite, je vais descendre dans la cave en touchant quel tuyau va être chaud.

Maurice partit donc cogner à la porte du deuxième. Il expliqua la raison de sa venue, mais le locataire lui répondit:

–Cé pas nécessaire de faire couler l'eau chaude, on est tous plogués sur la même tank.

Il venait de confirmer nos doutes. Le lendemain, je téléphonai à un électricien et lui demandai de venir me voir. Je lui expliquai que je redoutais qu'on soit tous sur le même compteur d'électricité. Après vérification, il me répondit par l'affirmative.

J'enrageais. Le salaud de Poissonneault était au courant et n'avait rien dit. Il ne pouvait pas l'ignorer étant électricien lui-même. C'était la goutte qui faisait déborder le vase et il ne perdait rien pour attendre. Je me dirigeai à la caisse et demandai à ce qu'on arrête tous les chèques antidatés faits pour le loyer, bien sûr ça me coûterait des frais, mais je m'en balançais.

J'appelai le propriétaire et lui dis que j'arrêtais les versements du loyer tant qu'il ne serait pas venu me voir.

La fin de semaine suivante, je le vis arriver. Avant qu'il n'ait le temps d'ouvrir la bouche, je l'injuriai:

–Cé tu que té un maudit pas bon Poissonneault? Pis un ostie de profiteur. Tu savais très bien que cé moé qui payais l'électricité de tout le bloc, pis qu'on était tous plogués sur la même tank à l'eau chaude, pis t'as faite l'imbécile qui est au courant de rien. Ça prend un ostie de bon à rien, pour faire une affaire de même.

–Bon Julie, calme-toé, y a sûrement un moyen de s'entendre. Je pourrais toujours réduire un peu ton loyer en attendant que je paye un gars pour refaire les modifications.

–Tu me prends-tu pour une cave? Tes modifications, tu peux te les mettre où je pense, té électricien toé-même, pis tu peux trafiquer les fils comme tu veux. Penses-tu vraiment que je vais te faire confiance après ce que je viens de découvrir. Pis tu peux me réduire un peu le loyer, maudit sans dessin, ça fait plus d'un an que je paye l'électricité de tout le monde, pis tu penses m'avoir avec une réduction de loyer. Efface de ma vue, je t'ai assez entendu avec tes maudites paroles pour essayer de m'endormir, espèce de profiteur. Té la pire racaille que j'ai pas rencontrée. Envoye, sors je t'ai assez vu, le pas bon.

Maurice me regardait avec de grands yeux sans toutefois oser s'interposer. Il ne m'avait jamais vue aussi mal engueulée. Mais il comprit que là, j'avais mon voyage des maudits pas bons. Il me regarda et me dit:

–Ouaye, tu y'a pas été de main morte.

–Les osties de pas bons, chu pu capable de les sentir. J'avais combien de chances, dis-moi, de tomber sur un crotté comme propriétaire, pis moé pis ma veine, cé moé qui l'a eu. Ah l'écoeurant, il l'emportera pas au paradis celle-là.

Entendant du bruit sur la galerie à l'extérieur, Maurice alla voir ce qui faisait un tel vacarme. Il revint en pouffant de rire et me dit:

–Tu devineras jamais ce qui fait ce bruit-là? Cé ton pas bon de propriétaire qui est en train de gratter ta galerie pour essayer de se faire pardonner.

–En plus, y'a pas de coeur, le chien sale. Je l'engueule et je le traite de tous les noms imaginables, pis le sans-dessin, y gratte ma galerie. Ça prend un homme qui a pas trop de dignité pour faire ça après tout ce que je lui ai dit.

Le lundi dans la journée, je consultais une avocate. Cette dernière me laissait très peu de chances de gagner contre ce salaud qu'elle connaissait très bien, ayant eu affaire à lui à différentes reprises. De plus, il n'y avait pas de loi pour se protéger contre un propriétaire abusif. Autant dire qu'il n'y avait pas de loi du tout. J'avais loué ma maison à Stratford et je n'avais aucun recours pour sortir l'indésirable et maintenant elle me disait que j'avais très peu de chances de gagner en demandant un recours contre ce salaud. À partir de ce jour, je compris l'évidence: la loi n'existe que pour les pas bons, les va-nu-pieds, les voleurs et les pires individus tous azimuts. Mais c'était sans compter sur ma détermination.

Je partis pour Sherbrooke et demandai à mon frère Mario de m'accompagner. Il connaissait bien la ville et pourrait m'amener à la Régie du logement. Rendue là, je déposai une demande en résiliation de bail. Évidemment, je dus payer des frais et ça prendrait quelque temps avant que j'obtienne une audience.

Je retournai à Lambton et avec l'aide de Maurice, je commençai à visiter les maisons à vendre. Mon choix s'arrêta finalement sur une demeure à deux étages que je fis visiter aux enfants, Elle leur plut immédiatement. Mais pas question d'aménager tant que mes problèmes d'appartement ne seraient pas réglés.

N'ayant que 10,000 dollars à donner en cash, seul argent qui me restait de la vente de ma maison à Stratford, Maurice me proposa de l'acheter conjointement et il me fournirait le même montant dont je disposais. Avec 20,000 dollars, les paiements ne seraient pas trop élevés et je pourrais arriver à boucler mes fins de mois avec une gang d'ados toujours en manque de quelque chose de nouveau.

On signa donc l'achat et je devins mi-propriétaire d'une maison où je serais certaine de ne pas payer l'électricité des voisins et où je pourrais enfin prendre une douche à l'eau chaude.

Une semaine avant d'emménager dans notre nouvelle demeure, je fus convoquée à la Régie du logement. Comme j'étais celle qui portais plainte, je devais parler la première. Je sortis les deux films de photos que j'avais prises et racontai l'enfer vécu dans cet appartement pour finir par découvrir que je payais pour tout le monde.

Quand ce fut au tour de M. Poissonneault, il dut se résigner à avouer que j'avais toujours payé mon loyer en avance, sauf depuis quelques mois, depuis que j'avais arrêté les chèques à la caisse. Oui, j'étais une bonne locataire sans problème. Mais le salaud s'engageait à réparer la toiture du bloc, à poser une autre tank à l'eau chaude, à refaire le filage de l'électricité. Mais c'était moi, la coupable qui ne lui avait pas donné la chance et le temps de s'occuper de tout refaire, et si je désirais mettre fin à mon bail, c'était seulement parce que je m'étais acheté une maison.

La juge se tourna vers moi et me demanda si je m'étais effectivement acheté une maison. Je lui répondis par l'affirmative. Elle se tourna ensuite vers le propriétaire et lui demanda s'il n'avait pas eu d'offre pour louer l'appartement, ce à quoi il lui répondit que oui, des gens étaient intéressés à louer, mais que vu que j'avais un bail avec lui, il avait refusé.

Elle rendit alors son verdict:

–Monsieur Poissonneault, je ne comprends pas que vous ayez refusé de louer votre appartement alors que vous saviez très bien qu'une plainte était déposée à la Régie du logement pour briser le bail. Vous avez perdu là une belle occasion. De plus, vous affirmez ne pas avoir fait réparer la toiture parce que vous attendiez un octroi gouvernemental que vous n'avez pas reçu. Ce n'est pas à la locatrice de souffrir de vos problèmes d'argent.

Je vous condamne donc à verser à Mme. Julie N, la somme de 77 dollars. En calculant tous les mois qu'elle ne vous a pas payés, ainsi que les taxes que vous lui réclamez après plus d'un an et dont il n'est stipulé à nulle part dans le bail, je considère donc que c'est vous qui lui devez de l'argent. De plus, par la même occasion, j'annule le bail et les obligations de Mme. Julie N à votre égard.

Tiens, toé mon pourri pensais-je. J'te l'avais dit que tu ne l'emporterais pas au paradis.

Comme à chaque fois que je livrais une bataille, même si je la gagnais, mon coeur se durcissait un peu plus. Seuls les enfants trouveraient grâce à mes yeux dorénavant."

***

Chapitre 27

~ Le week-end suivant mon apparition à la Régie du logement, on fit les cartons et on déménagea. La gang d'ados qui se tenait chez nous était toute là pour nous aider. J'étais dans la nouvelle maison et je dirigeais les jeunes. Cette boîte-là va dans la salle de bains, celle-ci va dans la chambre à Jean-René, celle-là va dans la cuisine.

Une seule journée suffit à tout déménager et à tout placer. En fin d'après-midi, Maurice partit à l'épicerie et revint avec de la liqueur pour tout le monde ainsi que des barres de chocolat. Les jeunes se précipitèrent sur la bouffe en nous remerciant. Pourtant, ce n'était pas à eux de remercier, c'était à moi de le faire, avec toute l'aide qu'ils nous avaient apportée. Mais les jeunes savaient très bien que cette maison serait leur nouveau refuge. Du moins, c'était ce que je pensais. Mais les ados avaient un autre plan.

Jean-René fit le porte-parole de la gang de jeunes. Je le vis arriver vers moi sitôt la maison rangée et me demander:

–C'est quoi que t'as l'intention de faire avec la grange qu'il y a sur le terrain?

–Aucune idée, mon gars. J'ai même pas été la visiter encore.

C'est la maison qui m'intéressait. Et c'est après que Maurice et moi, on a pensé qu'on s'était même pas donné la peine d'aller voir ce que contenait la grange à deux étages. On sortit donc pour découvrir que celle-ci contenait un établi et qu'elle était pleine de cochonneries de toutes sortes. Du vieux bois traînait çà et là, des pneus usagés, des châssis à moitié démantibulés auxquels il manquait des vitres.

Je regardai mon fils et lui demandai ce qu'il voulait:

–Mom, on aimerait ça avoir la grange à nous autres pour se faire un campe. Pis t'aurais enfin la paix dans la maison, on pourrait même amener la vieille t.v. vu qu'icitte, y a de l'électricité.

À voir les yeux de mon garçon qui m'imploraient, je ne pus résister et lui accordai ce qu'il demandait. Je le vis alors sortir à la course retrouver ses chums et crier:

–Ma mère a dit oui!

Avant que je n'aie le temps de réaliser, une quinzaine d'ados se mirent à faire le ménage de la grange. Ils y passèrent la journée du dimanche et tous les soirs de la semaine suivante. Je dus appeler les éboueurs pour qu'ils puissent venir ramasser le tas de cochonneries que les enfants sortaient à la pelle de la grange.

Et pas question de jeter la moindre guénille. Les stores dont je n'aurais plus besoin, car j'avais gardé ceux qui étaient dans la maison, les jeunes les ramassaient pour mettre dans les châssis de leur campe. Les couvertures trouées prirent la même direction. Nos voisins d'en face avaient mis un divan au chemin, je leur demandai si je pouvais le récupérer pour les enfants.

Deux semaines plus tard, leur campe ressemblait de près à une jolie petite maison. Ils avaient posé du tapis à la grandeur du deuxième étage, là où ils coucheraient sitôt le beau temps arrivé. Quand je leur demandai où il avaient dégoté ce couvre-plancher, ils me répondirent que la semaine précédente, c'était le grand ménage et que les éboueurs ramassaient les gros morceaux que le monde mettait au chemin. Ils avaient fait maison après maison et avaient ramassé tout ce qui pourrait faire l'affaire pour leur cabane.

Les ados étaient heureux de ce changement. Mais plus les semaines avançaient, plus la gang grossissait. Je n'avais plus à les supporter dans la maison, mais je passais mes soirées à m'habiller et faire l'aller-retour à la grange. J'avertis donc tous les jeunes que je ne passerais pas mes seuls moments de répit à faire leur réceptionniste au téléphone et que dorénavant sauf urgence, leurs parents devraient venir voir eux-mêmes si leur progéniture se trouvait chez nous. Je pus enfin commencer à respirer.

Ma relation avec Maurice était toujours au beau fixe. Pas de divergences d'opinion, pas d'engueulades, pas de haussements de voix, rien. La vie idéale quoi! Du moins, c'était ce qu'on pensait, lui et moi.

Je continuais de faire son ménage et faire à manger à toutes les fins de semaines. Quelquefois Mélissa m'accompagnait pour me donner un coup de main et revenait en pleurant à chaque fois. Quand elle constatait que mes nièces ne m'aidaient plus du tout dans la maison et se faisaient servir comme des princesses, ma fille sortait de ses gonds en leur faisant remarquer que je n'étais pas leur bonne à tout faire. Les deux plus jeunes lui criaient alors:

–Si té pas contente, t'as juste à crisser ton camp, je te rappelle que té pas chez vous icitte.

J'essayais alors de ramener la sérénité en expliquant à ma fille que ses pauvres cousines avaient une mère qui les avait abandonnées et que ce n'était pas de leur faute si elles étaient aussi ingrates.

À chaque arrivée, c'était toujours la même chose. Le comptoir regorgeait des graines de toasts collées depuis une semaine, la vaisselle sale à la grandeur de l'évier qui débordait, sans parler du plancher qui était d'une saleté repoussante. Je devais tout me taper le travail seule pendant que mes nièces écoutaient leur émissions de télé ou faisaient semblant de dormir pour ne pas m'aider.

Pendant la semaine de relâche, Lisbeth me demanda si je serais disponible pour l'aider à peinturer sa chambre. Je lui répondis que ça me ferait plaisir et qu'elle n'avait qu'à aller choisir sa peinture. Le lendemain matin, je m'attelai à la tâche pendant que ma nièce alla voir sa cousine juste en face de chez elle en me promettant de revenir aussitôt.

Je commençai par le plafond. Juste autour de sa lumière, elle avait une étoile faite en stuc qui pendait. Incapable de le faire au rouleau, je me tapai 2 heures de pinceau, simplement pour faire l'étoile, et toujours pas de nouvelles de ma nièce. Je m'arrêtai, le temps de préparer le dîner, et continuai aussitôt après. Je terminai enfin la tâche tard dans la veillée sans jamais voir apparaître la propriétaire de la chambre. La sale petite peste m'avait tout laissé faire seule pendant qu'elle discutait avec ses cousines. Elle arriva quand le tout fut terminé en me remerciant et en me disant que ces meubles devaient aussi être repeints, et elle repartit. Je me laissai choir au sol et ne pus m'empêcher de pleurer. C'est dans cette position que Maurice me trouva et me demanda ce qui se passait:

–Ta fille Lisbeth me demande de venir lui donner un coup de main à peinturer sa chambre. Elle a crissé son camp toute la journée, elle n'a même pas touché ni au rouleau ni au pinceau. Cé moé qui me suis tapé tout l'ouvrage tout seule. Si au moins elle serait restée et préparé le dîner ou le souper, ben non, c'était rêver en couleurs. Pis là, elle arrive, me dit merci et m'apprend qu'il faut que ses meubles soient peinturés aussi, pis elle crisse son camp encore.

–J'pense que t'en fais trop pour mes enfants, ils ne savent plus l'apprécier. Il est pas question que tu touches à ses meubles, elle s'arrangera tout seule, t'en as assez faite.

Le week-end suivant, j'étais toujours au poste à nettoyer et à laver la vaisselle. À 11 heures 30, j'étais à passer la balayeuse lorsque la sonnette d'entrée se fit entendre. Comme il y avait trop de bruit, et voyant que je n'avais rien entendu, mon visiteur entra. C'était Mike, le frère de Maurice. Lorsque je le vis, j'arrêtai la balayeuse. Mon beau-frère me demanda alors:

–Veux-tu ben me dire cé quoi ce vacarme-là?

–Cé la balayeuse à ton frère. C'est une industrielle, ça fait que ça mène du bruit en maudit cet engin-là.

–Qué cé que té en train de faire la belle-soeur?

–Chu dans le ménage, comme tu peux voir.

–Les filles à Maurice sont où?

–Sont couchées, elles dorment toutes les trois.

–Voyons Julie, viens pas essayer de me faire croire, qu'avec tout le bruit que tu fais, qu'elles dorment encore. Eh la belle-soeur, réveille-toé, elles font semblant de dormir pour pas t'aider. Té pas moé, je te jure qu'elles auraient affaire à se lever pis à aider dans la maison, té pas la bonne à ce que je sache.

Mike avait raison. Je refusais de voir ce qui sautait au yeux de tout le voisinage. Pendant que je torchais mes nièces, ma fille Mélissa était à la maison et faisait du ménage pour m'aider un peu. Eh bien, c'était fini! Je laissai un mot sur la table à Maurice, lui indiquant que son dîner était prêt dans le micro-ondes et je lui dis seulement que j'étais retournée chez moi, sans autre explication.

Aussitôt qu'il arriva et vit que je n'étais plus là, il me téléphona:

–Julie, comment ça que té partie chez vous, y'avait tu un problème avec tes enfants?

–Non, cé avec les tiennes qu'il y en a un.

–Qué cé qui se passe?

–Vois-tu, j'ai réalisé aujourd'hui que ma fille Mélissa se tapait l'ouvrage de ma maison quand moé je me tapais ton ménage. Cé pas logique ben, ben. Ça fait que là, j'ai décidé de gâter mes trois enfants cet après-midi. Je les amène manger une crème molle et ensuite, je les amène au restaurant, ils le méritent eux autres, ce qui n'est pas le cas des tiennes. Pendant que je m'éreintais à les torcher, mesdames dormaient profondément. Cé ton frère Mike qui m'a ouvert les yeux. Pis je vais te poser juste une question, je sais qu'elles sont maintenant debout, je veux que tu leur demandes à quelle heure elles se sont levées, et je te gage qu'elles ont attendu mon départ pour arrêter de faire semblant de dormir.

Maurice questionna les filles à savoir depuis quand elles étaient debout. J'avais vu juste, elles s'étaient soi-disant réveillées en attendant la porte de la maison se refermer.

–Cé drôle que tes filles entendent la porte de maison qui se ferme et qu'elles entendent pas ta balayeuse qui mène un vacarme d'enfer? De toute façon, Lisbeth est rendue à 17 ans, Victoria à 16 et Catherina à 14, je pense qu'elles sont maintenant rendues assez vieilles pour se ramasser. Moi, c'est fini Maurice, ma part est faite. Ça va faire 4 ans que je fais la navette entre chez-nous pis chez-vous pour faire ton ménage. Chu rendue au bout du rouleau.

–J'te comprends pis je t'en veux pas. On se voit à soir?

–Oui, mais je vais être seule; mes enfants ne veulent plus mettre les pieds dans ta maison. Sont tannés de se faire dire par tes filles qu'ils ne sont pas les bienvenus et qu'ils ont qu'à crisser leur camp chez-eux.

–Dire qu'on s'entend si bien, pis qu'y faut que les enfants nous mettent des bâtons dans les roues. Les filles ont-elles fait autre chose que je sais pas, pis que t'as sur le coeur?

–Tu vas trouver ça niaiseux, mais pour mes enfants ça l'est pas. À chaque fois que tu viens avec tes enfants, il n'y a jamais eu de nourriture interdite à personne. Chez vous, chaque samedi soir, c'est la même histoire qui se répète. Catherina et Victoria vont s'empiffrer en cachette dans leur chambre pour ne pas en offrir aux miens. As-tu déjà vu mes enfants ouvrir la porte d'une armoire et se prendre un biscuit ou un sac de chips?

–Oui mais Julie, je les ai jamais empêchées de fouiller dans les armoires, ils ont qu'à se servir, j'en achète en masse à chaque semaine.

–Les chips, les biscuits, les peanuts et toutes les petites gâteries que mes enfants aiment grignoter, y'en a pas dans les armoires.

–C'est impossible, chaque jeudi, je fais l'épicerie avec les filles, pis tu devrais voir toute les cochonneries qu'elles achètent.

–Maurice, profite donc de ton heure de dîner, pis va faire une visite dans la chambre de tes filles, la moitié de ton épicerie est cachée dans leur garde-robe pis dans leurs tiroirs. Pis je te ferai remarquer que je suis bien placée pour le savoir, cé moé qui faisait le ménage. Pis ça cé rien. Ben souvent, elles cachent tellement ben la nourriture qu'elles l'oublient. J'en ai trouvé rien qu'en masse, des biscuits pis du fromage moisi dans leurs tiroirs.

J'entendis un grand soupir à l'autre bout de la ligne et après s'être promis de se voir le soir même, je raccrochai, le coeur léger de me l'avoir enfin vidé. Les deux fins de semaine suivantes furent les dernières que je passerais chez

Maurice. Ce dernier avait beau me répéter de me fermer les yeux et de ne pas voir la-soue-à-cochon qu'était devenue sa maison, je crus mourir de honte quand des amis vinrent prendre un café et que je dus tasser les graines de toast collées sur le comptoir pour les servir. Je n'avais jamais été aussi mal dans ma peau de toute ma vie.

À partir de là, je demandai à Maurice que ce soit lui qui vienne me rendre visite chez-moi. On pensait bien arranger les choses, ainsi."

**

Chapitre 28

−Ma soeur Suzanne s'était déniché un emploi à la SAAQ. Elle décida donc d'engager sa fille Lisbeth avec elle. Les problèmes ne tardèrent pas à refaire surface. Ma nièce revint de travailler un soir en disant que son auto était finie et qu'elle restait toujours en panne. Elle avait besoin d'une nouvelle auto. Bien sûr, sa mère était allée avec elle visiter les garages et lui avait conseillé un char, un de plus chers. Il ne restait qu'à ce que son père endosse pour elle, ce que sa mère était incapable de faire évidemment, vu qu'elle avait tout laissé à son mari, comme elle se plaisait à le répéter à la ronde.

Maurice fut incapable de refuser et sa fille se retrouva avec une Honda Accord. Même divorcée depuis plusieurs années, ma soeur continuait de contrôler son ex-mari en passant par ses filles. Tout était permis, chaque fois que les filles voulaient une nouveauté, Suzanne leur disait:

−Demande-lé à ton père. Cé lui qui a l'argent. Moé, j'y ai tout laissé justement pour qu'il vous gâte, cé pas à moé de payer pour vous autres.

Immanquablement, les filles s'en servaient. Elles ne demandaient plus rien, elles ordonnaient en criant:

−Pa, donne-moé d'l'argent.

Et si Maurice osait demander le pourquoi d'un tel besoin, la réponse ne tardait pas:

–Euh, cé à toé de nous donner ce qu'on veut. Maman est partie avec rien, elle t'a tout laissé, elle est toute nue dans rue, aujourd'hui par ta faute pis celle de Julie.

Ma soeur savait comment s'y prendre pour se faire plaindre. Faut dire qu'elle était très bonne comédienne. Elle avait donc réinventé l'histoire de son divorce à sa convenance:

–J'ai pas eu le choix de partir, mon mari me trompait avec ma soeur. Pis en plus, j'ai été obligée de leur laisser la maison, le ménage, tout. Chu partie avec rien. Ma soeur m'a même volé mes enfants. Mes filles recommencent juste à venir me voir aujourd'hui.

Elle se servait même de son poste au public pour m'abaisser et me dénigrer devant des clients, ce qui ne manquait pas de venir à mes oreilles aussitôt. Je rageais. Elle se gardait encore le beau rôle et c'était moi, la grosse pas fine. Même mon père s'était laissé prendre au jeu, et elle était la seule maintenant qui le visitait. Elle avait réussi à gagner, elle avait le paternel juste pour elle toute seule et il ne restait que mon frère Claude avec qui elle partageait ma mère.

Connaissant ma soeur, elle devait sûrement penser à l'héritage éventuel.

Tant qu'à moi, je continuais mes cours en informatique depuis maintenant 6 mois lorsque j'appris qu'on demandait un employé à la Coop de Lambton. J'avais le choix, soit je continuais le cours et qu'après je ne me retrouve devant rien, ou soit j'appliquais pour le poste qui était à temps plein. Avec 3 enfants à la charge, je n'avais pas trop d'options. Je me retrouvai donc comme commis générale à la coopérative. Je travaillais 44 heures par semaine et je n'avais qu'un samedi de congé aux deux semaines.

J'adorais ce nouveau travail et j'étais avide d'apprendre. Je courais pour servir les clients, je courais pour dépaqueter les commandes, je courais pour tout. Pour ne pas déplaire, pour être à la hauteur et surtout pour me faire aimer, je ne disais jamais non. Je me retrouvai ainsi avec un arrache-clou dans les mains en train de débâtir un mur pour l'agrandissement.

Je portais des planches sur mes épaules et les traversais dans l'entrepôt en passant au préalable sur un escalier fait

181

de traverses de bois. Mais pas de problème, Julie était capable de tout faire. J'arrivais épuisée chez nous, sans avoir de temps à perdre: le souper, le ménage, le lavage m'attendaient. Par chance que je ne faisais plus l'aller-retour chez Maurice pour son ménage, car je n'aurais pas arrivé à tout faire.

Un nouveau membre vint s'ajouter à ma famille pendant cette période. En effet ma fille Mélissa était en amour et elle me présenta l'élu de son coeur, un soir alors que je revenais de travailler. Il restait à quelques maisons de chez nous et je travaillais au même endroit que son père. Martin me plut tout de suite. Ce grand garçon aux yeux bleus, timide, qui avait des trous dans les joues quand il souriait, devint un fils pour moi.

Bien élevé, il était toujours en avant de mes besoins. Je pouvais compter sur lui le vendredi soir pour surveiller Jean-René et Jimmy alors que je travaillais jusqu'à 9 heures. Il savait se faire écouter de mes deux plus jeunes, et ils le considérèrent vite comme un grand frère. Je revenais de faire l'épicerie, Martin m'aidait; j'avais la pelouse à tondre, Martin était là. Et à voir le sourire radieux de ma fille, je savais qu'elle avait trouvé l'homme de sa vie.

Et moi, j'étais devenue super-woman: plus rien ne m'arrêtait. Mon patron me demandait de déménager des toilettes, et moi, au lieu de lui avouer que c'était trop pesant, je m'éreintais à les déplacer. L'ancienne Julie refaisait toujours surface, celle qui avait tellement peur de ne pas être aimée, se serait tuée à la tâche pour ne pas déplaire et recevoir un peu de gratitude.

Pendant 3 ans, je m'épuisai à plaire à tout le monde. Une journée, le genou droit me bloqua et le mal me monta jusque dans le dos. Je profitai de mon heure de dîner pour accourir chez mon médecin. Je lui demandai de me soulager rapidement, car je devais retourner au travail. Il me soutira 20 dollars, sortit une seringue et m'injecta de la cortisone.

Je retournai travailler même si le genou m'élançait toujours et si j'avais de la misère à me plier à cause de mon mal de dos. Mais ce n'était pas le temps de flancher et surtout, je ne devais pas montrer que j'avais du mal, c'aurait été admettre que je n'étais pas infaillible.

Deux semaines plus tard, j'étais à monter des boîtes pleines au deuxième étage lorsqu'une douleur fulgurante dans le bas du dos me fit vaciller. Encore une fois, je me précipitai chez mon médecin où je trouvai porte close avec un papier expliquant son absence pour plusieurs mois. Comme je ne pouvais retourner travailler pliée en deux, je me dirigeai à la clinique familiale. Par chance, le médecin accepta de me rencontrer.

C'était la première fois que je faisais affaire à la clinique. Ne connaissant pas tous les médecins qu'il y avait dans le village, j'étais donc enchantée que celui-ci me reçoive, même si je n'étais pas une de ses patientes. J'entrai donc dans son bureau, cassée en deux, et sans prendre le temps de me présenter, je lui demandai de m'injecter de la cortisone pour me soulager, que je puisse ensuite retourner à mon travail. Il me ramena vite sur terre en me disant:

—Crois-tu réellement être capable de retourner à ton travail arrangée comme ça? Je vais commencer par te donner une piqûre de cortisone pour te soulager, mais ça va être la dernière. Ce n'est pas bon pour les os, ça les assèche. Va donc falloir trouver d'où vient le mal. Ensuite, en sortant d'ici, tu vas aller faire de la physiothérapie. Pour ce qui est de ton travail, je vais te donner un papier, tu vas être aux travaux légers jusqu'à ce que ton dos aille mieux.

Pour qui se prenait-il celui-là? Il ne se doutait sûrement pas qu'il parlait à super-woman. De plus, je n'avais pas les moyens de me permettre d'arrêter de travailler. Mais après avoir reçu l'injection, je dus me rendre à l'évidence, je ne pouvais redresser mon corps. Je me dirigeai donc pliée en deux sur la table de physio. Mes patrons furent très compréhensifs et me mirent aux travaux légers en ne chialant jamais de mes absences, d'une heure chaque jour pour me rendre à la physio.

Mais au bout de deux semaines, mon état empirait au lieu de s'améliorer. Et chaque jour, je souffrais le martyre quand on m'appliquait le gel froid avant d'installer les électrochocs. La physiothérapeute dut donc faire chauffer le gel avant de me l'appliquer dans le dos. Et j'ignorais alors que le froid deviendrait mon pire ennemi.

Un après-midi, alors que j'étais sur la table des 'supplices', mon gendre Martin qui travaillait de nuit, vint me trouver. Il venait me faire le message que la polyvalente de Lac-Mégantic essayait de me rejoindre d'urgence. Il avait appelé à la coopérative et constatant que je n'étais pas là, il avait essayé de me rejoindre à la maison. Je devais appeler à l'hôpital, mon fils s'y trouvait.

Toujours à plat ventre sur la table, on me tendit un téléphone et je composai le numéro des urgences. Je me présentai:

–Bonjour, ici Julie N, on m'a demandé de vous appeler car mon fils Jean-René B. y a été amené par l'école. Qué cé qui est arrivé?

–Votre fils jouait au hockey sur l'heure du dîner, il a reçu la rondelle dans les yeux. Sa lunette a éclaté et la vitre lui est entrée dans un oeil.

–Mon Dieu, est-ce qu'il va perdre un oeil?

–On ne peut se prononcer pour l'instant, le médecin ne l'a pas encore vu.

–J'arrive.

Je raccrochai et les larmes qui menaçaient depuis le début de l'entretien se mirent à couler. Je dus demander de l'aide pour réussir à me relever de la table et c'est pliée en deux que je me dirigeai à mon auto. Ma physiothérapeute craignait que je ne puisse me rendre, tellement je devais faire un effort pour marcher; mais rien n'aurait pu m'empêcher de me rendre au chevet de mon fils.

Pendant tout le trajet, je pleurai en demandant à Dieu d'épargner l'oeil de Jean-René. Rendue à destination, je dus faire un effort considérable pour marcher jusqu'aux urgences et constater que mon fils n'y était plus. Je m'adressai donc à l'infirmière qui me dirigea immédiatement vers le médecin. Tout s'était bien passé. Après avoir coloré son oeil, il avait réussi à enlever tous les morceaux. Par chance, mon fils avait réussi à l'aide de ses deux mains à garder son oeil ouvert tout le temps, épargnant ainsi l'intérieur de la paupière. Son oeil était sauvé.

C'est donc en pleurant de joie que je retrouvai Jean-René attablé à la cafétéria de l'hôpital avec un oeil bandé. Je le serrai dans mes bras et on fit le trajet inverse pour se rendre à la maison.

Mon médecin ne voyant pas d'amélioration dans ma condition, m'arrêta de travailler en attendant que je passe des examens plus approfondis. J'étais effondrée. Moi, la battante, la conquérante, je me retrouvais incapable de travailler et de faire mon ménage moi-même. Fallait que je me rende à l'évidence: c'était de ma faute, j'avais voulu en faire trop, personne n'était à blâmer, sauf moi.

Les examens ne nous éclairèrent pas plus. Sauf une sacralisation de la vertèbre L5, les radios étaient belles. Armés d'anti-inflammatoires et suivant toujours des traitements de physio, je recommençai donc à travailler, toujours aux travaux légers. C'est ainsi que je me retrouvai à l'étiquetage de la marchandise, poste qu'occupait le père de Martin, qui était en congé de maladie.

À chaque fois que la porte s'ouvrait, je souffrais le martyre. Le moindre froid, courant d'air, et l'air climatisé m'atteignaient. Je partais donc vêtue d'une veste et de bas de laine pour mon travail. Ma vie était en train de basculer, je ne pouvais plus faire l'épicerie sans m'avoir bouché les oreilles au préalable. En plus de ne pouvoir supporter l'air climatisé, je ne pouvais passer devant les frigidaires à viande, à produits laitiers et les produits congelés sans que les oreilles et le dos ne me fassent souffrir.

J'étais devenue un vrai thermomètre ambulant. Quand Maurice m'invitait à aller manger au restaurant, je devais demander une table loin de la porte, loin d'une fenêtre, car la moindre brise me faisait souffrir, et surtout loin de l'air climatisé. Il y avait un restaurant en particulier que Maurice adorait, car on y servait des frites maison: je dus me résigner à ne plus y aller, car ils n'ont pas de cave et qu'ils sont bâti directement sur le sol. Je finissais de manger en ayant les pieds sur la chaise voisine, car je sentais le froid me pénétrer les os.

À chaque rencontre avec mon médecin, je lui parlais de mes souffrances. Je ne vivais plus, je respirais simplement.

Le froid était en train de me rendre dingue. Ouvrir seulement la porte du frigidaire était devenu un véritable cauchemar. Mes enfants voyaient bien que notre vie n'était plus la même et que je perdais patience. Notre petite vie tranquille était chamboulée. J'entends encore mes enfants me dire:

–Mom, change de pièce, j'ouvre la porte du frigidaire.

–Mom, je sors retrouver mes chums, je dois ouvrir la porte, fais attention.

–Mom, ça sonne à la porte, je vais aller répondre.

Mon médecin pensait que je devais avoir pris un coup de froid intense pour réagir ainsi. C'est vrai qu'à mon travail, pendant l'agrandissement, je voyageais de la coop aux entrepôts, à moitié habillée. Mais mon coup de mort, je l'avais pogné en faisant l'inventaire des entrepôts. J'avais senti l'humidité me rentrer de toutes parts dans la peau. On espérait donc qu'avec le temps, tout reviendrait dans l'ordre.

Janvier arriva enfin, on se dirigeait vers le printemps. Je revenais de l'épicerie les bras chargés de sacs, lorsque ma fille Mélissa vint à ma rencontre et me dit tout d'un trait:

–J'ai eu un appel, pendant que tu étais partie. C'était une de tes tantes. Ton père est mort, il s'est tiré une balle.

Je regardai le ciel et dis:

–Merci mon Dieu, là où il est, il ne fera plus pâtir personne.

Mon père n'avait jamais été heureux ici-bas et faisait souffrir tout ceux qui l'approchaient. Aux dernières nouvelles, il déplumait toujours les femmes qui avaient le malheur de croiser sa route. J'appelai mon frère Serge qui était déjà au courant et il me demanda si moi et mes enfants serions au service. Même si je n'aimais pas mon père, le moins que je puisse faire était d'être là. J'appelai mon frère Claude et lui demandai s'il voulait venir avec nous. Il me rétorqua:

–Ça fait assez longtemps que j'ai hâte qui crève, si tu penses que je vais manquer une journée de travail pis me déplacer pour lui, tu te trompes.

–Oui mé Claude, fais-le au moins pour les oncles pis les tantes. Le père é mort lui, ça changera rien que tu y sois ou pas. Mais tu pourrais voir la famille que ça fait des années qu'on a pas vue. En tout cas, moé pis Serge pis nos enfants on y va. Si tu changes d'idée pis que tu veux venir, t'auras qu'à m'appeler.

Maurice arriva pas longtemps après et je lui appris la nouvelle. Le lendemain, mon chum me demanda qu'on aille chez lui. Sa fille Catherina et son copain Sylvio étaient disparus depuis deux jours et il n'avait eu aucune nouvelle d'eux. En entrant, je ne vis que Sylvio qui discutait avec Victoria. Je lui demandai où était Catherina et c'est alors qu'il me dit:

–Suzanne a appelé pour nous demander d'aller avec elle à St-Césaire quand elle a appris que son père était décédé. Moé, chu revenu parce que je travaille demain, mé Catherina est restée là-bas avec sa mère pis son chum Yvan.

Je ne sais si ce fut le stress ou les anti-inflammatoires qui me montèrent à la tête, mais je dis à Sylvio:

–Connaissant ma soeur, elle doit s'être garrochée sur les affaires du père en criant: cé à moé le toaster, à moé le poêle pis le frigidaire. Pis a doit avoir commencé à défaire le plancher de la maison en espérant trouver d'l'argent.

Je voyais bien que Sylvio me regardait étrangement, mais j'étais incapable de m'arrêter, et en imitant ma soeur Suzanne je poursuivis:

–Chu riche, chu riche, chu la seule de ses enfants qui parlait encore avec le père, pis tout ça est à moé asteur, les autres auront rien. CHU RICHE.

Sylvio changeait de couleur au fur et à mesure que je parlais et Victoria elle, riait de bon coeur à l'imitation si réussie que je faisais de sa mère.

Le gendre de Maurice me dit alors:

–Julie, tout ce que tu viens de dire, cé ça qui é arrivé.

Je ne lui laissai pas le temps de finir sa phrase que je poursuivais:

–T'as pas besoin de m'le dire! J'connais assez ma soeur pour savoir qu'à chaque fois qu'une personne se meurt, elle a le nez fourré là en espérant avoir un peu d'argent. L'ancien chum de ma mère se mourait d'un cancer, elle l'a fait venir chez eux pour essayer de lui soutirer de l'argent. Même chose avec Émilien, elle voulait son magot. Quand grand-maman est morte, devine qui était encore là pour essayer de téter de l'argent, pis elle est allée voir la femme de l'oncle Joe en priant pour avoir une partie de son avoir : la SUZANNE, elle est pire qu'un vampire, elle est devenue la **créature du cimetière**.

Sylvio ne tenait plus en place, il finit par parler:

–Faut que je te dise quelque chose Julie, mé je sais pas comment te l'avouer, ça concerne l'héritage de ton père.

–Ça, Sylvio, cé le dernier de mes soucis. Cé pas parce que le père est mort que je vais commencer à jouer les filles aimantes. Pis je veux rien savoir du testament du père, ses dettes, j'en veux pas. Pis les biens qu'il a, il les a volés à des femmes crédules.

–Oui, mé y a autre chose qu'il faut que je te dise, mais si seulement tu savais comment je me sens mal à l'aise de te dire ça, le testament que ton père a fait est plein de 'liquid paper'.

–Ça, je doute pas de ta parole. Le père a fait tellement de testaments dans sa vie. Une journée il reniait mon frère Claude et l'enlevait de son testament. Le lendemain c'était Serge, Mario, la semaine d'ensuite, c'était Suzanne pis après ce fut à mon tour. Pis à chaque fois qu'il changeait de blonde, l'histoire se répétait. C'était rendu ben plus pratique de mettre du liquide correcteur pour changer le nom que de refaire un testament à chaque fois.

Et là, je partis à rire, accompagnée de Victoria et de Maurice. Seul Sylvio restait de marbre. Cependant il n'avait pas terminé:

–Julie, j'ai quelque chose de plus grave à te dire. Pis laisse-moé le temps de finir. Quand on est arrivé au chalet de ton père à St-Césaire, ta soeur a trouvé une lettre lui étant adressée et contenant les dernières volontés. Dans la lettre, ton père lui indiquait qu'il avait une assurance-vie de 2000 dollars et lui nommait les deux bénéficiaires. Quand ta soeur a vu les noms qui étaient indiqués, elle a montré ça à son chum Yvan. Lui, il a pris son briquet pis y'a fait brûler le papier pendant que ta soeur qui souriait disait:

–Eux autres auront rien, y'a pu de papier qui prouve qu'ils vont avoir de l'argent, ça va en faire plus pour moé. Catherina a rien dit quand elle a su c'était qui les deux qui étaient supposé avoir de l'argent, elle a regardé sa mère pis son chum brûler les preuves sans dire rien. Là, le soir, ta soeur nous a payé la chambre de motel avec l'argent que ton père avait dans ses poches, pis elle nous a offert un bouchon-d'huile. Nous autres, on a rien pris, mais ta soeur pis son chum, se sont gelés en riant pis en chantant qu'ils allaient être riche.

–Oui mais Sylvio, ça change rien dans ma vie, ça. Je ne veux rien du père moé.

–C'est pas toé qui était bénéficiaire, c'était ton fils Jean-René, pis l'autre je me rappelle plus son nom.

Non, c'était pas vrai. Elle ne pouvait pas avoir fait ça à son propre filleul. C'était du vol pur et simple. Qu'elle s'en prenne à moi, ça passe, mais pas à un de mes enfants, non je ne l'accepterais pas. J'étais folle de rage et je frappais le mur à coup de poing et hurlais à Victoria:

–Ta mère cé rien qu'une maudit voleuse. La crisse de chienne, j'vas la rentrer dans le mur, jusqu'à ce qu'elle dise la vérité.

Pendant une demi-heure, je pleurai et hurlai ma rage. Victoria me tenait dans ses bras en essayant de me consoler tandis que Sylvio et Maurice assistaient impuissants à la scène. Quand enfin, je pus reprendre mon calme, j'appelai Serge en lui disant ce que je venais de savoir et ajoutai:

–Serge, yé pu question que j'aille au service du père. Si j'l'a vois la crisse, je lui défais le portrait. Pis cé qui tu penses qui est le deuxième bénéficiaire de l'assurance d'après toé? Chu certaine que cé ton fils Dan, tu l'sé comment le père les défendait tous les deux. En tout cas, cé pas Jimmy certain, le père l'a pratiquement pas connu.

Mon frère me conseilla d'appeler un avocat et de me renseigner. Ce que je fis. Mais rien à faire. Je n'avais aucune preuve de ce que je leur disais. Après de multiples tentatives, mon frère parvint à me convaincre d'aller au service quand même; un coup rendu sur place, on pourrait toujours aller à la Sûreté du Québec et porter plainte contre Suzanne pour avoir détruit des papiers importants.

De retour à la maison, je fis asseoir mes trois enfants et leur avouai ce que ma soeur avait fait et en regardant Jean-René qui pleurait devant tant de méchanceté de la part de sa marraine, je lui dis:

–Mon gars, je te fais une promesse, je vais me battre jusqu'à mon dernier souffle, pour que tu récupères ce que Suzanne t'a volé.

Mes enfants vinrent me serrer dans leurs bras et on pleura ensemble.

Le lendemain, j'avertis mon employeur que je m'absentais pour un décès. Il me questionna pour savoir si c'était quelqu'un de proche, car il enverrait des fleurs. Je leur rétorquai que ce n'était pas nécessaire, c'était seulement mon père. Et puis il ne serait pas exposé au salon de toute façon.

Le service religieux était à St-Hyacinthe. Je demandai à Sylvio de manquer une journée de travail et de nous accompagner si on allait porter plainte. Il était mon seul témoin. J'en voulais à ma nièce Catherina de ne pas avoir pris le parti de son cousin. Elle avait été témoin d'un vol et n'avait rien fait. Je fit remarquer à Maurice que sa fille était aussi coupable que sa mère et il promit de lui en parler.

Lorsque je fis mon entrée à l'église, suivie de mes enfants et de Sylvio, ma soeur faillit perdre connaissance. Je me dirigeai droit sur elle et lui dis:

–Sylvio m'a tout dit. Aussitôt le service terminé, je l'amène avec moé au poste de police, je porte plainte contre toé.

Yvan, le chum de Suzanne, me regarda en feignant le gars sans reproche et me demanda:

–Pourqué cé faire que tu veux aller porter plainte?

–Tu dois le savoir le smatt, après tout, cé toé qui a fait brûler les papiers du père.

Je les vis blêmir tous les deux et ma soeur me supplia:

–Julie, fais pas ça, je vais perdre ma job si je me retrouve avec un casier judiciaire. Vas-y pas, pis je vais te les donner les papiers d'assurance. Par pitié fais pas ça.

–J'veux juste savoir le nom du deuxième bénéficiaire avec Jean-René?

–Cé Dan, le gars à Serge. Tu porteras pas plainte, hein Julie?

–Tes larmes, je m'en balance, tu peux être sûre qu'en sortant d'icitte, la première place où on va, cé au poste de police, tu t'en tireras pas toujours aussi facilement.

Elle qui fumait de l'huile et chantait à la veille de devenir riche, pleura tout le temps de la messe et elle fut la seule. Personne n'était triste ni ne pleurait. La seule chose qui intéressait ma soeur était d'avoir l'argent de mon père. Elle ne s'était pas donné la peine d'acheter la moindre petite fleur et c'est rien qu'une tombe dégarnie qu'on vit dans le milieu de l'allée.

Par contre, je fus heureuse de revoir oncle, tante, cousins et cousines. Pendant la cérémonie, je me retournai et demandai à ma tante de me désigner qui était la dernière flamme de mon paternel et elle me la pointa du doigt. Pendant la communion, je demandai aux enfants de m'attendre que je devais aller parler avec une personne. Je sortis du banc et m'installai juste dans celui devant celle qui fut la dernière blonde de mon père et me présentai:

–Salut, je m'appelle Julie, chu la dernière des enfants à Amédée. Je sais ce que tu dois ressentir. Mais t'as pas à te sentir coupable. À chaque fois qu'une femme quittait mon père, il menaçait de se tuer et écrivait des lettres à sa blonde en lui disant que c'était de sa faute s'il allait s'enlever la vie. Chu certaine qu'il a fait la même chose avec toé. Pis si tu ne me crois pas, j'ai amené toutes les lettres de suicide qu'il a déjà écrites. Je m'excuse de te dire ça, mé mon père était le pire salaud que la terre a pas porté.

La fille qui se tenait à ses côtés prit mon parti et dit:

–Tout ce que Julie vient de dire est vrai. T'as pas à la craindre, ni elle ni ses frères.

Elle s'empara enfin de ma main que je lui tendais depuis le début de notre conversation et refusait maintenant de la lâcher en pleurant:

—Té sûre que toi et tes frères vous m'en voulez pas?

—Je te l'assure. Attends-moi, je vais chercher mon frère Serge et le plus jeune Mario, ils vont te le dire eux-mêmes.

Mes frères et mes enfants vinrent tendre la main à la dernière conquête de mon père. Je lui demandai de nous accompagner au restaurant, mais elle avait peur d'être mal reçue. Elle m'avoua alors que ma soeur Suzanne et sa fille Catherina lui avaient dit qu'elle était coupable de la mort de mon père. Je la rassurai en lui disant que seul un esprit malade pouvait penser une telle chose. La jeune fille qui l'accompagnait l'encouragea à venir avec nous.

On se retrouva donc toute la famille ensemble au restaurant, oncles, tantes, cousins et cousines que je n'avais plus vus depuis plusieurs années. À la fin de la cérémonie, ma soeur et son chum étaient sortis par la porte de côté pour nous éviter et je ne les avais plus revus. Maurice avait amené Catherina avec lui; elle ne cessait de pleurer depuis. Elle en voulait à mort à son chum Sylvio qui avait trahi sa mère en nous avouant la vérité.

Pendant le repas, ce fut le délire totale. Tantôt c'était oncle Jean-Pierre qui prenait la parole en s'adressant à tous:

—Vous devinerez jamais cé quoi, la dernière niaiserie que mon frère Amédée m'a faite? Il m'appelle à la maison découragé de la vie ben raide. Sa dernière blonde venait de le laisser pis là, il me dit: "*Cé fini Jean-Pierre, j'ai fini de souffrir.*" Pis là, j'entends un coup de fusil. Là, je crie dans le téléphone: Amédée, Amédée. Pis rien au bout de la ligne. Là, je pogne les nerfs, je saute dans mon char, je manque de me tuer tant je roulais vite. J'arrive chez Amédée, je trouve le téléphone par terre pis pas de traces de personne. J'vas dans sa chambre, pis le maudit, yé en train de se bercer tranquillement pis y me dit: "*Quécé Jean-Pierre, t'as ben l'air blême pis essoufflé, qué cé qui se passe avec toé?*" Je vous jure que j'avais envie de le tuer pour de vrai.

La femme de Jean-Pierre prend la parole et me dit:

—Si tu savais Julie, tout ce que ton père a pu nous faire endurer?

Après, ce fut le tour d'un cousin de se lever et de porter un toast.

–Je lève mon verre à la dernière blonde de mon oncle Amédée. Là, je vais pouvoir dire que celle-là, c'était bien sa dernière.

Tous trinquèrent et se présentèrent à la femme en question en lui faisant la bise. Elle me regarda et me fit un sourire. Non, personne ne lui en voulait ni ne la blâmait de ce qui était arrivé. Le repas se déroula dans l'euphorie totale. Les mauvais coups de mon père étaient étalés devant tout le monde. Je n'étais donc pas la seule à avoir eu à l'endurer.

Oncle Jaimie, frère de mon père, vint me trouver et dit:

–Julie, jamais je pourrai croire que ton père s'est tiré pour une femme. Suis allé voir son médecin et j'ai fait sortir son dossier médical. À part ses pontages qu'il avait eus, ton père était en parfaite santé. Jamais je ne me mettrai dans la tête qu'il a fait ça pour une de ses blondes. Ton père Julie, il s'est manqué! Il voulait la faire chanter, pis y pensait que son fusil était pas chargé. Il s'est trompé, le coup est parti.

Et là, j'appris ce qui s'était réellement passé. La blonde de mon père venait de le quitter. Elle l'appela pour lui dire qu'elle passerait ramasser ce qui restait de ses affaires personnelles. Alors qu'elle était à l'intérieur elle a entendu la porte se refermer. Mon père venait de sortir à l'extérieur et lui a crié de sortir. Comme elle ouvrait la porte, c'est là qu'elle a vu mon père armé de sa carabine lui dire: "*Si tu me quittes, je me tires.*" Comme elle ne changeait pas d'idée, croyant à des menaces en l'air, comme il le lui en avait déjà faites, il a pointé l'arme sur lui et a appuyé sur la gâchette. Il s'est écroulé par terre. Mort sur le coup, sans souffrir.

Bien sûr, il lui avait adressé une lettres de cinq pages de bêtises, la culpabilisant du geste qu'il allait poser. Pauvre elle, elle doit en faire encore des cauchemars aujourd'hui."

***

Chapitre 29

Le repas étant terminé, je quittai ma famille en leur expliquant que je devais me rendre au poste de police. Ils me souhaitèrent tous bonne chance dans mes démarches, et c'est accompagnée de mes frères et de Sylvio que je me dirigeai à la Sûreté du Québec.

Je fis le compte-rendu de ce qui venait de se produire, à savoir que ma soeur et son chum Yvan avaient détruit des papiers de succession qui mettaient mon fils et celui de mon frère bénéficiaire. L'agent écouta notre récit, mais il ne pouvait rien faire. Les papiers étant détruits, on n'avait plus aucune preuve. Mais voyons lui dis-je, nous avons deux témoins qui ont vu tout ça, mais rien à faire.

Où était donc la justice? Encore une fois, la loi était faite pour les voleurs et les pas-bons. Pas étonnant que tant de personnes règlent leurs comptes eux-mêmes. Je refusais de baisser les bras et d'accepter qu'on vole impunément mon fils et mon neveu de leur dû.

Pourtant, on n'eut d'autre choix que de retourner chez nous sans pouvoir rien faire. Je demandai à Catherina si elle était prête à venir faire une déposition chez un avocat sur ce qu'elle avait vu. Elle me cria:

–Jamais je ne témoignerai contre ma mère, j'aimerais mieux pourrir en prison. M'as-tu entendu, jamais je ne dirai la vérité, et si tu amènes ça en Cour, je vais mentir et tu ne pourras rien prouver.

Pauvre Maurice, je le plaignais. Lui qui avait tout donner à ses filles depuis que leur mère les avait abandonnées, et elles étaient devenues de vraies ingrates et sans coeur, pour lesquelles l'argent primait avant tout. Tant que mon chum ouvrait son portefeuille sans rechigner, elles l'aimaient, mais quand il disait non, elles l'envoyaient carrément chez le diable. Elles l'envoyaient chier, lui parlaient comme à un chien, et lui continuait de les gâter et de leur offrir tout ce qu'elles désiraient. Faudrait-il qu'il se ruine avant de s'ouvrir les yeux.

La semaine suivante, on prit rendez-vous avec un avocat de Sherbrooke. Pas question d'en prendre un dans la région pour que ma soeur leur graisse la patte. On en visita plusieurs, avant qu'une finisse enfin par accepter de s'occuper de notre cas. Et encore là, elle ne nous promettait rien. On ne pouvait s'attaquer en Cour, pour les papiers qui avaient été brûlés, ils n'existaient plus. Le seul point positif était le testament en soi. Il avait été corrigé à maintes reprises et on pouvait le contester. C'était notre seule porte de sortie. En contestant le testament, ma soeur aurait la trouille qu'on amène le tout en Cour et ainsi elle nous donnerait le nom de la police d'assurance.

On n'avait pas d'autre choix. Par chance, j'avais gardé tout les anciens testaments que mon père faisait à chaque nouvelle menace de suicide. Lequel serait jugé le bon? Notre avocate envoya donc une mise en demeure, comme quoi on demandait le nom de la police d'assurance, et que par le même fait, on contestait le testament. Pour une fois que c'était ma soeur qui sans le vouloir allait m'aider. Le fameux dossier rouge qu'elle m'avait remis quand elle s'était chicanée avec mon père allait maintenant servir.

Le premier datait du 29 août 1978. Mon Dieu que c'était loin tout ça! C'était pendant qu'il était avec Claudette. De nombreux souvenirs me revinrent en lisant le contenu:

Ceci sont mes dernières volontés. En ce jour, moi, Amédée N, sain d'esprit, je déclare mon testament comme suit. Tout d'abord, je veux que mes biens soit séparés en parts égales à mes 5 enfants. Mes biens sont ma maison qui tombe claire à vous tous à ma mort. L'hypothèque à la caisse populaire de Richelieu est assurée. Mon contrat est chez l'avocat G.Q. à Marieville. Le nom de madame S.C. n'a rien à voir là-dessus, car je n'étais pas marié avec elle, comme c'est écrit sur le contrat.

Suit ensuite mon auto, mon bateau, mon camp de chasse. Je dois encore 100$ sur le terrain, vous trouverez le reçu dans mon porte-monnaie. J'ai de l'argent à la caisse de Richelieu et à St-Mathias, et à la banque C.N. de Marieville. Tout mon avoir est clair de toutes dettes sauf celles mentionnées ci-haut. Tous les meubles de la maison sont compris aussi clairs. Je ne laisse rien à ma deuxième femme Claudette qui est partie (m'a quitté) le 13 septembre sans laisser d'adresse. Elle n'a aucun droit sur mes biens, car je les avais tous avant notre mariage, marié en société d'acquêt et si je la tue c'est parce que je l'aime trop pour la voir me tromper avec qui que ce soit. Je ne veux pas qu'elle en fasse souffrir d'autres.

J'espère que j'aurai votre pardon. Après ma mort, je veux que vous preniez tout ce qu'il y a de plus commun: une tombe louée et service de basse classe à St-Mathias. Mon corps vous l'enverrez **incinérer, brûler**. Mes cendres seront partagées à mes enfants aussi comme tout le reste. Il me reste une paie à mon travail chez B.Q. et mon 4% de vacances ainsi que mon argent de poche. Sur mes deux cartes de crédit Master-Card, je dois 72.73 et celle de Canadian-Tire je dois 32$. Vous retournerez les cartes à qui de droit soit à la compagnie qui me les a remis. Les contrats de mon camp de chasse ne sont pas encore passés, je n'ai que le reçu dans mes poches.

Tous mes papiers sont dans le coffret de tôle en haut du garde-robe de ma chambre, tel que police-d'assurance, certificat de mariage et autres papiers importants. Vous trouverez mes livres de banque dans le coffre à gant de mon auto. Si jamais je tue Claudette, je me tuerai après pour ne pas faire faire de dépenses à personne, car nous vivons dans un monde pourri avec des lois ridicules, alors je n'ai plus aucun désir de vivre après tous les malheurs qui se sont abattus sur moi les uns après les autres. Ah oui, j'ai un skidoo-Scorpion 1972 dans le garage de Rosaire qui est à moi et payé clair aussi. Alors je souhaite à tous mes enfants que j'aime d'être plus heureux que je ne l'ai été. Toi, Claude, prends soin de ta soeur Julie tant qu'elle n'aura pas ses 18 ans. Surveille-là car elle a déjà voulu s'enlever la vie par amour pour Claudette qui ne nous aimait sans doute pas. Raison de plus pour la faire disparaître. C'est Rosaire, son frère, qui est venu la chercher à la maison, Je le tiens responsable de ces meurtres.

Et j'ai signé ceci à 9:05 soir, en bonne santé, Amédée-Nadeau.

À voir la face de notre avocate, elle se disait sûrement la même chose que nous. Mon paternel était un grand malade. Le deuxième que j'avais en ma possession était daté du 13 mais 1989, soit après s'être chicané avec mes frères:

*Ceci est mon testament personnel qui remplace tous ceux que j'aurais faits auparavant. Je suis sain d'esprit et déclare ce qui suit. Je lègue tout ce que je possède à mes deux filles Suzanne et Julie Nadeau. À savoir, ma maison de Stornoway qui est claire et net, mon auto et toutes les choses qui sont dans la maison et dans le garage. J'ai une petite police d'assurance de 2000$ et à peu près 1000$ en Caisse-pop. de Stornoway. Si je perds la vie, c'est que je suis invalide et que la régie vient de me couper ma rente-d'invalidité. Vous trouverez la lettre à cet effet. Ma maison de St-Romain, je la dois toute, soit 14,000$ à la Caisse-pop. de Stornoway et 14,000$ à CD de St-Marguerite-de-Lingwick. Ils reprendront leur maison. Vous vendrez celle de Stornoway et partagerez à parts égales ce qui restera. Après m'avoir fait **incinérer, brûler,** demandez au curé HO. qui est en mission au pont de fer de Lambton de me chanter un Libéra seulement. Je remets mon âme à Dieu. Vous ferez ce que vous voudrez de mes cendres. J'aimerais que vous les déposiez, la moitié sur la tombe de ma mère et l'autre moitié sur la tombe de mon père au cimetière de St-Gédéon.*

Si je ne laisse rien aux autres, soit les garçons, c'est que Claude j'ai dû prendre un avocat pour lui collecter ce qui me devait. Serge lui, a été me vendre chez l'avocat pour l'affaire de chasse. Mario lui, m'a renié pour son père et il a fait assez de mal à Julie. (Je cherche encore le mal que mon frère aurait pu me faire. C'est sans doute à l'époque où je passais mes nuits chez Mario et qu'il m'avait ouvert les yeux sur la véritable identité de mon père). Il est exclu lui aussi.

Si je meurs, je ne veux pas être une charge pour mes enfants. Maurice B. saura faire respecter ce testament. Je regrette d'avoir à faire cela, mais je n'ai pas le choix. Je n'ai plus rien pour vivre. C.B. est responsable, car c'est elle qui m'a fait acheter la maison de St-Romain. J'avais '4000$ en banque et j'ai vendu ma petite roulotte•4,500$ et elle a tout mangé cela. Vous pourrez dire qu'une femme a eu ma vie. Je vous aime tous quand même, je n'ai pas été un bon père pour vous autres.

Toute ce que j'ai fait, je vous demande pardon. Je vous souhaite à tous d'être heureux ce que je n'ai pas été moi-même. Je pardonne à ceux qui m'ont fait du mal, car je dois pardonner pour entrer au ciel. J'ai assez souffert que je suis content de partir à tout jamais. Alors seulement Suzanne et Julie Nadeau ont droit à ce que je possède. Je sais que vous en tirerez un bénéfice. Ce papier est le dernier et valable pour mes dernières volontés. Exposez mon corps à la chapelle de Lambton seulement une journée et pas embaumé.

Ceux qui veulent me voir se rendront à la chapelle, et brûlé dans une tombe louée après. Je mourrai nu comme je suis venu. Dieu m'a tout donné, Dieu m'a tout ôté. Que son Saint-nom soit connu et béni. Au revoir là-haut.

Et c'était signé par Amédée Nadeau.

La réponse ne se fit pas attendre. Ma soeur par l'entremise de son avocat, nous donnait le nom de la police-d'assurance qui était par chance irrévocable, qu'on attendait tant et nous faisait une offre pour qu'on accepte le testament. Le dernier qu'il avait fait et qui mettait ma soeur Suzanne seule bénéficiaire, datant du 13 septembre 1990.

Lennoxville, 13 septembre 1990,

Ceci est mon testament personnel qui remplace tous ceux que j'aurais pu faire antérieurement. Ce papier est valide, et renferme mes dernières volontés. Moi, Amédée Nadeau, déclare ce qui suit: Je suis sain d'esprit avec toutes mes facultés mentales(Ça, ça, reste à prouver). Je lègue à celle que je considère comme ma fille légitime Suzanne Nadeau (c'est ce passage qui a été corrigé au liquid-paper, et l'écriture ne ressemble pas à celle de mon père). Tout ce que je posséderai à mon décès, soit meubles, immeuble, argent en banque, au Canada ou aux États-Unis, même dans mes coffrets de sûreté, toutes mes polices d'assurance et effets personnels.

Enfin, tout ce qui sera au nom de Camil ou Amédée Nadeau (tiens, je viens d'apprendre que mon père avait changer de nom) elle pourra en jouir à sa pleine liberté après m'avoir fait **incinérer, brûler**. Je veux une tombe louée et exposez mes cendres seulement dans la petite mission au pont de fer de Lambton dont un service sera chanté par le curé HQ. qui est curé de cette mission. Mes cendres devront être enterrées sur la tombe de mon père ou ma mère, qui sont enterrés au cimetière de St-Gédéon de Beauce, où j'ai reçu le baptême.

Je laisse à ma fille Suzanne Nadeau (*un autre passage corrigé au liquid-paper et qui laisse douter quant à l'authenticité de la personne qui l'a écrit*) l'entière décision de faire respecter mes dernières volontés. Je fais signer deux témoins qui rendent ce papier valide et véridique aux yeux de la lois. J'ai fait ce papier de plein gré au camping du pont couvert à Milby ce treizième jour du mois de septembre 1990 à 7:30 du soir.

Et c'est signé par mon père et les deux témoins.

Une enveloppe séparée contenait les dernières volontés de mon père concernant ses assurances. C'est ce papier là qui mettait Jean-René et Dan bénéficiaires, ce même papier que ma soeur et son chum avaient fait INCINÉRER, BRÛLER...

Une crisse de chance qu'elle les as respectées ses dernières volontés! Le vieux s'est retrouvé avec un service à St-Hyacinthe: on commence à être loin de Lambton! Quant à

199

ses cendres, Victoria m'annonça que l'urne se trouve à l'extérieur de la maison de ma soeur, car elle craint que l'esprit de mon père vienne la hanter. Remarquez qu'à sa place, moi aussi j'aurais la chienne après tout ce qu'elle a fait. Pauvre vieux, lui qui passait ses hivers en Floride parce qu'il avait peur du frette, il est condamné à passer ses hivers sur le banc-de-neige.

Après consultation avec mes frères et notre femme de loi, on refusa l'offre. Si on allait en Cour, on avait de grosses chances que le testament soit déclaré nul, vu qu'il contenait du 'liquid-paper'. De plus, dans ses dernières volontés, mon père stipulait ceci: *je lègue à ma fille légitime Suzanne N. tout ce que je possède*. Mais Suzanne N. n'était plus considérée comme sa fille, étant donné qu'elle avait changé de nom de famille et renié mon père.

Pendant cette période, Suzanne se servait de sa fille Catherina pour nous faire des menaces, croyant ainsi nous faire lâcher prise. Elle menaçait de nous faire perdre nos maisons respectives si on continuait de contester le testament. Elle se servait de son poste au public pour nous démolir et se faire prendre en pitié. Elle pleurait même pour ajouter foi à ses dires. On était les méchants qui essayaient de lui soutirer ce qui lui revenait de droit. Elle commençait à avoir la trouille et je m'en réjouissais.

On la tenait la salope, la voleuse, elle allait enfin payer pour le mal qu'elle faisait autour d'elle. Deux semaines plus tard, elle nous faisait une autre offre plus élevée. Après discussion, on la refusa encore. Encore 15 jours plus tard, une troisième offre nous attendait chez l'avocate. Elle nous offrait à moi et à mes deux frères, 2 800 dollars, ce qui nous ferait 900$ chacun si on ne contestait plus. Mes frères étaient prêts à accepter, mais pas moi.

–Moi, je m'en crisse de l'argent. Ce que je veux, cé la voir devant un juge. Pis je vais amener Sylvio qui va venir dire ce qu'elle a fait.

–Julie, je le sais que tu lui en veux à mort. Mé on pourra même pas en parler en Cour. Les maudits papiers, elle les a détruits. Pis on a eu ce qu'on voulait, nos gars vont pouvoir avoir leur 1 000 piastres chaque. Pis là, je pense qu'elle va avoir compris qu'on é capables de se défendre, si elle s'attaque encore à un de nous.

Étant donné que j'étais la seule à vouloir l'écraser encore plus, je me soumis à la décision des deux autres. On avait réussi au moins à lui soutirer 2800$ dont 100$ iraient à notre défenseur. Ensuite, on paya les frais de notaire pour nos deux fils, et ils purent enfin recevoir leur part, que leur grand-père leur avait léguée. Sans avoir gagné la guerre, on venait de remporter une bataille.

Mais la partie n'était pas finie pour autant. Malheureusement, elle n'avait pas encore fini de m'en faire voir de toute les couleurs. Ma soeur était devenue ma pire ennemie. Jamais je ne pourrais lui pardonner ce qu'elle avait fait, ni à Catherina d'ailleurs. Je l'endurais seulement parce qu'elle était la fille de mon chum, parce que s'il n'en tenait qu'à moi, ça ferait longtemps qu'elle serait sortie de chez moi sur la tête, celle-là.

Justement, elle nous apprit qu'elle était enceinte. Maurice lui payait la pilule anticonceptionnelle et elle en jetait une aux poubelles à chaque jour pour faire croire qu'elle la prenait. Elle n'avait que 16 ans, et avait encore un caractère de bébé, pas besoin de dire que mon chum était découragé.

Lisbeth, elle, venait de s'installer en appartement avec son nouveau chum Pascalain, et travaillait toujours avec sa mère. Et la bisbille était pognée entre les deux. Elle se cherchait un nouveau travail, mais ce n'était pas évident, elle endurait en attendant de trouver mieux. Sa mère lui en faisait voir de toutes les couleurs, de l'argent disparaissant dans le tiroir-caisse, et c'est ma nièce qui devait rembourser l'argent le soir quand elle comptait son cash. Et Lisbeth devait endurer ses lamentations et ce, devant les clients:

—Ma soeur m'a volé mon mari pis mes enfants. Ils me jouaient dans le dos, pis moé j'm'en doutais même pas. Pis r'garde cé qui qui a trouvé une job à ma plus vieille, cé moé, pis elle l'apprécie pas, elle veut s'en aller.

Quant à Victoria, elle était la seule des trois enfants de Maurice encore aux études.

J'eus une discussion avec Jean-René concernant son héritage. Il n'était pas question qu'il dépense son 1000$ en sorties et en dépenses frivoles. Il devait soit le placer ou soit suivre ses cours de conduite. Il opta pour la deuxième possibilité et s'inscrivit aux cours. Une semaine avant qu'il ne débute, je lui fis part de mes appréhensions:

–Je veux que tu passes tes examens théoriques et pratiques dans une autre ville. Je connais ma soeur, elle va en profiter pour t'en faire baver si tu les passes dans le même secteur où elle travaille. Oublie pas que c'est elle qui donne les examens, elle travaille à la SAAQ.

Je sus que mes craintes étaient fondées quand le téléphone sonna:

–Julie, cé Lisbeth, je t'appelle parce que j'ai su que Jean-René s'était inscrit pour suivre un cours de conduite.

–Oui.

–Fais-y pas passer son test au même bureau que ma mère. Cé elle qui donne les examens, pis quand elle a vu que ton gars était inscrit, elle a dit devant moé: *attends lui, je vais lui donner le plus dur, pour être sûre qui va pocher, pis y va être obligé de repayer pour en passer un autre.*

–Comment elle s'y prend pour savoir quel examen est le plus difficile?

–Cé facile, chaque examen est différencié par une lettre soit A, B, C, D ,E , pis plus que les lettres sont hautes, mettons comme W, X, Y , Z, là, té certain de le pocher, y sont pas faisables. Pis cé ma mère qui les donne, ça fait qu'elle va lui en donner un qu'est certaine qui va pocher.

–Je te remercie du renseignement, Lisbeth. Je vais envoyer Jean-René passer sa théorie à Thetford Mines.

Et c'est ce que je fis. Mon fils passa du premier coup son examen et put ainsi s'attaquer à la pratique.

Son professeur de conduite n'apprécia pas du tout que mon fils doive aller dans une autre ville pour passer son examen. Il en demanda la raison à Jean-René qui lui expliqua en détail ce qui était arrivé à la mort de son grand-père et que sa marraine n'était pas prête de digérer l'argent qu'elle avait dû nous donner. Il fit promettre à son élève qu'il passerait son examen pratique ici même en argumentant que ma soeur ne serait pas dans l'auto pendant l'examen, et mon fils m'en fit part en arrivant:

–Y'en é pas question, m'as-tu entendu, tu vas aller passer ton test à Thetford, cé là que t'as passé ta théorie, pis tout a ben été.

–Oui, mé mom, mon professeur François, m'a promis d'être là. Et si jamais elle essaie de faire quoi que ce soit, elle va se faire taper sur les doigts.

Je me laissai attendrir et donnai raison à mon fils à la seule condition qu'il ne soit pas seul quand il attendrait son tour dans le bureau. Je ne voulais pas que Suzanne en profite pour l'écoeurer.

Le jour fatidique arriva beaucoup trop vite. Je répétai mes recommandations à Jean-René en lui interdisant de répliquer si jamais on l'attaquait verbalement. De plus, il devait m'appeler aussitôt son examen fini, que je sache si tout avait bien été.

Encore une fois, mon pressentiment ne s'était pas trompé. Mon fils entra dans le bureau de la SAAQ, quand Yvan, le chum de ma soeur, l'interpella:

–Tiens, si cé pas le gros épais qui arrive.

Mon fils se contenta de sourire sans répliquer comme je le lui avais demandé. Il attendit patiemment que son tour vienne. Juste avant son départ, ma soeur fit venir la personne qui passait les examens dans son bureau. Pourquoi? Aucune idée. Jean-René part donc pour son examen pratique, quand Suzanne s'adresse à une de ses amies:

–Je prie pour pas qu'il passe. Je prie pour pas qu'il passe.

Son amie lui demande alors pourquoi elle désire tant que ce garçon poche son test.

–Ça, cé le gars à ma soeur.

Et jetant un regard autour d'elle, elle aperçoit un garçon qui attend debout et lui demande: *"Cé quoi que tu fais là, toé?"*

–J'attends quelqu'un.

C'était un copain de Jean-René qui attendait que celui-ci revienne et avait tout entendu de la conversation. Quand mon fils fut de retour, la première chose que Suzanne demanda au professeur fut:

–Pis y'a tu passé?

La préposée acquiesça. Mon fils tout content se dirigea alors pour aller chercher son permis quand sa marraine lui cria d'un ton cinglant:

–Va t'asseoir, on va t'appeler quand ce sera prêt.

Pas besoin de dire qu'elle n'était pas contente du tout. Jean-René et son copain me firent le récit détaillé de ce qui était arrivé. Là, j'en avais marre de Suzanne et de ses crises. Elle n'avait pas à s'en prendre à mes enfants. C'était fini, je n'avais pas à accepter son comportement et j'avais encore deux autres enfants qui suivraient leurs cours de conduite, et le même scénario ne se répéterait pas à toutes les fois.

J'écrivis donc une lettre de plainte à son employeur. Ma soeur se servait de son statut d'employée à la SAAQ pour régler des histoires de famille. Je n'eus jamais de nouvelles de leur part, sauf que Lisbeth me raconta ce qui s'était passé. Une rencontre avait eu lieu et on l'avait avertie que si cela se reproduisait encore, elle serait mise à la porte. Elle sortit du bureau en pleurant et disant à sa fille:

–Mé que je retourne à la maison, je vais me tuer. Chu tannée de vivre pis de souffrir. Je vais me crisser dans le clos, vous allez être contentes là, les filles.

Maurice partit à rire en disant à sa fille:

–Là Lisbeth, je veux pas que tu t'en fasses avec ça. Ton grand-père a fait les mêmes menaces pendant au moins vingt-ans de temps. Ta mère est rendue pareille, quand elle a pas ce qu'elle veut, elle menace de se suicider pour vous faire sentir coupables. Fais toé-z-en pas, on va être pris pour l'endurer encore une crisse d'escousse.

Au moins, j'eus la paix ainsi que mes enfants pour quelque temps.

La grossesse de Catherina se passait à merveille et elle continuait de travailler à la shop de couture. J'avais toujours autant de misère à la sentir après ce qu'elle avait fait, et un rien me faisait grimper dans les rideaux. Elle se présenta un soir à la maison en disant à mon fils:

–Jean-René, va t'en dans ta chambre, faut que je parle à mon père.

Je vis mon fils écouter ce qu'elle lui demandait et sitôt que la petite peste fut partie, je laissai éclater ma colère:

–J'comprends pas Maurice, que tu laisses ta fille agir comme elle le fait? Si je ne me trompe pas, chu chez-nous icitte, pis ta fille ose demander à mon gars de faire de l'air. Si c'était tellement confidentiel ce qu'elle avait à te dire, elle n'avait qu'à te demander à sortir à l'extérieur. Elle agit comme si on n'était pas chez-nous moé pis mes enfants. Elle arrive icitte sans cogner, se permet de fouiller dans mon frigidaire, et là, pour rachever le tas, elle expulse mon fils. Pendant des années, j'ai enduré ton ex qui venait à Stratford et qui se disait chez elle parce que t'avais endossé pour moé à la caisse, pis là, vu que t'as donné 10,000 dollars sur la maison, chu pas encore chez-nous. Je commence à avoir mon ostie de voyage.

Maurice promit de lui parler la prochaine fois qu'elle reviendrait. Là, ce n'était pas le temps, elle avait de gros problèmes avec son chum. Ma soeur lui refusait sa porte en lui disant qu'elle ne lui pardonnerait jamais ce qu'il avait fait, et Catherina prenait le parti de sa mère. Je me demandais bien ce qu'il avait à se faire pardonner. Doit-on s'excuser d'avoir dit la vérité à quelqu'un?»

**

Chapitre 30

"Ma santé ne s'améliorait toujours pas et je me traînais de peine et de misère pour aller travailler. Je souffrais toujours du dos et du froid, et mes oreilles ne me laissaient que peu de moments de répit.

Une fois de plus, je me présentai au bureau de mon médecin en lui demandant de m'examiner les oreilles. Après la consultation, il me dit:

–Tout est beau Julie, tu n'as pas d'otite ni de cire, tout est beau. Mais comme ça fait au moins 6 mois que tu te plains de douleurs d'oreille, je t'envoie consulter un spécialiste.

Je demandai à Mélissa de m'accompagner. Chaque fois qu'elle n'avait pas d'école, elle adorait me suivre et ainsi on pouvait discuter comme des amies. Faut dire que ma fille qui était rendue à 16 ans était mon portrait tout craché. Seule différence, elle n'était pas aussi naïve que moi et m'ouvrait les yeux bien souvent. J'entrai donc dans le bureau de l'oto-rhino-laryngologiste (O.R.L.), accompagnée de Mélissa. Je lui fis part de mes douleurs d'oreilles et il me répondit sans m'avoir examinée:

–Ouvre ta bouche!

Avais-je bien entendu? Il me demandait d'ouvrir la bouche. C'était quoi ce spécimen-là? Le problème n'était pas là, c'était juste un peu plus haut. Voyant que je le regardais incrédule, il réitéra sa demande.

J'ouvris alors la bouche. Il poursuivit:

–Ferme ta bouche, ouvre-là, referme ta bouche, o.k. ouvre-là maintenant.

Il me fit faire ça pendant une dizaine de fois et je le vis sortir. Je regardai Mélissa et lui dis: "*Yé pas ben lui, ce médecin-là, le problème yé pas dans la bouche maudit, cé aux oreilles que j'ai mal.*"

Le spécialiste revint, accompagné de 3 infirmières. Il reprit la parole et me demanda encore:

–Ouvre ta bouche, referme-là, ouvre ta bouche encore. Avez-vous vu ça les filles, j'ai jamais vu un cas aussi prononcé que le sien. Cé la première fois de ma vie que je vois une mâchoire en S. aussi prononcé.

Il s'adressa ensuite à ma fille en lui demandant de bien regarder et il me fit refaire encore la même chose: ouvre, ferme, ouvre, ferme. Mélissa éclata de rire et me dit:

–Y'a raison maman, tu té pas vu la mâchoire, elle fait un S, chaque fois que tu ouvres ta bouche et que tu la fermes.

Le médecin me tendit un miroir et je recommençai mes simagrées. Ouin, c'était pas trop esthétique. Il me dit alors:

–Pose-toé pas de questions pour ton mal d'oreilles, ça vient de ta mâchoire, elle est déboîtée des deux côtés. Chaque fois que tu ouvres la bouche, ta mâchoire se déboîte et il y a un nerf qui relie ta bouche et ton oreille, cé pour ça que tu as tant mal et que tu es si sensible au froid. As-tu reçu des coups par la tête dans ton enfance?

–Non.

J'étais incapable de lui dire la vérité. Il venait de m'assommer par la nouvelle que j'avais la mâchoire déboîtée, et je voyais ce médecin pour la première fois. Je m'imaginais mal lui dire tout les coups que j'avais reçus. J'en étais là de mes réflexions quand il me dit:

–Je vais te donner des exercices à faire pour essayer de replacer tout ça, mais je te le dis tout de suite, je crains malheureusement qu'avec un cas aussi prononcé que le tien, ça ne marche pas. Je veux aussi que tu mâches de la gomme aussi souvent que tu le peux et on se revoit dans deux semaines pour voir les progrès.

Ce n'était donc pas le froid qui me donnait tant mal aux oreilles, c'était le résultat des coups reçus. Je payais encore malgré tout ce que j'avais déjà enduré. J'essayais d'oublier le passé, mais il finissait toujours par me rattraper.

Par chance, à mon travail, je me retrouvai dans le bureau. La secrétaire étant en congé de maternité; c'était moi qui la remplacerait pour les prochains 6 mois. Mon dos pourrait se reposer et je ne souffrirais plus du froid, car j'avais une chaufferette dans mon bureau et j'avais le contrôle de la température. Restait à régler le problème de mes oreilles.

Mais j'étais tellement heureuse qu'on ait enfin trouvé ce qui clochait. Ça faisait des années que mes enfants me taquinaient parce que je passais mon temps à faire répéter deux, trois fois, avant que je ne comprenne ce qu'ils me disaient. Si deux personnes parlaient en même temps, je n'entendais plus rien. À leurs yeux, j'étais classée "sourde comme un pot".

Pendant 15 jours, je fis les exercices recommandés. Je tenais mon poing fermement sous mon menton et j'ouvrais la bouche. Je répétais le même manège plusieurs fois par jour, espérant ainsi replacer ma mâchoire. Et bien sûr, je mâchai de la gomme. J'essayai toutes les sortes, jusqu'à ce que j'en trouve finalement une qui ne restait pas collée à mes dentiers. J'aurais pu faire une annonce publicitaire pour vanter les mérites d'une gomme ne collant pas.

Et je retournai voir le spécialiste qui constata qu'il n'y avait eu aucune amélioration. Il ne pouvait plus rien faire pour moi, je devais consulter un chirurgien dentaire qui devrait probablement me casser la mâchoire pour ainsi pouvoir me la replacer correctement. J'appelai pour prendre un rendez-vous quand on m'apprit que ces services n'étaient pas couverts par l'assurance-maladie et que je devais payer de ma poche. La première consultation s'élevait à 150$ et ce, seulement pour ouvrir le dossier. Et sans compter les radiographies qu'il serait obligé de prendre. Si on devait me casser la mâchoire, je me retrouverais avec une jolie somme allant chercher dans les 5000$. Je lui demandai à réfléchir

avant de prendre une décision, disant que j'allais les rappeler.

Si j'avais eu l'argent, le problème ne se serait pas posé,
mais c'était là le hic, je n'avais pas une telle somme. J'étais
condamnée à endurer mon mal, et ma surdité empire d'année en année; et tout ça le résultat de volées que j'avais eues.
Pendant combien de temps encore devrais-je payer pour les
coups reçus?

Mes problèmes de dos s'amélioraient depuis que je travaillais assise et que je n'avais plus de lourds paquets à lever. Je surveillais toujours le moindre courant d'air, car la
moindre fraîche me faisait retomber immanquablement. Le
médecin m'avait arrêté de faire de la physiothérapie, enfin
fini les tractions et les chocs. Et je croyais le problème définitivement réglé."

***

Chapitre 31

"Catherina étant en appartement avec Sylvio, Lisbeth avec son chum, il ne restait que Victoria qui restait à la maison avec Maurice, et cette dernière se prenait un appartement en dehors pour aller étudier. Mon chum se retrouverait donc seul. Tant qu'à moi, Mélissa venait de m'apprendre qu'elle allait vivre avec Martin. Nos enfants vieillissaient et partaient chacun leur tour. Je me retrouvais seule avec mes deux fils.

Un problème se dressait maintenant devant nous. Qui allait s'occuper de faire à manger à Maurice, entretenir sa maison, faire son lavage, ce dont sa fille Victoria s'occupait seule depuis le départ des deux autres. J'en discutai un soir avec mon chum:

–J'voudrais bien pouvoir t'aider, mé chu pu capable. Je l'ai fait pendant près de 4 ans, mé là, ma santé ne me permet plus d'entretenir 2 maisons. Quéce que tu vas faire?

–Vu qu'il reste juste les deux petits gars, t'as pas envie de t'en venir rester chez nous, avec eux autres? Je le sais que tu voulais pas qu'on mélange les 6 enfants ensemble, ça aurait été trop de casse-tête, pis trop d'ouvrage, mais avec juste deux, on serait correct.

J'en discutai avec mes deux fils qui me firent un NON, catégorique. Il n'était pas question qu'ils s'enterrent dans un rang, loin de leurs amis. Ils avaient toujours grandi en plein centre du village et à la portée de toutes les joies des ados: club vidéo, patinoire, salon de quilles etc, et il n'était pas question qu'ils abandonnent ça.

Je fis part de notre entretien à Maurice et lui demandai:

–Pour quoi faire, que toé, tu viendrais pas habiter avec nous, tu pourrais louer ta maison.

Après mûre réflexion, il accepta à la condition, que quand nos enfants seraient tous partis, ce serait à moi de le suivre. Il avait été élevé là-bas, avait ses lots à bois, un grand terrain et ne vendrait jamais sa maison. La proposition avait de l'allure et on en parla avec ses filles. Lisbeth était folle de joie; il n'était pas question que son père loue la maison à des étrangers: elle et Pascalain allaient y habiter. Le problème était donc résolu et Maurice vint vivre avec nous après 8 ans de fréquentations.

Catherina arriva un soir à la maison. Sa grossesse était bien avancée et elle désirait avoir une maison à elle. Son choix était déjà fait, il ne restait qu'à ce que son père signe à la caisse pour elle. Maurice entreprit les pourparlers avec le vendeur et ils finirent par s'entendre sur un prix. Mais lorsque sa fille se présenta à la caisse pour emprunter, on refusa car elle était mineure. Elle arriva donc à la maison en demandant à son père de l'acheter pour elle; encore là, Maurice fut incapable de refuser et se retrouva propriétaire d'une seconde maison qu'il loua à Catherina et à Sylvio.

Pendant ce temps, voyant bien que ma belle-fille avait pas grand-chose de ramassé pour le futur bébé, je lui demandai si elle aimerait que je lui organise un shower de bébé. Elle accepta avec joie. Encore une fois, j'oubliais le mal qu'elle m'avait fait: pas de coeur va! Des semaines durant, je préparai les jeux que je ferais pendant la soirée. J'achetai les cadeaux à faire tirer et préparai les invitations. Ce fut toute une réussite. Elle reçut plusieurs présents indispensables au nouveau-né et toutes les personnes présentes participèrent aux jeux et repartirent de bonne humeur.

Pendant des mois, Sylvio travailla dans la maison à refaire les armoires et à finir l'intérieur. Il était toujours considéré comme un paria par ma soeur; je devins donc sa confidente. Un soir, il nous appela, Catherina était dans les douleurs et on devait la monter à l'hôpital de Sherbrooke. On annula donc notre sortie pour aller les reconduire. Au plus fort des contractions, on la laissa seule avec son conjoint, préférant redescendre à la maison, Maurice ne pouvant supporter de voir sa fille souffrir.

Une demi-heure après être de retour, elle nous appela pour nous annoncer la venue au monde d'un beau garçon qui s'appellerait Steve. On promit d'être là le lendemain dans le courant de la journée. Rendus à l'hôpital, quelle ne fut pas notre surprise d'y découvrir ma soeur qui nous accueillit avec son plus beau sourire en disant à Maurice:

–Tu l'as enfin, ton gars que t'as toujours voulu, pis que j'ai pas été capable de te donner.

Voyant que personne ne lui répondait, elle quitta la chambre la tête basse. Si elle espérait se rapprocher de moi, elle s'était trompée. Maurice fit connaissance avec son petit-fils qui était d'une beauté à couper le souffle. Mais j'aurais dû me douter que la malédiction de notre famille soit l'**abandon des enfants**, se répéterait avec Catherina.

Ma mère nous avait abandonnés et seule Suzanne avait grâce à ses yeux, car elle avait fait la même chose avec les siennes, ayant abandonné ses trois filles. Et seule Catherina comptait pour elle. Et cette dernière ferait de même avec le sien. La tare se transmettait de génération en génération.

Je m'en rendis vite compte en rendant visite à la fille de Maurice. Elle semblait ignorer les règles de propreté chez un nourrisson. Dans la chambre du bébé, des couches sales débordaient de la poubelle et jonchaient le sol; une puanteur nous pognait au nez en entrant. Steve sentait le vomi et l'urine. Je demandai donc à ma nièce si je pouvais garder le bébé pendant mes jours de congé, qu'elle puisse se reposer. Catherina avait toujours eu besoin de 12 heures de sommeil par jour et je savais qu'elle n'entendait sûrement pas le bébé pleurer. Elle sauta sur l'occasion à pieds joints.

Avant même que son congé de maternité ne prenne fin, elle recommença à travailler. Elle se cherchait une gardienne et ma fille Mélissa se porta volontaire. Ça lui ferait un peu d'argent de poche et comme son chum travaillait de nuit, ça lui ferait passer agréablement son temps.

Deux semaines plus tard, ma fille m'appelait en larmes:

–Maman, je peux pu garder le bébé de Catherina.

–Comment ça Mélissa, qué cé qui se passe?

–J'veux pas faire de chicane pis si je continue de le garder, je vais déclarer une guerre entre toé pis Maurice.

–Voyons, fille, dis-moé ce qui ne va pas.

–Ça fait deux semaines que je le garde. Quand Sylvio vient le chercher le soir, le bébé est tout propre et sent bon. Quand il vient me le porter le lendemain matin, le bébé est dans le même pyjama, et même couche que la veille quand il est parti d'icitte. Elle le lave pas, pis elle ne le change pas non plus. En arrivant, je dois lui donner un bain, parce qu'il pue le crisse, il pue la pisse, il pue le vomi. Pis ça cé pas la meilleur. À matin, la goutte a fait déborder le vase quand Sylvio m'a dit que le bébé avait pleuré toute la nuit, pis eux autres voulaient dormir. Cé tu cé quoi qui ont faite les deux sans-dessin? Y ont mis du Tia-Maria dans sa bouteille de lait pour qui s'endorme.

–Té pas sérieuse Mélissa, sont pas ben ou quoi?

–Ça fait que là, j'ai deux choix: ou j'arrête de le garder pis je ferme ma gueule ou je fais une plainte à la DPJ. Pis si je fais ça, tu imagines la guerre que ça va déclarer entre toé pis Maurice pis sa fille. Qu'est-ce que tu ferais à ma place?

–Mélissa je ne peux pas te dire quoi faire, sache seulement que quelle que soit la décision que tu vas prendre, je vais la respecter et la comprendre. Moé, je peux pas porter plainte à ta place, cé pas moé qui a vu ce qui est arrivé. En tout cas, je vais avoir une discussion avec Maurice à soir. Va falloir qu'il s'aperçoive que sa fille est incapable d'avoir soin d'un bébé.

Le soir, sitôt mon chum entré, je lui demandai de m'accompagner dans la chambre, je devais lui parler seule, sans mes fils pour écouter. Je lui fis part de ce que Mélissa m'avait appris. C'était sa fille et c'était à lui d'agir. J'aurais dû me douter que Maurice se boucherait encore les yeux:

–J'comprends que ta fille ne veuille plus garder le bébé, après tout, son chum Martin travaille de nuit, pis ça doit l'empêcher de dormir dans le jour.

–Maurice arrête de te boucher les yeux, je te l'ai dit pourquoi qu'elle ne voulait plus le garder. Cé pas à cause de son chum, cé à cause de ta fille qui néglige son bébé.

–Oui, mé Mélissa est pas habituée de garder des enfants, cé normal qu'elle soit épuisée.

–Pis j'suppose que cé normal que ta fille donne du Tia-Maria à son bébé pour qu'il s'endorme au plus calice. Voyons, Maurice, arrête de toujours minimiser les choses pis regarde la vérité en face: ta fille est encore un bébé, comment veux-tu qu'elle prenne soin d'un enfant?

Encore une fois, mon chum refusait de voir l'évidence. C'était impossible qu'elle ait pu faire une telle chose. C'était ma fille qui ne voulait plus garder Steve et qui se cherchait une raison. De plus, elle venait de m'annoncer une super de bonne nouvelle: elle était enceinte, j'allais être grand-mère."

***

214

Chapitre 32

Au travail, plus rien n'allait. La secrétaire était revenue de son congé de maternité et moi, j'étais retournée au dépaquetage. Je devais lever des boîtes pesantes et mon problème de dos refit surface. Je retournai consulter mon médecin qui me référa à un physiatre à l'hôpital Hôtel-Dieu de Québec. Ça faisait des années que je souffrais, fallait trouver la provenance de ce mal.

Quand je rencontrai le spécialiste, il me leva les jambes dans les airs, le plus loin possible, je lâchai un cri de douleur. Il consulta mon dossier et vit que j'avais une sacralisation de la vertèbre L5. Il ne pouvait affirmer avec certitude que le mal provenait de là, mais étant donné que mes souffrances revenaient continuellement, il ne me restait plus que l'opération. Tout avait été tenté, les anti-inflammatoires, la physiothérapie, il ne restait plus que cette éventualité.

Je le questionnai: en quoi consistait l'opération et il m'expliqua:

–On gratte tes os et on en fait une pâte. Ensuite on se sert de cette pâte pour réunir ta vertèbre L5 et la souder avec une autre vertèbre.

Je demandai du temps pour réfléchir. Ensuite, je lui fis part de mes problèmes avec le froid. Depuis plusieurs mois le mal avait empiré. J'étais incapable de prendre quoi que ce soit qui fut le moindrement froid, les doigts m'engourdissaient. Juste le fait de toucher à de la viande froide, mes mains crampaient. Il m'examina pour en venir au verdict que je faisais une tendinite.

Je repartis de là en colère. Mes problèmes de santé n'étaient toujours pas réglés et je me retrouvais encore aux travaux légers en attendant que je me décide à être opérée. En arrivant, j'appelai mon frère Mario à Sherbrooke, je savais qu'il avait déjà eu un opération semblable et je voulais savoir si ça avait réussi.

–Salut Mario, cé Julie, je t'appelle, je sais que tu t'es déjà fait opérer dans la colonne, cé quoi au juste que t'avais?

–J'avais une sacralisation de la vertèbre L5. Ils ont soudé les os ensemble. Pendant 5 ans, je n'ai plus eu aucune douleur, mé ça revient toujours. Là, quand j'ai trop mal, je rentre à l'hôpital, pis ils me font une épidurale.

–Chu emmanchée pareil comme toé, pis bon, ils veulent m'opérer aussi.

–Surtout, fais pas cette bêtise-là, tu vas le regretter. Cé ben beau 5 ans sans ravoir de mal, mais quand ça revient, cé encore plus douloureux.

–Tu trouves pas ça bizarre que nous autres, les deux derniers de la famille, on soit arrangés pareil. Ton médecin t'a tu dit de quoi ça dépendait?

–Ca, cé parce qu'on a pas été assez battus, quand on était jeunes.

Je raccrochai et pris rendez-vous avec mon médecin de famille. Je lui fis part de ma rencontre avec le spécialiste et du résultat de notre entretien. Mon docteur était contre cette opération. J'étais beaucoup trop jeune pour me faire jouer dans la colonne vertébrale. Je lui appris par la suite que mon frère était arrangé de la même façon que moi. De quoi est-ce que ça pouvait dépendre? Mais c'était là un mystère de la nature.

Je retournai travailler de peine et de misère. Mes patrons commençaient à avoir leur voyage que je sois encore sur les travaux légers et je les comprenais. J'aurais tellement aimé avoir une jambe cassée et dans le plâtre, j'aurais pu leur montrer et leur dire: "*Vous voyez, cé là que j'ai mal.*" Mais un problème de dos, ça ne se voit pas et on doute de ton mal.

À chaque soir, je pleurais en arrivant à la maison. Qu'allais-je faire à 34 ans. Je ne pouvais me permettre d'arrêter de travailler; j'avais encore 2 enfants à ma charge. Quand j'en discutais avec Maurice, ça revenait toujours au même:

–Si tu t'en venais rester avec moé dans ma maison, t'aurais pu besoin de travailler. Ma maison est claire de dettes, t'aurais juste à t'occuper de l'entretien, je suis capable de te faire vivre, juste toé, mais avec tes deux enfants, ça m'en ferait trop. Il nous reste qu'à patienter que le dernier arrive à ses 18 ans.

Fallait que je fasse quelque chose. J'étais épuisée physiquement et moralement. J'avais recommencé à prendre des anti-inflammatoires et la physiothérapie sans éprouver le moindre soulagement. Un après-midi, je discutais avec le père de Martin (le beau-père de ma fille). Une idée me vint:

–Claude, toé qui restes dans le village depuis toujours, tu dirais quoi que je me parte un petit magasin–général. Je n'entrerais pas en concurrence avec personne, je vendrais ce qu'on ne trouve plus dans la place comme: les petits appareils électroménagers tels que fers à repasser, bouilloires, cafetières, en plus j'aurais la literie, la vaisselle, les chaudrons, la pêche et la chasse. T'en penses quoi toé?

–J'te dis que ça serait une maudite bonne idée. Tu le sais autant que moé, comme ces choses-là sont demandées par le monde des chalets, l'été. Pis icitte on garde pu rien de ça. J'verrais pas pourquoi que ça marcherait pas. Si tu te sens capable de te lancer, j'te dis go, vas-y!

Pendant mon heure de dîner, j'appelai ma fille et lui dis:

–Mélissa, je vais mettre la maison en vente. Je vais soit me louer un local, soit m'acheter une maison sur la rue principale pour me partir un commerce. Pis le plus drôle, cé que j'ai pas parlé de ça à personne, mais j'ai déjà deux acheteurs sur la maison. Tu connais Steven à la coop, ça fait des années qu'il me dit que si je viens qu'à vendre la maison, il veut être le premier à l'avoir. Pis tu connais le contracteur, qui nous a aidées à refaire l'extérieur, il me l'a demandé lui aussi.

Ma fille m'encouragea dans cette voie et on raccrocha. J'étais à me préparer à manger lorsque le téléphone sonna.

C'était Mélissa:

–Maman, j'ai quelque chose à te demander: donne-nous une semaine à moé pis Martin, avant d'offrir la maison à quelqu'un.

–Pour qué cé faire?

–Maman, chu ta fille, pis je veux être la première à l'avoir. J'ai dit à mon chum que tu voulais vendre, pis y veut la maison. Donne-nous juste quelques jours pour y penser comme il faut.

–Bon, cé o.k. Cé ben sûr que je vais penser à ma fille et à mon gendre avant de la vendre à un étranger.

Lorsque Maurice arriva le soir, je lui fis part de mes projets. On pesa le pour et le contre. L'avantage pour mon chum était bien sûr que si je me partais un commerce à même une maison, je serais là le soir à son retour; son repas serait toujours prêt. Son rêve d'avoir une femme à la maison se réaliserait enfin. Seul inconvénient, me dit-il, la maison n'était pas encore vendue et ça pourrait prendre des années. Les deux bras lui tombèrent quand je lui appris que la maison était déjà vendue ou presque, ayant trois acheteurs sérieux.

Le soir même, on visita des locaux. Soit ils était trop petits, soit l'appartement qui venait avec était vieux et délabré. Il ne nous restait qu'à regarder pour une maison. Deux jours plus tard, on trouvait l'endroit idéal sur la rue principale. Une maison à deux étages, qui comptait 4 chambres à coucher, deux salles de bains, un immense salon qui faisait tout le devant de la maison et qui se transformerait facilement en magasin. Je la fis visiter à mes deux fils qui, sans sauter de joie à l'annonce d'un éventuel déménagement, la trouvèrent quand même à leur goût.

Mélissa m'appela pour m'annoncer qu'ils achetaient la maison. Il ne me restait plus qu'à aller à la caisse régler les papiers. J'invitai mon employeur à m'accompagner au restaurant pour dîner, disant que j'avais quelque chose à lui annoncer. Je le mis devant le fait accompli. Je lui donnais 2 semaines de notice, mais en lui expliquant que je ne voulais pas qu'il pense que j'avais profité de mes 3 années à leur service pour apprendre la business et ensuite, me partir à mon compte. Je n'avais d'autre choix si je voulais recouvrer la santé. Il comprit mon geste et me souhaita bonne chance.

Je pris mes deux semaines de vacances auxquelles j'avais droit et en profitai pour me procurer mes permis et trouver mes fournisseurs. Maurice demanda ses vacances lui aussi et tous les deux, on transforma le salon en magasin. Je peinturais jusqu'à trois heures du matin, et dès 6 heures, j'étais debout et prête à continuer. Étrangement, mes douleurs de dos avaient complètement disparu. Mais j'avais beaucoup trop de travail pour me poser des questions.

Je retournai à la coop travailler pour mes deux semaines de notice, mais tout était prêt. Je finissais le 31 avril et le 1er. mai, j'ouvrais mon magasin. Jimmy demanda à ce qu'on agrandisse sa chambre, ce qu'on fit. Quant à Jean-René, il avait toute une surprise pour moi:

–Mom, vu que cé Mélissa qui a acheté la maison, ça te dérangerait tu si je restais avec elle pis avec Martin. Je pourrais garder ma même chambre.

–Tu l'aimes pas, la nouvelle maison?

–Cé pas ça mom. Chu rendu à 16 ans, pis je travaille. Je paierais pension à ma soeur, pis chu rendu assez vieux asteur, je me sentirais plus libre un peu. J'en ai parlé avec Mélissa pis Martin, pis y sont d'accord pour me garder. Vu que son chum travaille de nuit, Mélissa ne serait pas toute seule. Pis l'argent que je leur donnerais, ça les aiderait un peu pour partir. Mais je veux que tu saches que cé pas parce que je t'aime pas, mé cé comme si je m'en allais en appartement.

Devant une telle détermination, je ne pus que m'incliner. Mes enfants me quittaient l'un après l'autre pour faire leur propre vie. J'avais au moins une consolation, même si mes deux plus vieux ne restaient plus avec moi, il restaient tout près et je pouvais les voir à tous les jours.

Quant à Maurice lui, sa fille Lisbeth attendait un enfant sous peu, Victoria était aux études et Catherina, elle travaillait toujours dans une shop de couture."

***

Chapitre 33

— L'ouverture de *Julie-Variétés*, ne se fit pas en grande pompe. J'envoyai une annonce par la poste indiquant la nature du commerce en attendant mes premiers clients.

Tout était en place et il ne restait qu'à faire le ménage de la cave. C'était là qu'on envoyait tout ce dont on n'avait plus besoin. Maurice me demanda donc de l'aider à sortir le tout et le mettre au chemin. Ça faisait seulement 15 minutes que j'étais dans la cave quand je fus incapable de me relever. Mon chum m'aida à monter les marches d'escalier et me dit:

—J'pense que t'auras pu besoin de te poser de questions asteur, tu sé d'où y vient, ton mal. Pendant 2 semaines t'as peinturé jour et nuit pis t'as pas ressenti le moindre petit mal. Là, tu descends dans la cave 15 minutes, pis tu barres. Cé fini pour toé de descendre icitte, l'humidité pis la fraîche, cé ça qui te fait tant souffrir.

Maintenant, j'en avais la certitude, je devrais me surveiller continuellement. J'avais un de mes amis qui me fournissait en chasse et pêche et dont le commerce se trouvait dans sa cave. Chaque fois que j'y allais, j'en avais pour une semaine à me remettre. Fini aussi les arénas d'où je ressortais en boitant.

Mais j'avais la consolation de travailler à même ma maison, et il n'en tenait qu'à moi de lever ou de baisser la température. Mais il n'y avait pas que des avantages. Catherina appelait à chaque fois qu'elle se chicanait avec Sylvio. Et

Maurice devait aller chercher le bébé. Peu après, sa fille pouvait maintenant prendre son auto qu'elle s'était achetée (achat endossé par son père) et prendre le large.

Sylvio nous appelait alors, mort d'inquiétude. Sa blonde était partie depuis plusieurs heures et toujours pas entrée.

J'ignorais alors que je venais, d'une certaine manière, de mettre un autre enfant au monde et ce, pour les deux années suivantes. J'avais Steve une semaine, pour une journée passée chez sa mère. Le torchon brûlait entre elle et Sylvio, et Suzanne ne lui ayant jamais pardonné l'aveu, ma nièce finit par mettre son chum à la porte. Comme elle n'avait que 17 ans, elle recommença à sortir en négligeant son enfant. Elle ne le voyait que par temps perdu. Évidemment, sa mère était heureuse du nouveau statut de célibataire de sa fille et l'amenait voir des danseurs nus pendant qu'on jouait aux nouveaux parents.

Victoria arriva un soir à la maison. Elle avait repris ses cours manqués et passé avec succès. Elle désirait étudier maintenant en désign de mode. Cours qui ne se donnait que dans un cégep privé à Québec ou Montréal. Évidemment, elle venait voir son père, pour qu'il paie ses frais scolaires, de logement, d'auto et de tout ce qui s'ensuivait.

Maurice lui fit remarquer, qu'il n'était pas millionnaire et qu'il était bien prêt à en payer une partie, mais que sa mère devrait faire sa part, elle aussi. Elle avait un bon travail et se permettait des vacances en Floride. Tandis que nous, nous n'avions jamais fait de sorties sans amener les enfants avec nous. Une petite guerre se déclara alors:

–Cé a toé de payer pour moé. Maman, elle t'a tout laissé quand elle est partie. Elle a pas une maudite cenne noire, pis elle a de la misère à joindre les deux bouts.

–Ta mère a juste a sortir un peu moins, pis à se priver un peu, pis a va arriver dans son budget. Elle a jamais payé une maudite cenne pour vous trois, je me suis toujours arrangé tout seul.

Là, les cris et les pleurs s'en mêlèrent et je dus sortir à l'extérieur pour ne plus les entendre s'engueuler. Victoria refusait de demander de l'aide à sa mère et Maurice refusait de défrayer le tout, tout seul. Au bout de 30 minutes, j'entrai à l'intérieur et leur demandai de baisser le son. Je fis remarquer à Victoria que son père n'avait pas tort; elle me dit de me mêler de mes affaires, que je n'étais pas sa mère.

Le tout dura tout l'été. À chaque visite de sa fille, Maurice s'engueulait pendant des heures et ça finissait toujours par les pleurs et les cris de Victoria. Je commençais à avoir mon voyage de leurs querelles incessantes et recommandai à Maurice de se prendre un avocat. Lui pourrait le conseiller à savoir s'il pourrait avoir de l'aide financière de son ex-femme. Mon chum décida d'appeler Suzanne et voir si elle pourrait l'aider à payer les études de leur seule fille qui décidait de faire de hautes études. Le tout dégénéra en menaces et en chicane. Elle menaçait Maurice de l'amener en Cour et de réclamer la moitié de sa maison et de le mettre tout nu dans la rue. Après tout, disait-elle, elle lui avait tout laissé quand elle l'avait quitté.

Je sortis ses papiers de divorce et vérifiai s'il y avait la moindre faille. Non, tout était clair et c'était irrévocable. Maurice alla donc voir un avocat qui lui confirma ce que je lui avais dit. Ma soeur ne pouvait revenir en arrière après toutes ces années; ce n'était que du chantage. Victoria dut donc se plier aux exigences de son père: elle demanderait à sa mère de lui verser une pension alimentaire pour qu'elle puisse poursuivre ses études, et Maurice l'aiderait aussi; mais ce n'était pas à lui seul à payer, cette enfant-là, il ne l'avait pas faite tout seul après tout.

À partir de là, on eut droit aux menaces et au chantage. Ma soeur se servait de ses enfants pour essayer de nous atteindre. Lisbeth et Pascalain craignaient de se retrouver dehors après que Suzanne les ait menacés de renier le jugement de divorce et d'exiger la maison. Et maintenant qu'elle avait sa petite fille, (un autre shower de bébé que j'avais préparé pour eux) l'insécurité lui faisait peur. Même chose pour Catherina à qui sa mère avait fait la même peur. Mais plus rien n'arrêterait Maurice, et un huissier se présenta chez son ex pour lui remettre une demande de pension alimentaire en lui indiquant l'heure et la date où elle devrait se présenter en Cour.

J'aurais bien aimé pouvoir soutenir Maurice pendant cette

épreuve, mais j'avais mes trois enfants aussi et ma fille aurait besoin de moi comme jamais. Le 20 août, Mélissa se présenta à 9 heures du matin à la maison. Ses eaux étaient crevées et elle devait se rendre à l'hôpital. Elle me demandait de les accompagner elle et Martin, et elle désirait que j'assiste à l'accouchement. Par chance que j'avais Jimmy qui avait appris à s'occuper du magasin; je partis donc la tête en paix en lui confiant la business.

Ce ne fut qu'à 11: 40. le soir qu'un beau gros garçon de 8 lbs. 14 onces, et qui s'appellerait Tommy, vit le jour. Mon petit-fils, la chair de ma chair. En voyant ma fille le tenir dans ses bras, toute mes craintes disparurent. Elle cria tout fort: "*Maman, cé le plus beau bébé du monde.*" Et je sus immédiatement qu'elle avait la fibre maternelle et qu'elle ferait une mère merveilleuse. Mais le pire était à venir.

Mélissa dut rester 4 jours à l'hôpital. À tout moment, on craignait de devoir lui faire une transfusion de sang, car elle souffrait d'anémie. Quant au bébé, on lui passa des rayons x, le pédiatre redoutait qu'il ait une épaule de cassée, suite à l'accouchement difficile. Finalement, elle regagna la maison avec son joli poupon et je ne passai pas une journée sans aller le voir ou sans appeler ma fille.

Un mois plus tard, le téléphone me réveilla tôt le matin. C'était un appel à frais virés de Mélissa qui me dit en pleurant:

–Maman, chu à l'hôpital de Lac-Mégantic, chu rentrée hier soir d'urgence. Pis les médecins ont décidé de me garder. Cé la mère à Martin qui garde le bébé, tu peux tu venir me voir, pis me l'amener, si tu savais comme il me manque.

–J'arrive, fille, tout de suite. Je vais demander à Jimmy si ça ne le dérange pas de manquer l'école et de s'occuper du commerce.

À l'annonce que sa soeur était à l'hôpital, mon fils ne se fit pas prier et accepta de s'occuper du magasin. Après être passée chercher Tommy, je me dirigeai à l'hôpital où je retrouvai mon gendre auprès de ma fille. En entrant dans la chambre, le médecin était là. Je le questionnai:

–Tu peux-tu me dire, cé quoi qu'elle a ma fille?

–Elle fait une pancréatite. Cé une pierre qui bloque le conduit qui mène au pancréas et qui le fait enfler. Les amylases sont habituellement à 300, mais les siennes sont à 44,000.

–Pourquoi que vous l'opérez pas?

–Madame, si on ouvre votre fille, elle va y rester.

J'accusai le coup et ma fille se mit à pleurer. Elle serra fort son fils dans ses bras comme si elle craignait de ne plus jamais le revoir. Je retenais mes larmes; ce n'était pas le temps que je flanche, ma fille aurait besoin de moi. Je lui dis alors:

–Mélissa, je vais aller porter ton bébé chez les parents de Martin, et je reviens immédiatement, o.k.

Ma fille acquiesça et je refis le trajet jusqu'à Lambton. Quand mon petit-fils fut chez ses grands-parents paternels, je me permis enfin de pleurer tout mon soûl. Mélissa pouvait mourir d'un instant à l'autre et c'est en demandant à Dieu d'épargner une si jeune maman qui adorait son fils que je retournai auprès d'elle aux soins intensifs. Pendant des jours et des nuits, je fus au chevet de ma fille, accompagnée de Martin. Je ne prenais que quelques heures de relâche et j'en profitais pour aller à Lambton chercher mon petit-fils et l'amener à ma fille. Je savais qu'à la vue de son bébé, elle se battrait pour vivre.

J'étais anéantie. Je voyais ma fille qui gisait sur un lit avec quatre flacons accrochés à son bras gauche et trois à son bras droit, un tube qui lui sortait du nez, les électrodes collées sur sa poitrine et un gomco qui sortait les déchets de son corps en plus de la sonde urinaire. Je déposais son bébé sur son ventre et elle réussissait à le caresser avec le bout de ses doigts en lui répétant combien elle l'aimait. À chaque départ, c'était la crise de larmes, et je lui promettais de lui rapporter son fils le lendemain.

Je reconduisais Tommy chez ses grands-parents paternels et ensuite go-back auprès de ma fille. Par chance que je pouvais compter sur Jimmy, pour s'occuper de mon commerce, et j'aurais dû m'y attendre, il redoubla son année scolaire.

Jean-René travaillait toujours et venait de s'acheter une

auto. J'étais toujours inquiète chaque fois qu'il prenait le volant, car je savais à quel point il était maniaque de la vitesse. J'avais beau lui recommander la prudence, il n'en faisait qu'à sa tête et essayait d'impressionner ses copains.

Huit jours plus tard, après avoir réussi à stabiliser les amylases de Mélissa, on lui remit son congé, pour qu'elle puisse récupérer en attendant d'être opérée. Auparavant, je devais l'amener à l'hôpital de Sherbrooke, lui faire passer des examens. Et ça tombait la même journée où Maurice devait se présenter à la Cour avec Victoria. Je m'excusai auprès de mon chum de ne pouvoir l'accompagner; la santé de ma fille passait en premier. Enfin, je ramenai ma fille à la maison et c'est le coeur empli de joie et de larmes qu'elle put ramener son fils chez elle. Je pouvais enfin recommencer à respirer. Julie la forte, Julie la courageuse put pleurer à sa guise les larmes contenues depuis le début de la maladie de sa fille. Pendant des semaines, je ne m'étais permis aucune larme pour ne pas troubler Mélissa; mais maintenant, je pouvais me laisser aller. J'avais rencontré la spécialiste et la date de son opération était fixée pour dans un mois et demi.

Lorsque j'arrivai à la maison, Maurice et Victoria jubilaient. Avec tous les problèmes auxquels j'avais dû faire face, j'en avais complètement oublié quel jour on était et je dus leur demander la raison de leur si grande joie. Ma belle-fille me sauta au cou en me donnant tous les détails. La juge exigeait de ma soeur qu'elle remette 100. dollars par semaine à sa fille pour lui permettre d'étudier.

Ma soeur avait fait une vraie folle d'elle. Elle s'était présentée à la Cour vêtue de guenilles pour se faire passer pour pauvre. Elle avait exagéré les biens de Maurice et s'était plainte de lui avoir tout laissé lors du divorce. Lorsque mon chum fut appelé à la barre, il remit les pendules à l'heure; ma soeur l'avait quitté pour un autre homme en lui laissant les 3 filles sur les bras, avec 21,000. dollars de dettes. Jamais depuis, elle n'avait versé le moindre sou pour ses enfants, pas même pour leur acheter une paire de bas. La juge lui reposa la question par 3 fois: savoir qu'elle ne l'avait jamais aidé financièrement.

Elle se rendit vite compte que Suzanne se payait la belle vie, tandis que son ex-mari se damnait comme un bon pour procurer tout à ses filles, dont sa propre maison qu'il avait louée à un prix modique à sa fille Lisbeth, la deuxième maison qu'il avait achetée à sa fille Catherina, les autos dont il avait endossé les prêts. Et ce, sans compter le ménage complet qu'il avait acheté pour ses deux petits-enfants; couchettes, bureaux etc. À la suite du jugement, ce fut la dernière fois que j'entendis Suzanne se plaindre qu'elle avait tout laissé à son ex-mari et qu'elle s'était retrouvée toute nue dans la rue. Les preuves étaient enfin là.

Le jeudi suivant la sortie de l'hôpital de Mélissa, les problèmes continuèrent sans relâche lorsque le téléphone sonna:

–Ici Bell Canada, vous avez un appel à frais virés de Jean-René B., si vous acceptez, appuyez sur le 1.

–Jean-René, qué cé qui se passe?

–Mom, inquiète-toé pas, chu pas blessé, j'ai rien, chu en vie. J'ai scrapé mon char. Peux-tu venir me chercher?

Et là, mon fils de partir à pleurer. Accompagnée de Maurice, je partis sans délai pour Lac-Mégantic. En pénétrant dans la ville, on rencontra la remorque qui amenait le véhicule de mon fils. Par chance qu'il m'avait appelée et que j'avais entendu sa voix, sinon je n'y aurais pas survécu. L'auto était une perte totale et le côté du conducteur était complètement enfoncé. C'était un vrai miracle que mon fils s'en soit sorti indemne. Lorsque j'arrivai sur les lieux, je courus au-devant de Jean-René qui se précipita dans mes bras en pleurant. Il me raconta l'accident en revenant à la maison. Il était dans la lune et n'avait pas vu le stop, coupant ainsi la voie principale. Un véhicule lui était rentré en plein dedans, et il ne comprenait pas qu'il s'en soit sorti sain et sauf. Il pleurait la perte de son véhicule.

Je le rassurai en lui disant qu'après tout, l'auto c'est que de la ferraille, et que l'important était qu'il soit en vie, sans séquelles fâcheuses. Il en avait été quitte pour une bonne frousse et moi aussi. Je remerciai Dieu de l'avoir épargné.

La semaine suivante, il s'achetait une nouvelle auto, identique à celle qui était à la ferraille. Encore plusieurs nuits sans sommeil s'en venaient pour moi.

Mélissa craignait de se retrouver seule avec son bébé la nuit. Martin travaillait et depuis sa pancréatite, elle avait toujours peur d'en faire une autre avant son opération, et de perdre connaissance. Je l'invitai donc à venir coucher à la maison avec Tommy. Cette maladie arrivait à l'origine à des ivrognes. Mais comme ma fille ne prenait aucune goutte de boisson, le problème venait donc de son alimentation. Elle avait perdu 50 livres depuis son hospitalisation et depuis sa sortie, elle ne prenait que du liquide. Le premier soir, tout se déroula à merveille. Le lendemain soir, je la vis se plier en deux et grimacer. Je lui demandai si tout allait bien. Elle me rétorqua qu'elle souffrait le martyre, mais qu'elle patienterait encore quelques minutes avant d'appeler son chum pour voir si le mal allait passer.

J'étais inquiète, mais elle refusait que je la monte à l'urgence. Elle finit donc par contacter Martin à son travail et retourna à l'hôpital en me demandant de garder son fils, disant qu'elle me donnerait des nouvelles le plus tôt possible. Je tournais en rond comme un lion en cage en évitant de penser au pire lorsque le téléphone se fit entendre. Encore un appel à frais virés de ma fille qui était en larmes:

–Maman, je fais une jaunisse, et demain je devrais pouvoir sortir.

–Fais attention à toi, on se revoit demain. Je t'aime.

Je raccrochai et me laissai glisser au sol en larmes. Une fois de plus, mon moral serait mis à rude épreuve. Entre l'inquiétude que mon fils était un vrai danger public au volant, ma fille qui était malade, mon petit-fils qu'on trimbalait d'une grand-mère à l'autre, le petit-fils de Maurice que je gardais à temps plein et pour qui je devais trouver une gardienne, le commerce que Jimmy devait supporter seul, mon courage commençait à s'effriter lentement et sûrement, mais je me devais de ne rien laisser paraître et de me montrer forte. Combien de fois ai-je imploré Dieu de venir me chercher, moi, et de laisser ma fille vivre! Mes enfants avaient vieilli et seraient capables de se passer de moi, tandis que mon petit-fils avait besoin de sa mère. J'étais prête à monnayer ma vie contre la vie sauve de ma fille.

Ma fille revint le lendemain après-midi et elle coucha chez-moi ce soir-là. Vers 11:00 hres. le soir, même manège que la veille. Contacter Martin pour qu'il monte Mélissa à l'hôpital.

Le lendemain matin, je reconduis Tommy chez les parents de Martin et me dirigeai à l'hôpital. On bourrait ma fille de morphine et de gravol, pour qu'elle puisse endurer le trajet Lac-Mégantic vers Sherbrooke en ambulance. Et ses yeux n'étaient plus que deux grosses boules enflées. Mon gendre embarqua avec moi et on suivit l'ambulance jusqu'à destination.

On patienta toute la journée et on dut écouter Mélissa divaguer toute la journée. Il était temps qu'on arrête la morphine. Ma fille demandait à ce qu'on attache le tigre pour pas qu'il mange le voisin. Elle nous suppliait de la ramener à la maison, et devant notre refus, menaçait de se rouler en boule et de revenir comme ça à Lambton. Elle entendait son fils pleurer et chaque fois que le téléphone sonnait à l'urgence, elle engageait une discussion avec l'interlocuteur imaginaire. Un interne vint nous rencontrer et nous expliqua:

–On va aller voir avec une caméra à l'intérieur, voir où la pierre est bloquée.

–Veux-tu que je t'en fasse avaler une caméra, moé? lança ma fille. Pis après t'essayeras de recracher la cassette.

L'interne nous regarda et je dus lui demander qu'on arrête de donner de la morphine à Mélissa, elle divaguait complètement. On changea donc sa médication pour lui donner du démérol. Ce ne fut pas mieux, elle fit une allergie au médicament.

On réussit à rencontrer le chirurgien. Il refusait de l'opérer. Ce n'était pas lui qui avait été autorisé à le faire, mais une de ses collègues. Là, ma patience avait atteint sa limite:

–Là, tu viens me dire, que tu vas laisser ma fille retourner chez eux parce que t'es pas autorisé à l'opérer. Ça fait deux pancréatites qu'elle fait et tu sais très bien que si tu lui redonnes son congé, il y a de fortes chances qu'elle en fasse une autre. Elle a un bébé de trois mois à peine qui l'attend à la maison, pis yé pas question qu'elle sorte d'icitte tant qu'elle sera pas opérée. Cé quoi que ça te prend?

–Ça me prend son autorisation.

–Ben tu l'as, sa permission. Mélissa dis-lui que tu lui permets de t'opérer. Que ce soit une femme ou lui qui le fasse, ça n'a pas d'importance. Mais faut qu'on en finisse une fois pour toutes. Elle passera pas sa vie, à voyager à l'hôpital.

Ma fille agréa à mes dires. Oui, on devait l'opérer au plus sacrant; elle dépérissait à vue d'oeil. Le chirurgien accepta donc et prévit le tout pour le mardi suivant. Plus que quelques jours à attendre. On retourna à la maison et je refis le même trajet les jours suivants en emportant mon petit-fils avec moi.

La soeur de Martin, une infirmière auxiliaire, m'appela pour m'informer qu'elle serait auprès de Mélissa le mardi, jour de son opération. Je pourrais donc rester à la maison avec Tommy et me reposer. J'avais une grande confiance en elle et je savais que ma fille serait en de bonnes mains. Je lui fis toutefois promettre de m'appeler sitôt Mélissa sortie de la salle d'opération, ce qui était prévu pour 2:30h.

À l'heure dite, le téléphone sonna et j'entendis encore le rituel qui faisait maintenant partie de ma vie:

–Ici Bell-Canada, vous avez un appel à frais virés de Mélissa...

Sachant que ce devait être la belle-soeur de ma fille, je fus étonnée d'entendre pleurer:

–Maman, cé Mélissa, il y a eu une urgence pis ils ont pas le temps de m'opérer, c'est remis à mardi prochain. Là chu écoeurée, yé pas question que je passe encore une fin de semaine icitte. Je m'ennuie de mon bébé. Depuis qui y é au monde que je l'ai pratiquement pas vu. Il me reconnaîtra même pu ben vite. Maman, viens me chercher, je t'en supplie.

–Mélissa donne-moé 10 minutes pour réfléchir à ce que je peux faire. Je te rappelle, mais je t'en prie, arrête de pleurer fille, ça me fend le coeur de t'entendre. Je t'aime.

–Moé aussi je t'aime, tu peux pas savoir à quelle point.

Sitôt raccroché, j'appelai mon frère Mario qui demeure à Sherbrooke:

–Mario, j'ai besoin que tu me trouves dans le bottin téléphonique, le numéro d'une femme chirurgien; elle s'appelle Marie S. fais ça vite s.v.p. !

Aussitôt que j'eus le numéro demandé, j'appelai immédiatement et me présentai:

–Je m'appelle Julie N. Je suis la mère de Mélissa B. Je ne sais pas si vous vous souvenez de moi, mais j'étais avec ma fille lors de notre rencontre. Vous êtes cédulés pour opérer ma fille dans deux semaines. Mais elle a fait une autre pancréatite et elle est à l'hôpital présentement. Je sais que vous opérez toujours le mercredi, pourriez-vous le faire demain, même si elle est pas sur votre agenda. Ma fille est en pleine déprime, elle a un petit bébé qu'elle n'a pratiquement pas vu depuis sa naissance.

–Mélissa est à l'hôpital présentement: ça adonne bien, car j'ai dû remettre plusieurs opérations. Je manque de lits pour mes patients.

–Ma fille a un lit elle, mais n'a pas de chirurgien pour l'opérer.

–Je m'en occupe demain, Madame N.

–Vous savez pas à quel point je vous remercie.

J'étais folle de joie, il ne restait qu'à apprendre l'heureuse nouvelle à ma Mélissa:

–Fille, cé mom, prépare-toé, tu te fais opérer demain.

–Maman, cé quoi la joke? Comment t'as fait?

–J'ai appelé Marie S, celle qui était supposé t'opérer dans deux semaines, elle a du temps demain, elle va te passer.

–Mais, je vais être toute seule, la soeur de Martin recommence à travailler demain.

–Tu sais ben Mélissa que ta mère sera toujours là quand tu vas avoir besoin d'elle. Dès que ton frère arrive de l'école, je monte à Sherbrooke avec ton fils, je vais coucher chez Mario. Attends-moi, j'arrive dans quelques heures.

Ma fille pleura en me remerciant. Depuis quelque temps, Maurice et moi, on se voyait à temps partiel. On se donnait rendez-vous au restaurant le dimanche soir. Quand il arriva de travailler, je lui annonçai la nouvelle. Il devrait s'occuper seul de Steve, car je devais être auprès de ma fille. Il fut peiné qu'une fois de plus, on soit séparés, mais il comprenait que ma place était là-bas, avec mon enfant. Et je dus avoir un entretien avec le directeur de l'école qui trouvait que mon fils était toujours absent. Il se permit même d'en rire lorsque je lui dis:

–Chu vraiment désolée, mais j'ai trois enfants dont une aux soins intensifs. J'ai un commerce et pas le temps de m'en occuper. J'ai de plus la charge de mon petit-fils et je n'ai que deux mains pour combler tout le monde.

Il se montra très compréhensif et je partis le coeur moins lourd retrouver ma fille. Mon frère Mario m'accompagna et passa la journée du lendemain avec moi. J'avais préparé une quantité énorme de lait pour Tommy, j'avais prévu plusieurs rechanges et j'étais prête à affronter la longue attente. À chaque fois que j'arrivais à l'hôpital, j'avais les bras chargés, ma sacoche sur une épaule, le sac du bébé de l'autre, un sac de rechange pour ma fille d'une main, et le bébé qui dormait dans son petit siège de l'autre. On me trouvait bien courageuse et même si en dedans de moi j'avais la trouille, j'arrivais toujours avec le sourire et des paroles d'encouragement pour Mélissa. Jamais personne ne se serait douté que j'étais épuisée par les nuits sans sommeil. Je m'appliquais à chaque matin après la douche à me maquiller et cacher les cernes qui recouvraient mes yeux. J'étais redevenue superwoman.

L'heure avançait et ma fille paniquait à l'idée que l'opération puisse être remise une autre fois. Mais non, cette fois-ci, c'était la bonne. Je la vis partir pour la salle d'opération et en profitai pour aller me restaurer. À son retour dans la chambre, elle n'eut pratiquement pas connaissance que nous soyons là et après être rassurée, je retournai à la maison avec bébé Tommy.

Le jeudi-soir, ma fille arriva chez moi avec Martin en marchant péniblement. Enfin le cauchemar était terminé et elle se remettrait rapidement. Elle me laissa son bébé pour la nuit, sachant très bien qu'elle avait besoin de repos. Mais dès le lendemain, elle venait le récupérer en pleurant de joie.

***

231

Chapitre 34

"Enfin, la vie reprendrait son cours normal. Enfin je pourrais profiter de nuits complètes. Enfin Jimmy pourrait retourner à l'école, enfin je pourrais voir Maurice. Mais c'était sans compter sur Jean-René.

Le vendredi après-midi, le téléphone sonna et j'entendis encore la voix que je commençais à détester au plus haut point et qui était signe de malheur:

–Ici Bell Canada, vous avez un appel à frais virés de Jean-René B, si vous acceptez, appuyez sur le 1.

–Mom, mom, inquiète-toé pas, chu pas blessé.

–Ah, non Jean-René, ah, non, dis-moé que cé une farce?

–Mom, inquiète-toé pas, j'ai rien, j'ai juste une petite coupure sur la tête, pis y faut que j'aille passer des rayons x à l'hôpital. Mom, j'ai fait du top avec mon char, y é scrap.

Non, je rêvais sûrement, j'allais me réveiller et j'aurais imaginé tout ça. Mais en entendant mon fils pleurer, je savais bien que je n'étais pas dans un rêve.

Je vis arriver mon fils en chair et en os. Merci mon Dieu, il était encore en vie et sans séquelles. Je lui fis pourtant promettre de ne pas se racheter d'auto pour l'instant, ça lui ferait du bien de marcher. La prochaine fois, il serait sûrement plus prudent. Et enfin je pourrais dormir sur mes deux oreilles sans avoir continuellement la chienne d'entendre la voix de malheur de l'opératrice: *Ici-Bell-Canada*...

La vie reprit son cours normal. Victoria partit étudier à Québec. Mélissa se remettait lentement de son opération et refusait de se séparer de son fils et ce, même pour quelques minutes. Jean-René n'avait plus d'auto et marchait à pied. Jimmy était retourné à l'école même si son année était fichue. Catherina changeait de chum à toutes les semaines et ne voyait son fils que rarement. Moi, j'avais repris le temps perdu à mon commerce et je profitais du temps que Maurice et moi, on passait ensemble. On gardait toujours Steve qui nous dit son premier mot: *grand-papa*. Le grand-papa se changea vite en papa et après que je lui eus répété à maintes reprises que je n'étais pas sa maman, mais que mon nom était Julie, je devins maman Alie.

On aurait eu droit à enfin un peu de bonheur si Lisbeth et Pascalain ne nous avaient pas appris qu'ils se mariaient l'été suivant. Je n'arrivais pas à croire qu'elle allait marier ce tyran. J'avais eu plusieurs occasions de l'étudier et je savais que ma nièce méritait bien mieux que ce garçon qui la traitait comme un chien. À chaque dimanche, il nous appelait pour qu'on aille se promener avec eux et à chaque fois, je devais endurer les éternelles jérémiades de Pascalain pendant qu'il conduisait et criait:

–Lisbeth, as-tu enlevé le chapeau de la petite? Lisbeth, l'as-tu déshabillée pour pas qu'elle ait chaud? Lisbeth, sors-là de son siège, chu tanné de l'entendre pleurnicher, m'as-tu entendu?

Et c'était sans compter quand il faisait une crise en plein centre d'achats:

–R'garde-la là, la petite pleure pis a s'grouille pas le cul pour aller y faire chauffer son lait, r'garde-la comme a prend son temps, tabarnak.

On eut même droit en plein restaurant à:

–Tu y vas-tu, calice, la changer de couche, ou si cé moé faut qu'y aille, tabarnak?

Ma nièce avait beau essayer de faire voir de rien, moi j'étais pas aveugle. À chaque fois, je me sentais toujours obligée de prendre la défense de Lisbeth:

–Pascalain, il fait trop froid en arrière pour déshabiller la petite. Pascalain, attends que la petite ait fini de manger avant qu'on aille la changer. Pascalain, il faut que la petite s'habitue à rester dans son siège d'auto; si tu te fais arrêter pis que la petite est pas dans son siège, tu vas avoir une amende, pis cé dangereux en plus.

Je m'épuisais à toujours essayer de parer tous les coups. À essayer de prévenir tous les reproches qu'il lui faisait. Sitôt embarquée dans la van, je parlais tout bas à ma nièce et lui chuchotais:

—Enlève le chapeau de la petite, sors-y sa bouteille de lait au cas où elle pleurerait, déboutonne-la un peu. Et à chaque fois, l'éternelle rengaine recommençait.

J'avais averti Maurice: maintenant qu'on avait élevé nos enfants respectifs (2 X 3), il n'était pas question qu'on s'empêche de vivre pour les petits-enfants. Après tout, notre part était faite. Chaque dimanche soir, on allait donc souper au restaurant avec bébé Steve et tout se déroulait à merveille. Mais depuis qu'on sortait avec Lisbeth et Pascalain, c'était l'enfer. Quand je leur demandais s'il désirait nous accompagner, le gendre de mon chum répondait:

—Nous autres, on peut pas, on n'a pas d'argent pour ça.

Pourtant en revenant, il me demanda si on était intéressé à faire venir à manger du restaurant et manger à la maison. Il voulait pas manger en ville, il avait peur que la petite se fatigue. Notre seule journée de congé où on aurait pu en profiter était en train de devenir une journée de dispute et d'engueulades. Le pire fut quand je m'inscrivis à une ligue de hockey-bottine familiale avec Lisbeth, Pascalain et un de mes neveux.

Maurice s'occupait de garder sa petite-fille et après la fin de notre joute, alors qu'on était de retour, j'entendis Pascalain crier:

—R'garde tabarnak, cé qui qui est à la maison, Lisbeth. Cé la petite crisse de fatigante de Victoria. Elle, la petite crisse, si elle a réveillé ma fille avec sa petite maudite voix échignante, j'la tue. M'as-tu entendu Lisbeth, si elle a réveillé ma fille, j'la tue, la petite crisse. Comme je la connais, elle doit être arrivée avec sa petite voix pointue "*salut mon papa d'amour.*"

J'en croyais pas mes oreilles. Ma nièce entendait son chum parler ainsi de sa soeur et ne disait rien.

Pascalain en voulait à Victoria, depuis que Maurice avait acheté une auto à cette dernière. Sa vieille minoune ne supportait plus les éternels voyages entre Québec et Lambton et ma nièce dépensait une fortune en réparations. Mon chum lui acheta donc une petite Géo-Métro qui serait plus économique. Depuis ce temps, le gendre de Maurice était vert de jalousie.

À chaque rencontre avec les enfants de mon chum, c'était toujours la même rengaine. L'argent, l'argent, l'argent. Les filles se surveillaient sans cesse, si une avait eu droit à 50. dollars de son père, l'autre devait l'avoir aussi et chaque fois, Maurice ouvrait son porte-monnaie sans discuter.

Et là, Lisbeth nous apprenait qu'elle se mariait. J'eus une conversation avec mon conjoint. Il ne pouvait laisser sa fille faire une bêtise qu'elle regretterait avant longtemps, il devait lui parler. Mais Maurice ne voulait pas s'en mêler, on s'était déjà objecté à un de ses amoureux et elle était partie vivre avec lui en appartement.

Peut-être, était-ce moi qui étais trop exigeante envers les hommes. Ma fille Mélissa avait un chum en or. Je n'aurais pu rêver avoir un gendre meilleur que Martin. Plein de petites attentions avec ma fille, il l'aidait dans l'entretien de la maison et s'occupait de son fils pour lui donner un répit. Je n'avais pas à ouvrir ma cour l'hiver, mon gendre s'en occupait. Je n'avais pas à me faire remplacer au magasin pour faire mes commissions, Martin me ramenait mon courrier chaque jour avant de s'en aller travailler. Je ne l'avais jamais entendu élever la voix envers quiconque. Il ne fumait pas, ne prenait aucune goutte de boisson: en fait, j'avais le gendre idéal.

C'était sûrement la raison pour laquelle, je plaignais Lisbeth de se marier avec Pascalain. Elle méritait mieux. Mais contrairement à mes trois enfants, mes nièces n'avaient jamais connu la misère. Elles avaient toujours eu tout cuit dans le bec. Pas de problème d'argent, papa était là. Besoin d'une auto, papa va payer. Besoin d'une maison, papa va s'en occuper. À preuve, Catherina qui avait voulu un enfant pour être la première à donner un petit-fils à Maurice, et voilà qu'elle ne s'en occupait qu'une ou deux heures par jour, et ce, si elle n'avait pas autre chose de plus intéressant à faire. Elle était devenue une étrangère aux yeux de Steve et trouvait drôle qu'il m'appelle maman.

Les préparatifs du mariage allaient bon train, et à chaque rencontre avec les futurs mariés, Pascalain qui essayait de se faire aimer par moi, me disait:

–T'en fais pas, la crisse de charogne de ta soeur, cé pas elle qui va venir décider comment on va organiser ça. Elle a même pas été une mère pour Lisbeth. Si ma blonde peut enfin se trouver du travail ailleurs, on va avoir la paix. Mé, est mieux de ne pas venir se fourrer le nez dans les préparatifs du mariage, parce qu'elle va frapper un noeud, pis si elle est pas contente, elle aura juste à pas venir, ça fera pas de peine à personne.

Je demandai pourtant au gendre de Maurice, comment il allait organiser la table d'honneur. Après tout, ça faisait près de 10 ans, que Maurice était divorcé et que ma soeur avait refait sa vie, elle aussi. Il me demanda mon opinion:

–Ben moé, je le sais pas. Mais étant donné que chacun a refait sa vie, ma soeur pourrait être accompagnée de son conjoint et Maurice serait avec moi. Je pense qu'on est des gens civilisés et juste pour une journée, je vais faire tout mon possible pour endurer Suzanne, même si je lui ai toujours pas pardonné ce qu'elle a fait à mon fils.

Tout le monde trouva que c'était la logique même. Mais après que Pascalain eut fait part de ce fait à ma soeur, celle-ci grimpa dans les rideaux. Pas question que son conjoint soit à la table d'honneur, c'était pas sa place, elle exigeait d'être seule avec Maurice. Donc ce n'était pas ma place à moi non plus. Elle se permit même de rêver tout haut en voyant Victoria:

–Au mariage, je vais être seule avec Maurice, pis le monde vont cogner les cuillères sur la table, pis mé qu'on s'embrasse, tout va redevenir comme avant.

À partir de là, la famille se divisa en deux. Je refusais d'aller au mariage si c'était pour souffrir de voir mon chum avec son ex-femme. La question était donc réglée. Mes enfants refusaient d'y aller eux aussi, si je n'étais pas là. Ma fille trouvait sauvage que je reste chez moi et qu'encore une fois, je laisse toute la place à Suzanne. Après tout, c'était qui qui s'était occupé des enfants de Maurice après que ma soeur les ait abandonnés. Voulant éviter la chicane à tout prix, je resterais à la maison, c'était la meilleure solution.

Maurice ne le voyait pas du même oeil et désirait que je l'accompagne. Pendant des mois et des semaines, ce fut un sujet de disputes, je refusais de lâcher prise. Un mois avant les noces, je laissai éclater ma colère:

—Cé quoi que t'attends de moé, Maurice? Que je te regarde, toé pis ton ex, assis à la table ensemble toute la soirée? Même la danse de la mariée, ton gendre pis ta fille m'ont écartée de ça aussi. Ma place est où dans tout ça?

Une semaine avant la noce, voulant une fois de plus rendre tout le monde heureux autour de moi, je me renseignai si dans la famille il y avait quelqu'un qui organiserait un enterrement de vie de garçon aux futurs époux-épouse. Recevant une réponse négative, j'appelai donc les parents et amis et les invitai à venir fêter avec nous.

Le même soir, vers 5 heures, le téléphone sonna. C'était la mère de Pascalain qui m'annonçait de tout annuler. En effet, elle avait complètement oublié de me dire qu'ils avaient déjà organisé une fête pour le samedi suivant. Pourtant, lorsque je lui avais parlé dans la matinée, elle était totalement en accord avec mon idée. Elle s'excusait d'avoir eu un tel oubli et bien entendu, elle nous invitait Maurice et moi, à se joindre à eux.

Écartée une fois de plus, je ravalai ma peine et on se rendit le samedi suivant à l'enterrement de vie de garçon. Ne me demandez pas ce qu'on est allé foutre là. Une gang de personnes étaient assises autour d'un feu, buvaient de la bière et se faisaient manger par les nuées de moustiques.

Patrice, un des copains de'hockey de Pascalain, arriva. Beau grand brun, à chacune de nos rencontres, on pouvait passer des heures à bavarder ensemble. Ça faisait déjà une année que j'avais fait sa connaissance et quand il passait à Lambton, il ne manquait jamais de venir nous saluer. Je lui souhaitai un joyeux anniversaire. Il me remercia chaleureusement, d'autant plus que j'étais la seule à ne pas avoir oublié qu'il fêtait ses 24 ans le jour même.

Pendant des heures, on entendit les mains qui frappent la peau. Ce fut ça, l'enterrement de vie de garçon: se faire dévorer par les maringouins. À 10 heures du soir, le monde se leva pour partir et c'est à ce moment que je compris. La mère de Pascalain avait appelé ce dernier pour lui faire part de mon idée d'une fête, et n'étant pas d'accord à ce qu'on amène Lisbeth avec nous pour une soirée (entre femmes), alors ensemble, ils avaient inventé cette soi-disant soirée.

Mon chum pleurait: il me voulait auprès de lui. Encore une fois, je me laissai gagner et acceptai de me rendre au mariage. Je demandai à mon fils Jean-René de m'accompagner. Je savais à quel point c'était dur pour lui aussi d'être là après tout ce que ma soeur lui avait fait. Mais il était heureux de me servir de compagnon. Mélissa, Martin et Jimmy y seraient aussi, mais seulement pour me faire plaisir et ne pas me laisser seule.

Je me promis bien que ce serait la dernière fois que je faisais des concessions pour plaire aux enfants de Maurice. Si Suzanne réussissait à tout avoir ce qu'elle voulait en pleurant et en jouant sur la pitié d'autrui, tant mieux pour elle, mais moi, je n'embarquais pas dans ce jeu-là.

Par chance que j'avais un ami sur qui compter: Patrice. Lorsqu'il apprit que je n'étais pas à la table d'honneur, il m'invita à me joindre à eux. Ne voulant pas faire de chicane avec Maurice, je refusai poliment l'invitation, mais lui promis quelques danses, étant donné que mon chum ne dansait pas du tout, sauf les slows.

Je me retrouvai donc assise avec mes enfants, Lison et son mari en pleine face de la table d'honneur. Je regardais celle qui était du même sang que moi et je ne ressentis aucune petite palpitation; c'était une pure étrangère à mes yeux. Le mal qu'elle avait fait n'était pas oublié et loin d'être pardonné.

Pendant tout le souper, Maurice ignora son ex-femme, se levait de table et venait m'embrasser devant tout le monde. Ma soeur était rouge de colère et verte de jalousie. À un moment donné, on vendit des billets à l'encan pour faire tirer les centres de tables. Quelle ne fut pas ma surprise de constater que seuls Patrice et Maurice misaient! Et c'était à celui qui allait avoir le rouleau de billets. Le tout dura une dizaine de minutes pendant lesquelles ni l'un ni l'autre refusaient d'abandonner la partie. J'entendis alors mon fils Jean-René rétorquer:

–Bon, regarde les deux coqs se battre pour la même poule asteur!

Je questionnai mon fils à savoir ce qu'il voulait insinuer.

–Mom, rouvre-toé les yeux, tu voé ben que Patrice pis Maurice essayent tous les deux de t'impressionner. Cé celui qui renchérirait plus que l'autre. Té ben la seule à pas t'être aperçue que Patrice, y court après toé? Pis yé mieux de pas trop essayer de s'approcher de toé, parce que moé pis Jimmy on le watche.

–Franchement, 'gars, Patrice est juste un ami avec qui j'aime bien parler, un point c'est tout.

Je découvrais néanmoins que mes fils se prenaient pour D'Artagnan et que si un homme s'approchait trop près de leur mère, ils leur en feraient voir de toute les couleurs.

Bon là, ce petit jeu-là avait assez duré. Je regardai Maurice et lui fis signe d'arrêter les enchères. Il me fit son plus beau sourire et laissa le tout à Patrice.

Sitôt le repas terminé, on débarrassa la table d'honneur et Maurice vint s'asseoir avec moi. Je lui demandai alors à quoi il jouait. Il me rétorqua:

–J'voulais juste donner une leçon à Patrice, s'il voulait t'impressionner en montrant qu'il avait de l'argent, j'y ai montré que j'en avais encore plus que lui. Pis là, y a l'air fin, le rouleau de billets lui a coûté une fortune.

J'ouvris la danse de la mariée au bras de mon chum, même si ça déplaisait à d'aucuns. Je dansai une partie de la soirée en compagnie de mes enfants et de Patrice. Quand le premier slow commença, ce dernier vint m'inviter. Je refusai poliment en rétorquant que cette danse était réservée à Maurice. Je n'eus pas le temps de me lever que Patrice se mettait à genou devant mon chum en l'implorant de lui laisser cette danse. Maurice qui commençait à être réchauffé et qui déteste danser, lui accorda cette faveur sans me demander ce que j'en pensais. Je me retrouvai donc dans les bras de Patrice. Il se montra très réservé et n'essaya pas d'abuser de la situation.

En fin de compte, on eut une super de belle soirée. Mes enfants ne firent aucun geste déplacé envers ma soeur et tout se passa dans l'harmonie. Avant de quitter, Patrice vint nous trouver et me fit part que le lundi, il passerait au volant de son camion à Lambton et qu'il arrêterait nous voir. Je l'invitai donc à venir partager notre dîner. Il accepta.

Le jour dit, il stationna son dix-roues devant la maison. Maurice travaillait, mais les enfants étaient présents. Comme à chaque fois qu'on se voyait, Patrice me racontait ses weekends, me parlait de son métier de camionneur, de ses ambitions et ses rêves. Je le voyais comme un fils. Il avait le même âge que mon gendre, à quelques jours près. Je lui donnais des conseils comme je le faisais avec les ados qui se tenaient à la maison. Et mes fils commencèrent à le voir d'un autre oeil que celui du rival de mon chum.

Le mercredi suivant, c'était la Saint-Jean-Baptiste et il y avait des feux d'artifice à Lac-Mégantic. Je m'y rendis avec Maurice et bébé Steve quand on rencontra Pascalain et Lisbeth qui étaient déjà de retour de leur voyage de noce. Je n'étais pas encore prête à les rencontrer après l'affront qu'ils m'avaient fait subir, mais une fois de plus pour sauvegarder la paix, je fis comme si rien n'était. Pascalain s'adressa alors à moi:

–Julie, tu devineras jamais, cé quoi qu'elle a fait, ta crisse de charogne de soeur?

Silence de ma part. J'avais décidé que tout ce qu'il pourrait me dire ne m'atteindrait plus. Je ferais la sourde oreille, je n'embarquais plus dans son jeu.

–La crisse, cé son chum qui filmait nos noces, pis elle en a coupé des bouttes. Tu sais, quand mon père et ma mère entrent dans la salle, le monde applaudit à tout casser, quand cé au tour de Maurice pis Suzanne, le monde applaudit juste par politesse. Ça fait que ta soeur était jalouse que nos invités manifestent plus de joie envers mes parents, elle a coupé ce boutte-là. Ma mère l'a pas digéré pantoute.

Réticence de ma part. Qu'est ce qu'il s'attendait, il savait qu'elle était d'une jalousie morbide et que sa seule priorité était elle-même. Il savait tout ça, je n'allais pas commencer à le plaindre en plus. Il avait eu pitié de ma soeur, maintenant qu'il paie pour, pensais-je. Voyant qu'il ne réussissait pas à me faire sortir de mes gonds, il poursuivit:

–Pis cé pas toute, cé tu cé quoi qu'elle a dit, la crisse? À dit que tu l'avais poussée quand on était en rang, pis que le monde nous donnait la main pour les félicitations.

Non, je n'allais pas y donner suite. Il fallait que je fasse la sourde, je ne devais pas lui donner la satisfaction de voir qu'il me blessait encore une fois. L'important, c'était que moi, je savais que je n'avais rien fait. Je n'avais pas à essayer de convaincre personne de mon innocence. Je fis celle qui n'entendait rien, mais Pascalain continua:

–Ah, t'as pas besoin d'être inquiète, on le voit sur la vidéo cassette que cé elle qui te pousse et non le contraire.

Je demandai à Maurice de s'en retourner à la maison. Devant le mutisme dans lequel j'avais reçu les paroles de son gendre, mon chum me questionna:

–Ça a pas l'air de filer, cé quoi qui va pas, t'as pas dit un seul mot à Pascalain?

–J'ai fini de faire rire de moé, cé tu clair? Cé drôle comme ton ex-femme était fine avant les noces, pis là est redevenue une maudite charogne. Ton gendre a eu pitié d'elle parce qu'elle pleurait, elle a gagné sur toute la ligne pour le mariage, ils ont fait tout ce que madame désirait. Là, les noces sont finies, elle leur a fait un coup de chien, pis là, faudrait que je leur saute au cou. *Ben voyons, Julie cé pas ta place, cé celle de Suzanne, fais de l'air, toi, la Julie. Julie on se chicane avec Suzanne, ouvre-nous tes bras jusqu'à ce qu'on ait plus besoin de toé.* Cé fini tout ça m'as-tu entendu? J'ai fini de toujours être là à chaque fois qu'ils ont besoin de moé, pour ensuite me faire rejeter quand ils ont plus besoin de moé. Les noces, c'était le dernier coup de chienne, que j'acceptais venant d'une de tes filles, cé tu clair? J'pense que j'ai fait ma part avec tes enfants.

Encore une engueulade qui finissait en queue de poisson. Maurice me demandait d'oublier et de pardonner. Tout finirait par entrer dans l'ordre. Fallait que je fasse comme si rien n'était arrivé, pour ne pas qu'il y ait de chicane. Et une fois de plus, je pardonnai et essayai de tout oublier."

***

Chapitre 35

"Bébé Steve fit ses premiers pas en compagnie de Mélissa et moi. Il faisait le trajet entre les bras de ma fille et les miens sans ne plus s'arrêter. Lorsque j'appris la nouvelle à Catherina, elle félicita son fils sans pour autant déborder de joie. Tout ce qui touchait son fils la laissait somme toute indifférente.

À partir de là, surveiller Steve devint un véritable tour de force. Il grimpait partout et aussitôt que j'avais un client dans le magasin, il en profitait pour jeter par terre tout ce qui lui tombait sur la main. Je ne pouvais le lâcher une minute des yeux que déjà une catastrophe arrivait. Il m'épuisait tout simplement, et l'heure du coucher était devenue une vraie torture. On avait fait la bêtise de l'amener dans notre lit, et là, plus moyen de le faire dormir dans sa couchette.

Si on avait le malheur d'attendre qu'il se soit assoupi pour le déménager, il se réveillait en pleurant et en hurlant. On le ramenait donc dans notre lit. Pas moyen de le réprimander non plus, car après tout, ce n'était pas notre fils, et on s'en aperçut assez vite le week-end suivant. Catherina était en visite à la maison. On lui raconta que son fils avait jeté ma chienne Choupette du haut de l'escalier du deuxième et que la petite bête boitait depuis ce temps-là. Elle applaudit son fils et le félicita de son geste.

Je ne pouvais comprendre qu'on félicite un enfant d'avoir

failli tuer le chien et j'en fis la remarque à Maurice après le départ de sa fille. Mais bien entendu, sa fille était comme ça et on ne pouvait rien y faire pour la changer.

Après plusieurs mois de ce régime, le bébé, le magasin, la maison à entretenir et les repas, j'en vins vite à la conclusion que j'étais épuisée. J'étais 24 heures sur 24 dans la maison et un changement d'air s'imposait. Comme je suis une fan inconditionnelle de bingo, je décidai donc de me réserver un soir par deux semaines pour y aller.

Mélissa me remplaçait au magasin et je partais l'après-midi. Je faisais mon épicerie, ensuite je profitais d'un repas tranquille au chinois et je finissais la soirée au bingo. Seul inconvénient, au retour, vers 11 heures le soir, je devais décharger l'auto seule, car Maurice refusait de se lever et de venir m'aider. Après tout me disait-il, j'avais qu'à pas aller au bingo: c'était superflu à son avis. Bébé Steve n'était pas si terrible après tout...

Cher Maurice, lui qui finissait de travailler à 3 heures 30, n'arrivait à la maison que lorsque le souper était prêt vers 5 heures, préférant aller dans le bois, plutôt que s'en venir directement à la maison. Et le samedi, il passait sa journée encore dans le bois, soit à bûcher, soit à entretenir sa plantation de sapins.

Donc le mardi suivant, au lieu de prendre mon après-midi de repos et d'aller jouer au bingo, j'attendis son retour. Il fut tout surpris de me trouver à la maison à son arrivée. Je lui dis alors:

–J'ai pensé à toi et au fait que tu détestes quand je vais jouer au bingo, cé pour ça que je t'ai attendu. On va aller manger au chinois pis après. tu vas venir avec moi faire l'épicerie.

–Pis le bébé lui?

–Ben, on l'amène voyons, après tout, yé pas si tannant que ça...

Mon chum fut ravi que je l'aie attendu et me remercia. On partit donc pour Thetford-Mines et notre premier arrêt fut à la boutique d'animaux pour l'achat de poissons. Depuis qu'on avait nos petits-enfants, Maurice avait acheté le chien et j'avais fait l'acquisition de poissons après que mon beau-frère m'eut donné un aquarium.

Pendant que je payais pour mon achat, Steve se jeta par terre et fit une crise terrible: il voulait un oiseau. Non, pas question, on avait assez d'animaux sans en plus s'embarrasser d'une perruche. Voyant qu'on ne voulait pas, les larmes se mirent de la partie. Et c'est un enfant qui se débattait comme un diable dans l'eau bénite qu'on sortit du magasin.

C'est alors qu'il aperçut les manèges. Évidemment, il demanda à en essayer un. Espérant le calmer, on fit donc glisser deux pièces de 25 sous dans la machine. Sitôt la 'raide' finie, il en voulait encore plus, il voulait les essayer tous. Malgré ses pleurs, on ne se laissa pas attendrir et on se dirigea donc au restaurant.

Steve était propre depuis peu de temps. Et pour lui, pipi et caca, c'était du pareil au même. Donc chaque fois qu'il disait pipi, on s'empressait de l'amener aux toilettes. Et un mercredi soir, alors que j'allais à la bibliothèque municipale, j'avais eu la 'brillante' idée de lui faire faire son pipi dans les urinoirs.

Je m'attablai donc pendant que Maurice s'occupait à embarquer son petit-fils dans le siège d'appoint, quand en se retournant une fraction de seconde, Steve se débattit, fit tomber le siège et par la même occasion, se retrouva par terre. Il se mit à crier et pleurer, même s'il ne s'était pas fait mal, ce fut un déluge de larmes. Je réussis néanmoins à le consoler, en évitant le regard de désapprobation des autres parents.

Aussitôt le calme revenu, j'invitai Maurice à aller se servir le premier, pendant que je surveillerais Steve. Mais dès qu'il vit disparaître son grand-père, il se mit à pleurer et à crier "papa, papa". Je dus donc suivre mon chum pendant qu'il se servait avec le bébé dans les bras. De retour à la table, je me levai pour aller chercher à manger à Steve qui en me perdant des yeux, se remettait à crier et à pleurer. Cette fois-ci "maman Alie, maman Alie."

Maurice dut donc me suivre avec le bébé dans les bras pendant que je préparais une assiette. C'était la même chose à la maison. Mon chum ne pouvait aller s'asseoir dans le salon si je n'y étais pas aussi, car c'était la crise. Steve refusait qu'on soit séparés, il nous voulait tous les deux en même temps. Chaque fois que je devais m'absenter, je devais m'ingénier à trouver des ruses de Sioux, pour ne pas qu'il s'aperçoive de ma disparition, et c'était la même chose pour son grand-père.

Quand enfin, on put s'asseoir et commencer à manger, Steve me dit:

—Maman Alie pipi.

Je m'empressai de me lever et de l'amener aux toilettes. Mais en m'y rendant, je devais passer devant la salle de bains pour homme et la porte de cette dernière était ouverte. Lorsque Steve aperçut les urinoirs, il refusa de se rendre dans la salle de bains des femmes. Il pleurait et me montrait du doigt que ce n'était pas là qu'il voulait faire pipi, c'était dans les urinoirs.

Je l'amenai quand même malgré ses larmes sur la toilette des dames, mais il refusa de faire pipi. Je le rhabillai donc et on retourna à la table. J'étais à prendre ma première bouchée lorsqu'il mit ses mains entre ses jambes et cria "pipi, pipi".

Je regardai Maurice et lui dis:

—Cé à ton tour d'y aller avec, il veut pas le faire dans les toilettes des femmes, il veut aller dans les urinoirs. Chu toujours ben pas pour aller dans les toilettes des hommes!

Mon chum se dirigea donc au petit coin pendant qu'enfin, je pus commencer à manger et que tout était devenu froid. Au bout de cinq minutes, pas de traces de Maurice et du bébé. 10 minutes plus tard, je commençais à me poser de sérieuses questions. Au bout de 15 minutes, ne tenant plus en place, j'entrebâillai la porte de la salle de bains des hommes et demandai:

—Maurice, té tu correct avec Steve, est-ce que tout va bien?

—Oui, oui, on arrive.

Aussitôt mon chum assis et Steve devenu subitement tranquille comme un ange, je le questionnai:

—Veux tu ben me dire, qué cé que tu faisais pour que ça prenne du temps comme ça?

–Le bébé a le "flux" (la fouére).

–Cé pas grave, j'y ai amené du linge de rechange dans l'auto, je vais aller le chercher.

–Non, laisse faire, Steve est pas sale, cé moé qui l'est. Y m'a chié dessus.

Je recrachai la gorgée de café que j'avais dans la bouche et je fus prise d'un fou rire, sans être capable de m'arrêter. Les larmes coulaient sur mes joues, entraînant mon mascara par la même occasion. Il n'y avait pas assez de serviettes de table pour essuyer mes larmes et les coulisses de noir que j'avais à la grandeur de la figure.

Je repoussai mon assiette et ma tasse de café d'une main. J'étais incapable d'avaler quoi que ce soit. J'avais des crampes dans le ventre à force de rire, et Steve tapait des mains en faisant des "content content" et en riant lui aussi.

Tout les clients du restaurant nous regardaient maintenant. Quand enfin, je pus reprendre mon souffle, je demandai des explications à Maurice qui était le seul à ne pas rire:

–J'arrive dans la salle de bains, pis là il veut faire pipi dans les urinoirs. Je baisse donc ses culottes, pis je le soulève et l'accote sur moi. Ben au lieu de faire pipi, cé de l'autre boutte que ça a sorti, pis ça a tout r'volé sur mon gilet. Il a fallut que je lave mon gilet dans le lavabo. Là, j'ai l'air fin en maudit, chu tout trempe.

Malgré que j'essayais de retenir le fou rire, les larmes se mirent à couler de plus belle. Après plusieurs bonnes respirations, je demandai à Maurice:

–Tu voulais-tu manger du dessert toé, parce que moé, chu pu capable d'avaler rien, j'ai trop mal au ventre.

On ressortit donc sans avoir pris le temps de manger. L'hôtesse nous demanda même si le repas était à notre goût, vu la rapidité à laquelle on était pressés de s'en aller. Et l'épicerie était pas encore faite...

On se dirigea ensuite vers le marché d'alimentation. Là non plus, ce ne fut pas de tout repos. Steve voulait qu'on achète tout ce qu'il voyait, et si on refusait, il se garrochait par terre en pleurant et en refusant d'avancer. Il s'emparait des articles que les autres clients avaient dans leurs mains, pour le placer dans notre panier. J'étais complètement épuisée et j'avais hâte de retourner à la maison.

Quand enfin, on se dirigea vers l'auto avec notre commande d'épicerie, je dis à Maurice:

—Donne-moé juste le temps d'attacher Steve dans son siège et je te donne un coup de main à embarquer les sacs.

Je n'avais pas terminé ma phrase qu'un vacarme infernal me fit me retourner. Une des caisses de Pepsi qui étaient en dessous du panier, venait de culbuter par terre et s'était entièrement vidée de son contenu. Les 24 cannettes roulaient en tous sens et se logeaient sous les véhicules stationnés. Ce fut plus ce que ma patience pouvait endurer et je lâchai:

—Maudite journée de cul, j'ai mon maudit voyage!!!

J'attachai le petit dans son siège d'auto pendant que je voyais Maurice à quatre pattes à sortir les liqueurs de dessous les autos. Quand enfin, on put partir, avec moi au volant, mon chum somnola pendant le reste du trajet.

Rendue à Disraéli, ce fut plus fort que moi, et j'éveillai Maurice:

—J'comprends vraiment pas pourquoi que té si fatigué, c't'enfant là, y'é pas tannant pantoute, cé un ange, un vrai petit ange du bon Dieu...

—O.K. j'ai compris, tu iras jouer au bingo pis faire l'épicerie toute seule comme avant, moé, cé la dernière fois que j'me fais pogner. J'ai eu ma leçon.

Malgré tout, je n'étais pas encore satisfaite. Je me mis à renifler bruyamment et demandai:

—Cou don, cé tu toé Maurice pis le bébé qui dégagez cette odeur-là? Ça sent le maudit torrieu.

—Veux-tu rire de moé, on passe devant une porcherie, cé ça qui sent si fort.

—Je l'savais, lui dis-je, et je dus ressortir la boîte de kleenex pour essuyer les larmes qui coulaient à trop rire.

Enfin rendu à la maison, mon chum me tendit le linge de rechange de Steve en disant:

—T'auras pas besoin de le laver, yé propre.

—Mais je vais m'en souvenir, la prochaine fois, cé à toé

que je vais apporter du linge de rechange.

Et là, de repartir à pleurer de rire de plus belle.

Mais il y avait un message à tirer de cette journée, même si Steve n'était pas notre enfant, on devrait l'élever comme tel et s'il méritait d'être réprimandé il le serait. Car avec le temps, il deviendrait un véritable petit monstre.

L'été arrivait à grands pas et le magasin devenait de plus en plus achalandé pendant cette période qui amenait les vacanciers. Mon dos me faisait souffrir atrocement depuis que j'avais le petit. Fallait que je me rende à l'évidence, je ne pourrais plus m'occuper de Steve. À mon grand regret, je demandai à ma nièce de se trouver une gardienne pour lui.

Le tout dura deux semaines pendant lesquelles Steve se retrouva chez les anciens amants de sa mère. Elle le faisait garder par n'importe qui et n'importe où. Tant qu'elle n'avait pas à s'en occuper, tout baignait dans l'huile. La seule fin de semaine où j'avais l'esprit tranquille était quand bébé Steve se faisait garder par la mère de Sylvio.

Au bout de deux semaines, je perdis patience. Catherina arrivait à toute heure à la maison avec Steve pour le faire garder et bien entendu, il était sale comme un cochon et n'avait pas mangé. Quand j'en discutai avec Mélissa, elle dit:

–Maman, garde-lé le petit, j'vas te donner un coup de main. Tu voé ben qu'est pas capable de s'en occuper, pis toé tu te fais un sang de chien à savoir que Steve se fait garder par n'importe qui.

Je demandai donc à ma nièce si elle désirait que je recommence à garder son fils. Elle sauta sur l'occasion immédiatement. Plus de bébé dans les pattes, elle ne venait le voir qu'une heure par soir et ce dernier était heureux ainsi. Par chance que j'avais ma fille et son gendre. Comme Martin travaillait de nuit, il se levait vers midi. Donc à chaque jour, ma fille préparait le repas qu'ils allaient manger au chalet du père à Martin sur le bord de l'eau et il venait chercher Steve pour qu'il se baigne en compagnie de Tommy. Ils le ramenaient vers 4 heures, juste avant que mon gendre retourne au travail.

J'avais donc tous mes après-midis pour préparer mes commandes et dépaqueter la marchandise, faire mes appels et un peu de ménage dans la maison. Steve et Tommy se voyaient tous les jours depuis leur enfance et étaient devenus plus que deux frères. Tant qu'à ma fille Mélissa, je craignais qu'elle voit Steve comme une menace pour son propre fils, mais elle me dit un jour:

–Cé si bizarre maman, j'arrive pas à m'imaginer que cet enfant-là est à Catherina. J'ai l'impression que cé le tien.

Pour ce qui est de Jimmy, mon dernier qui était rendu à 15 ans, il est vite devenu l'idole de Steve. Tout ce que mon fils disait, Steve le répétait; tout ce que mon fils faisait, Steve faisait pareil. Et avec un ado, pas besoin de dire toutes les niaiseries qu'il montrait au petit.

Quand Jimmy revenait de l'école, je posais une chaise près de la porte et je disais à Steve:

–Regarde, n'amour cé qui, qui va arriver dans la grosse autobus-jaune?

Et là, Steve patientait devant la fenêtre jusqu'à ce qu'il voit enfin son héros sortir. Il se mettait alors à sauter sur la chaise et à crier. Et à chaque fois, ma chienne Choupette se mettait à japper devant le nouvel arrivant. Et à chaque jour, j'entendais la même rengaine de la bouche de mon fils sitôt qu'il passait la porte:

–Ta yeule, Choupette.

Ce rituel dura plusieurs semaines jusqu'à ce qu'un soir, je place de nouveau la chaise devant la porte et que je demande à Steve:

–Cé qui n'amour, qui va arriver dans la grosse autobus-jaune?

–Cé ta y'eule, qu'il me répondit. Et à partir de ce jour, même si on essaya de corriger l'erreur, Jimmy fut rebaptisé par l'expression *ta yeule*.

L'heure des repas était devenue aussi une souffrance, et je devais reprendre mon fils de 15 ans constamment. Il léchait son assiette, se dépêchait à tout se mettre dans la bouche, mangeait comme un chien au lieu de se servir de ses ustensiles, et tout ça pour faire rire Steve qui faisait pareil comme lui. Pendant longtemps, j'ai vraiment eu l'impression de me retrouver avec deux enfants en bas âge dans la maison.

Pendant au moins trente minutes, à chaque arrivée de Jimmy, c'était l'enfer dans la maison. Ils se chamaillaient, se disputaient, criaient jusqu'à ce que j'entende Steve dire:

–M'a dire à maman, ta yeule... balle.

–Ça me fait rien que tu le dises à maman, que j'ai caché tes balles, na na na nan.

Deux bébés que je devais continuellement séparer. Bon o.k. Jimmy, donnes-y ses balles pis arrête de le faire crier, que je répétais continuellement. Jusqu'à ce que je m'asseye et prenne conscience de ce qui m'arrivait. Je revivais exactement la même chose que quand Jimmy et Jean-René étaient en bas âge. Je repassais par les mêmes étapes, les mêmes conflits, les mêmes tiraillages et les mêmes disputes. Je commençais à me remettre en question."

***

251

Chapitre 36

—Au courant de l'été, il y avait un show de groupe rock à St-Éphrem. Plusieurs connaissent ce phénomène qui s'appelle *Woodstock-en-Beauce*. Ça dure pendant 3 jours consécutifs ou ados et adultes font la fête. Jean-René m'apprit qu'il y allait avec des compagnons et qu'ils allaient coucher dans des tentes. Je n'étais pas en mesure de m'y objecter, mon fils étant rendu à 17 ans. Catherina vint voir son fils quelques minutes avant de s'y rendre elle aussi.

À la fin du week-end, ma belle-fille arriva à la maison tout excitée en criant:

—Si tu savais, ma tante Julie, comment qu'on s'est fait du fun pendant ces trois jours-là. Jean-René a même manqué le show de C.C.R. pis c'était le meilleur, mé lui, y dormait, parce qu'y était ben gelé (drogué).

Je la regardai en face, n'y croyant pas. Mais déjà, elle poursuivait:

—T'aurais dû nous voir, moé pis Jean-René, on s'est gelés ben raide pendant les 3 jours. Ma mère était là aussi, pis elle a fumé avec moé, mé pas avec Jean-René par exemple.

J'avais de la misère à avaler. Catherina venait me voir et se vantait d'avoir fumé de la drogue avec mon propre fils. Et pendant que ce dernier cuvait son joint, elle fumait avec sa mère. Et elle me racontait ça comme si tout était normal. Les seuls mots que Maurice parvint à lui dire furent:

–Franchement Catherina, tu trouves pas que tu fais dur pas mal?

–Franchement papa, tout le monde se gèle à Woodstock.

Après avoir questionné ma fille Mélissa, je dus me rendre à l'évidence, Jean-René consommait de la drogue. Où avais-je manqué? Aurais-je été mieux de le faire suivre avec moi quand j'avais déménagé, au lieu de le laisser habiter avec sa soeur et Martin? Toutes ces questions restaient sans réponse.

Je décidai d'en avoir le coeur net et d'avoir une discussion avec mon fils. Peut-être avait il quelque chose à me reprocher. Je n'avais jamais abordé le sujet de son père naturel avec lui, avais-je manqué? Seule Mélanie était au courant de ce qui s'était passé avec son père, après qu'elle eut fouillé dans le classeur et mit la main sur les papiers de divorce. Le soir, en arrivant de travailler, elle m'attendait de pied ferme et m'avait engueulé pour lui avoir caché que son père biologique prenait son bain avec elle et qu'il s'était fait faire une fellation.

Je me devais de donner les raisons de mon divorce à mon fils et lui révéler pourquoi ils n'avaient jamais revu leur père, lui et Mélissa. Mais je n'arrivais toujours pas à comprendre pourquoi il fumait un joint. C'était pourtant bien simple, il n'y avait pas de raisons. Une simple passade pour faire comme ses amis, pour le trip, le sentiment de liberté et d'engourdissement. Je me culpabilisais néanmoins et je me demandais où j'avais manqué dans l'éducation de mes trois enfants. Mélissa me rassurait en me rétorquant qu'elle n'avait jamais essayé ça, elle.

Je crois que ce que je n'étais pas capable d'admettre, c'était la personne avec qui il avait fumé: Catherina. Pas après ce qu'elle avait fait à mon fils et dont elle ne s'était jamais excusée. Et comme d'habitude, Maurice ne dit rien à sa fille en espérant que ces folleries passent."

***

253

Chapitre 37

1999, l'année de mes 37 ans:

Maurice comptait les années qui nous restaient avant que j'aille habiter avec lui dans sa maison et il ne contenait plus son impatience. Il revenait maussade à chaque soir et lorsque je le questionnais, il me répondait simplement que sa maison, ses lots à bois, sa plantation, enfin tout son entourage lui manquaient.

Pour se changer les idées et passer ses temps de loisir, il proposa à sa fille Lisbeth et à son gendre Pascalain de leur donner le terrain voisin de chez lui et de leur bâtir une maison. Bien sûr, les deux concernés accueillirent la nouvelle avec joie. Mon chum passait donc tous ses samedis sur ses lots pour couper le bois que nécessiterait la nouvelle construction.

Mais moi, je me devrais de lui apprendre la nouvelle: ma promesse ne tenait plus. Il n'était pas question que j'aille demeurer chez lui; je restais à Lambton, mais je ne savais comment m'y prendre pour le lui annoncer.

Mélissa m'appela pour m'apprendre une nouvelle: elle était de nouveau enceinte. Je fus prise immédiatement de terreur. La nouvelle grossesse pourrait-elle déclencher à nouveau une pancréatite? Même si le médecin nous affirmait qu'elle avait une chance sur un million d'en faire une autre, j'avais la trouille. Je la félicitai sans lui parler de mes craintes. Je savais à quel point elle et Martin prenaient soin de Tommy, et je savais qu'ils sauraient très bien avoir soin d'un autre enfant.

Mon petit-fils était rendu à un peu plus d'un an et je l'appelais à tous les jours. Depuis qu'il était petit que je lui parlais au téléphone et que je lui chantais: *'Je t'ai aimé, dès l'instant où je t'ai vu, Je t'aimerai, toute ma vie Tommy.'*

C'était devenu un rituel et si je retardais de l'appeler, il contemplait le téléphone en pleurant. Ma fille savait alors ce qu'il attendait. Mais la nouvelle de sa grossesse ne venait pas seule. Mélissa me demandait si je pouvais recevoir Jean-René chez moi, elle aurait besoin d'une autre chambre.

Bien sûr que mon fils pouvait revenir à la maison et j'en serais très heureuse. Ma fille l'avait gardé assez longtemps et même si ce dernier était maintenant un adulte, il n'était toujours pas prêt à s'en aller en appartement. Et il était toujours à pied depuis son dernier accident. Dieu merci!

Aussitôt que Maurice arriva ce soir-là, je lui appris la nouvelle. Jean-René revenait vivre avec nous. Pas besoin de dire que mon chum n'apprécia pas la nouvelle et il me le fit savoir:

–J'ai rien contre le fait que ton fils revienne habiter avec nous, mais je suppose que maintenant, tu ne voudras plus me suivre à ma maison. J'te connais, tu voudras pas laisser tes enfants.

–Ma décision était prise bien avant que Jean-René parle de revenir ici. Je ne vais pas habiter avec toé. Ma mère nous a abandonnés quand j'étais jeune, je ne ferai pas la même erreur qu'elle. Même s'ils sont rendus grands, mes enfants ont encore besoin de moé et je vais être là pour eux. Pis cé pas la seule raison qui m'a fait changé d'idée. T'as jamais été capable de parler à tes enfants, té-z-a toujours laissés faire tout ce qu'elles voulaient. Catherina arrive icitte, répond au téléphone quand il sonne, demande cé qui qui est au bout du fil. On é même pas chez-nous dans notre propre maison. Ta fille entre ici sans frapper d'abord, se sert dans le frigidaire, toé, tu parles pas.

–Pourquoi tu me le dis pas quand elle fait des affaires d'a même, je lui parlerais?

–Maurice, tu vois ben juste ce que tu veux voir. As-tu

déjà demandé à ta fille de s'excuser auprès de moé pis Jean-René pour ce qu'elle avait fait avec sa mère concernant le testament de mon père? Jamais.

Qué cé que tu penses qu'il va se passer si je m'en vais chez vous. Penses-tu réellement que mes enfants vont pouvoir venir me voir et se sentir à l'aise après le nombre de fois où tes filles leur disaient qu'ils étaient pas chez eux et qu'ils avaient juste à crisser leur camp.

–Ça marchera pas comme ça, je les laisserai pas faire.

–Tu dis ça, mais t'as jamais été capable de leur parler, pis cé pas aujourd'hui que ça va changer. Si jamais tu devais partir le premier, tes filles se feraient un plaisir de me mettre à la porte. Penses-tu vraiment que je vais prendre une telle chance? T'as toujours été un faible. Pendant tout le temps qu'a duré ton mariage, ta femme t'a contrôlé, t'as jamais fait un chèque par toi-même seulement. T'as jamais été capable de prendre une décision tout seul. Ta femme t'a dirigé 15 ans et quand elle est partie, ce sont tes trois filles qui l'ont remplacée. Pis veux-tu que je te dise une chose, je suis folle de joie que Jean-René revienne à la maison, et sais-tu pourquoi? Lui au moins, j'ai toujours pu compter sur lui. Y'avait un problème de robinet, mon fils allait à la coop acheter le nécessaire et le réparait. J'ai toujours pu compter sur lui pour m'aider à l'entretien de la maison.

–Parce que je suppose que je t'aide pas, moé? Cé qui qui a fait les réparations pour le magasin?

–J'ai pas dit que tu m'avais pas aidée. Mais là, tu m'aides plus. Ta fille Lisbeth appelle qu'il y a une souris dans le grenier et que son mari a trop la trouille pour l'attraper, tu accours en vitesse t'en occuper. Elle a un problème avec le bain, vite t'é rendu là. Ils veulent une pompe à l'eau, pas grave même si ça coûte 500 piastres, tu leur installes. Tu tonds leur pelouse, tu fais la même chose chez Catherina, pis tu chiales parce que Jimmy ne tond pas celle d'icitte. Depuis combien de temps que je te demande de faire les petites réparations icitte? Tu laisseras faire, mon gendre Martin s'en est occupé, pis y'a tout réparé.

–J'pu capable de sentir le coin. Je fais une montée de pression chaque fois que je reviens de travailler et que j'aperçois le village de Lambton. Ma maison me manque et je ne pense qu'à ça. Pis là, tu viens me dire que tu viens plus avec moi?

–Oui, pis je ne changerai pas d'idée. Pendant 10 ans j'ai fait la bonne sans jamais avoir un seul remerciement. Depuis que j'ai le magasin pis que je suis à la maison, je fais des beignes, j'en envoie à tes trois filles. Je fais des tourtières, des tartes, de la lasagne, du sucre à la crème, et encore là, je fais la distribution. J'ai eu quoi en retour? Catherina a essayé de voler l'héritage de mon fils, Lisbeth se marie et je dois disparaître et réapparaître après le mariage, Victoria s'engueule avec toé chaque fois qu'elle vient ici, mes enfants sont obligés de s'en aller parce qu'ils ne peuvent plus vous entendre et si j'ai le malheur de m'interposer, elle m'envoie chier pis me dit de me mêler de mes affaires que chu pas sa mère. Le mariage de ta fille, c'était le dernier coup de chienne que j'acceptais de la part d'un de tes enfants. J'ai été assez claire, je pense? Tu té toujours bouché les yeux, t'as jamais pu avouer que ta plus jeune était pas capable de s'occuper de son fils. Veux-tu que je continue?

Ce que Maurice ignorait, c'était que depuis le mois de septembre, j'avais commencé à écrire mon vécu depuis ma naissance. Seule Mélissa le savait, car c'est elle qui transcrivait mon texte sur son ordinateur. C'était mon deuxième essai. Au début de ma relation avec Maurice, j'avais commencé à rédiger un livre, mais comme à son habitude, une des filles à mon chum s'était empressée d'aller tout rapporter à sa mère. Résultat: celle-ci avait paniqué et téléphoné à la famille d'accueil qui m'avait gardée et leur fils m'avait appelée chez Maurice pour me faire gentiment comprendre qu'il me poursuivrait en justice si je publiais ce livre-là.

Mon chum m'avait alors demandé d'arrêter tout ça, que ça n'apporterait que de la chicane, et j'avais obtempéré. Et c'est en reculant en arrière que je m'apercevais qu'encore une fois, l'ancienne Julie refaisait encore surface. Elle s'abandonnait pour faire plaisir aux autres sans jamais penser à elle. Moi qui croyais l'avoir enterrée profondément, bien non, elle était toujours là. Mon besoin d'amour était toujours le plus fort. Mais cette fois-ci serait la bonne, je l'ensevelirais tellement profondément qu'elle ne pourrait plus revenir.

L'an 2000 s'en venait à grands pas et tout le monde craignait le bogue. Pas moi. Je regardai Maurice et lui dis:

—Fais toé-z-en pas, cé pas le premier changement qu'il va y avoir. L'an 2000, c'é l'année Julie N. pis il va y avoir beaucoup de bouleversements, t'as même pas idée.

Il était temps que je me réveille. Mon commerce marchait à plein régime l'été seulement, le reste de l'année c'était plutôt précaire. Ma situation financière s'en ressentait et je me devais d'agir. Pour sauver 5. dollars, une personne pouvait payer le double en essence pour se procurer un article semblable en ville, mais de moindre qualité. C'est certain, j'avais une clientèle qui regardait la qualité avant, mais la plupart ne pensaient qu'au prix. Fallait que je me rende à l'évidence, je ne pouvais pas vivre seulement des revenus de mon commerce.

Et pas question de demander de l'argent à Maurice. Premièrement, il avait endossé pour l'auto de Victoria. Mais celle-ci l'avait retournée au garage et il s'était embarqué avec un gros char pour riches. Il avait changé le prélart au complet dans la maison de mon chum et là, il était embarqué jusqu'au cou. Ils firent donc appel à Maurice encore une fois. Après avoir réuni toutes leurs dettes ensemble, mon chum avait signé une fois de plus à la caisse pour un montant de près de 30,000. dollars.

Deuxièmement, il avait acheté une maison à Catherina et avait endossé pour son auto à elle aussi. Et finalement, il avait acheté une auto de 6000. dollars à Victoria qui n'en avait jamais assez et qui lui quémandait de l'argent à tous les week-ends.

On se privait pour que ses trois filles puissent mener une vie de princesses de conte de fée. La même vie que leur mère avait toujours eue avec Maurice. Depuis 10 ans qu'on était ensemble et jamais on n'était parti en vacances seuls sans amener les enfants, et maintenant c'étaient les petits-enfants qui prenaient la place.

Patrice lui, venait régulièrement à toutes les semaines. À chaque fois qu'il avait une livraison dans le coin, il arrêtait en passant. Soit il prenait seulement un breuvage s'il était pressé, ou s'il en avait le temps, il partageait notre dîner.

Maurice était au courant de ces visites et jamais il ne mit en doute l'amitié que je portais à Patrice. Il me faisait simplement remarquer que c'était à sens unique et que ce dernier était amoureux de moi, ce que je refusais de croire. Les enfants étaient toujours présents lors de ces visites. Jimmy venait dîner à la maison depuis qu'il avait commencé à travailler au moulin à scie et son frère, qui faisait le chiffre de nuit, était présent lui aussi.

Patrice était un vrai boute-en-train. Il bougeait sans arrêt. Tournois de base-ball et partys meublaient ses fins de semaine. Il me parlait de ses dernières blondes et moi, je commençais à lui confier les problèmes que j'avais avec les enfants de Maurice.

Mon chum dut bien sentir que notre couple partait à la dérive, car lorsque je parlai de prendre une journée de vacances, il me rétorqua:

—On part tous les deux, tout seuls.

—Ça, je vais le croire, mé que je sois partie, pas avant.

Lorsque je demandai à Mélissa de garder la boutique le samedi après-midi et lui expliquai la raison, elle me regarda en s'exclamant:

—Toé maman pis Maurice, vous partez en vacances tous les deux, tout seuls? Cé une joke ou quoi? J'vas le croire mé que je vous vois partir. Pis là, je t'avertis, té mieux de pas appeler icitte, ni chez-nous parce que je te raccroche la ligne au nez. Pars sans t'inquiéter, je vais m'occuper de Jimmy pis de Jean-René.

Le miracle eut pourtant lieu et on prit la direction de Montréal pour aller au casino.**

***

Chapitre 38

À deux heures de l'après-midi, on partait pour une journée et une nuit de vacances. C'était la première fois que Maurice et moi coucherions dans un motel. On s'était mis d'accord avant de partir: pas question de parler des enfants ni des petits-enfants. On avait demandé à Catherina de garder bébé Steve pour les deux journées; après tout, c'était elle, la mère et je commençais à m'en rendre compte de plus en plus depuis le début de l'écriture de mon livre.

Avant de partir, j'avais pris le soin d'acheter une carte de la ville: je voulais être certaine de savoir où je m'en allais, surtout que c'était moi qui conduisais comme chaque fois qu'on prenait mon automobile. Encore aujourd'hui, à la pensée de ces VACANCES, j'en ai la-chair-de-poule.

Si on se fiait à la carte routière, il n'y avait rien de plus simple. Je n'avais qu'à bifurquer sur le pont Jacques-Cartier et de là, me rendre à l'île Notre-Dame. Voulant profiter de la clarté pour se rendre à destination, on se prendrait un motel en revenant du casino. Je n'avais jamais conduit dans la ville de Montréal et j'avais les mains moites en apercevant le pont qui était maintenant devant nous. Habituellement, chaque fois que je devais passer sur un pont, je me fermais les yeux, c'était le seul moyen de réprimer les haut-le-coeur qui me prenaient à tout coup. Mais là, pas question de me les boucher, c'était moi qui avais le volant.

Je pris donc de grandes respirations avant de faire le grand saut et me retrouver dessus. Ni Maurice ni moi, ne vîmes la sortie de l'île Ste-Hélène et on se retrouva en plein coeur de la ville. Chercher un endroit pour rebrousser chemin n'était pas si évident que ça, mais j'y parvins néanmoins. Là, pas question de rater la sortie même si les autos klaxonnaient parce que je n'allais pas assez vite.

Bon enfin rendu sur l'île de la Ronde, il ne restait maintenant qu'à trouver la route qui nous conduirait à l'île Notre-Dame. Pendant une demi-heure on se promena et on tourna en rond, jusqu'à ce que je voie une guérite avec un homme à l'intérieur. Je m'approchai donc et l'interpellai:

–Excusez-moi, monsieur. Pourriez-vous m'indiquer la route pour se rendre au casino?

–Chère Madame, vous n'êtes pas à la bonne place. Vous ne pourrez pas y arriver d'ici. Vous devez retourner prendre le pont Jacques-Cartier, et prendre le pont Champlain. De là, vous allez apercevoir la pancarte du casino.

Rien de plus simple quand on connaît le coin, pensai-je. Mais pour des novices comme nous, c'est une autre histoire. Je rebroussai chemin et finis par apercevoir le pont Champlain. Moé, pis ma peur des ponts, j'étais pas au bout de mes peines. Après avoir traversé le charmant pont, on se retrouva encore une fois en plein coeur de Montréal.

Pendant une heure, on tourna en rond, sans jamais voir de pancarte annonçant le casino. Maurice me demanda d'arrêter: on allait se renseigner auprès d'un passant. C'est ce que je fis au moins 10 fois. À chaque arrêt, un passant nous disait de prendre la rue Notre-Dame, le suivant nous retournait sur le pont Champlain en nous disant de prendre la sortie Bonaventure, un autre nous dirigeait ailleurs.

Je dois dire qu'on ne savait plus du tout où on était rendu. Je me rappelle simplement qu'on a fait le canal Lachine à la longueur dans un sens et dans l'autre et même chose pour la rue Notre-Dame. J'ai même pu contempler la Basilique et voir des cochers qui donnaient des randonnées de cheval. Tout, sauf une pancarte annonçant le casino. Depuis 2 heures de l'après-midi qu'on était parti et la faim commençait à se faire sentir. Je tremblais et un lancinant mal de tête n'arrangeait rien. Il était maintenant 6 heures et on tournait toujours en rond, sans parler de la noirceur qui était arrivée sans qu'on s'en rende compte.

Je fis remarquer à Maurice qu'on n'avait pas acheté une carte routière pour rien. On se stationna donc devant un garage et on déplia la mappe. Y'était temps. On était sur une autoroute et les panneaux indiquaient la route à prendre pour se rendre à Toronto. Un demi-tour s'imposait à toute vitesse. Même avec la carte, pas moyen de trouver rien. On arrêta s'informer une fois de plus et enfin, je vis une toute petite pancarte bleue annonçant CASINO 5. Enfin pensai-je, on allait arriver. Mon chum m'indiqua le chemin à prendre et pendant 15 minutes, je ne vis que CASINO 5, et un peu plus loin encore CASINO 5 et encore une fois CASINO 5. Là, c'était plus que je ne pouvais en supporter et je laisser éclater ma colère:

–Là, Maurice, ça suffit. Tu voé ben qu'on tourne en rond en écartés. Y'é rendu 7 heures du soir, on devrait être rendu depuis au moins 2 heures. J'ai tellement faim que j'en ai mal à la tête. Pourquoi qu'on call pas un taxi, pis qu'on le suit pas, ça ferait longtemps qu'on serait rendu.

–Ben non, on voit la pancarte, on devrait pas être loin de ce christ de casino-là.

–Pourquoi qu'à chaque maudite fois qu'on sort, ça tourne toujours au cauchemar. Cé tout le temps la même rengaine, "*Inquiète-toé pas chérie, je le sé où on s'en va.*" Pis à chaque fois, nos enfants trouvent ben drôle qu'on soit écarté une fois de plus. Tu t'obstines avec Pascalain sur la route à prendre, pis cé lui qui a raison. Je sens qu'on va passer des maudites belles vacances!

–À ta place, Julie, ça ferait longtemps que j'aurais perdu patience, chu ben content que ce ne soit pas moé qui conduise. Et là, il part à rire.

Ben moé, je la trouvais pas drôle d'arrêter un passant encore une fois pour demander le chemin. Finalement, je vis Casino 4, et après Casino 3. Ça y'était, on était sur le bon chemin. Un garçon qui était en plein milieu du chemin nous arrêta et nous indiqua le stationnement d'où un autobus nous prendrait et nous amènerait au casino.

Je garai mon auto et on eut juste le temps de prendre l'autobus que déjà on partait. Je regardais par les vitres extérieures et je ne pensais qu'à une chose: manger. Un détail cependant accrocha.

–Maurice, depuis qu'on est décollé, la seule chose que je vois par la vitrine, cé des parkings. As-tu pris le numéro du nôtre, pour mé qu'on revienne?

–Non, j'ai pas pensé à ça.

–On va avoir l'air fin.

Je regardai la femme sur le siège en face de moi et lui demandai le numéro du stationnement qu'on avait quitté. Elle me le dit et nous donna tous les renseignements dont on aurait besoin pour revenir, dont le numéro de l'autobus. Évidemment on n'avait pas pensé de regarder...

Deux **péquenauds** de Lambton qui débarquent en ville. Cé ce qu'on avait l'air? Du monde qui a jamais sorti de leur petit patelin. Et la soirée ne faisait que commencer...

Le casino apparut enfin dans toute sa splendeur et ses lumières. Je n'avais pas les yeux assez grands pour tout voir. Notre première idée était de trouver un restaurant au plus vite avant que je ne m'effondre. Plus facile à dire qu'à faire! Par chance, des préposés se trouvaient continuellement sur notre route et après en avoir arrêté deux qui trouvaient qu'on avaient l'air perdus (ça paraissait tu tant que ça?), on arriva finalement devant un restaurant.

Sans se questionner, on se mit à la suite de tous ceux qui nous précédaient. La dame à l'accueil annonça: numéro 23 et 25 vous pouvez passer. Je me retournai vers Maurice, quêtant ainsi une réaction de sa part, quand un homme en avant de moi me demanda:

–Avez-vous pris un numéro madame?

–Non.

–Vous devez prendre un numéro, ensuite vous revenez dans une heure et vous allez pouvoir passer.

–Cé une joke ou quoi?

–Non madame, il y a une heure d'attente.

Je me dirigeai immédiatement à l'accueil et demandai le

déroulement. La dame, de son plus beau sourire, me répondit:

–Présentement, il y a une heure et demie d'attente pour manger. Vous prenez un numéro pour réserver et pendant ce temps, vous pouvez allez jouer dans les machines à sous. Vous revenez pour l'heure exacte et vous allez immédiatement avoir votre place.

–O.k, j'ai compris, est-ce qu'il y a un autre restaurant dans l'établissement?

Encore une fois, on devait faire le casino au complet pour pouvoir se rendre à un resto 'fast-food'. Enfin, à 7 heures 35, Maurice et moi étions attablés. Moi, devant un smoked meat et mon chum devant une poutine. Pour une fois qu'on sortait tous les deux seuls, on mangeait de la 'junk-food' au lieu de se payer un bon repas.

Maintenant repus, il ne nous restait qu'à essayer les dites machines, quand Maurice me dit:

–Moé, j'mets pas une maudite cenne noire là-dedans. Chu venu icitte juste pour visiter.

Bien sûr, pensai-je, garde ton argent Maurice, pour payer le coiffeur à Victoria qui elle, va te faire une crise si tu lui dis non. Garde ton sacré fric pour tes trois petites princesses. Surtout, pense pas à t'amuser, ni à ce que je m'amuse. On prend des vacances pour la première fois en 10 ans, pis je sens que tu vas me les gâcher.

Je dépensai 20$ à essayer les machines à sous. Et à voir l'air de mon chum, je compris vite que j'en avais assez dilapidé. On passa donc le reste de la soirée dans les ascenseurs à visiter le dit casino. À 10 heures.30, Maurice ayant tout vu, était déjà prêt à s'en aller et moi pareillement. Je me demandais réellement ce que je foutais là avec un tel rabat-joie, qui ne savait jamais profiter de la vie. J'avais 37 ans et lui 49, et je commençais seulement à me rendre compte du fossé qui nous séparait.

Le retour à Longueuil pour se trouver un motel se fit tout d'un trait. Tout un miracle! Ayant tourné en rond pendant presque trois heures avant de se rendre à destination, on connaissait le coin maintenant. Au premier motel, on ne disposait pas de bain tourbillon, et comme mon chum tenait à me faire plaisir on se rendit donc au deuxième. Comble de chance, il ne restait qu'une chambre de libre et elle disposait du fameux bain. Hourra!

Je sortis les bagages de l'auto et entrai à l'intérieur, accompagnée de Maurice. Une grande chambre avec deux lits doubles nous attendait. Je me précipitai à la salle de bains et me dépêchai de remplir le bain Depuis le temps que je rêvais d'essayer un tourbillon, ça se réalisait. Pour ceux habitués de coucher dans des motels et de se servir d'un bain tourbillon, tout baigne dans l'huile, mais pour deux péquenauds qui ont jamais rien vu, c'est une tout autre histoire.

J'eus beau tâtonner à la grandeur du bain, pas moyen de trouver le commutateur pour partir les tourbillons. Après une dizaine de minutes de recherche, Maurice finit par trouver la minuterie. Au mur, au-dessus de l'interrupteur de lumière. Bon, cé le temps d'embarquer, sauf que j'ai mis un peu trop d'eau et quand mon chum vient me rejoindre, on est pas loin du débordement. Je tire donc la chaîne pour en vider une partie. Là, cé parfait.

Pendant une demi-heure, je profite des remous qui me font un massage dans le dos. Pur délice après un après-midi à tourner en rond. Mais je ne peux quand même pas passer toute la nuit là, j'ai d'autres projets en tête. Je laisse donc Maurice seul dans le bain pendant que je vais me sécher. Au moment où je sors de l'eau, les tourbillons se font plus intenses, et j'entends mon chum crier entre deux hoquets:

—Arrête ça, cette maudite affaire-là, chu en train de me noyer.

Je me retourne et aperçois Maurice. L'eau lui arrive en pleine figure et il a de la misère à respirer. Je tourne la minuterie à off. et lui demande:

—Veux-tu ben me dire quel train tu mènes?

—Toé, pis tes histoires de bain tourbillon. T'as enlevé trop d'eau. Ça fait que quand té débarquée, les jets avaient de la pression en maudit, pis ça me r'volait en pleine face.

Je pouffe de rire et réponds:

—Vois-tu ça demain dans la rubrique nécrologique: il

prend des vacances seul avec sa blonde pour la première fois en 10 ans et meurt, noyé dans un bain tourbillon.

Heureusement, les vacances tiraient à leur fin. Sitôt sorti du bain, mon chum se rua sur le lit et... tomba endormi. Toute une nuit de rêve ! J'avais beau essayer de m'endormir, rien à faire, j'avais une de ces soifs, c'était sûrement mon smoked-meat qui commençait à faire effet. Bon, aussi bien de trouver un dépanneur et aller me chercher à boire. Je m'habillai donc, ce qui eut pour effet de réveiller ma marmotte qui ne voulut pas me laisser seule dans une ville inconnue et qui s'habilla pour m'accompagner. Je refermai la porte en prenant soin d'apporter la clef avec moi. Rendue à l'extérieur, je dus néanmoins patienter et zigonner la clef dans la serrure avant d'entendre un déclic qui m'indiqua que j'avais réussi à la barrer.

Arrivé au couche-tard, je n'avais qu'une seule pensée: m'acheter du cooler, cette boisson à faible teneur en alcool, mais qui est si rafraîchissante. Je me dirige donc devant le frigidaire, essaie d'ouvrir la porte, mais en vain. Mon chum voyant que je ne revenais pas, arrive à ma rescousse:

—Veux tu ben me dire qué cé que tu fais?

—Là, j'ai l'air imbécile, mé chu pas capable d'ouvrir la porte du frigo.

—Tasse-toé, j'vas l'ouvrir.

Maurice a beau essayer, rien n'arrive à débloquer la maudite porte.

—Y doit ben avoir un truc pour ouvrir ça, j'peux jamais croire, maudit qu'on a tu l'air ignorant.

Je regarde mon chum qui commence à perdre patience et qui tambourine la porte; et avant qu'il ne casse quoi que ce soit, je pile sur mon orgueil et demande à l'employée:

—Excusez-moi, pouvez-vous m'ouvrir la porte du réfrigérateur s.v.p. elle est bloquée.

—Madame, il est 11 heures 30: la porte est verrouillée. Interdit de vendre des produits alcoolisés passé 11 heures.

—Hein, cé tu juste en ville que ça marche comme ça? J'ai jamais entendu ça de ma vie. Pis de toute façon, j'veux pas de bière, j'veux juste du cooler.

–La loi est partout pareille, et du cooler, c'est alcoolisé, même s'il n'y a que .05% d'alcool dedans.

Je regardai Maurice. Lui non plus n'avait jamais entendu une telle chose. Mais à bien y penser, on ne pouvait pas le savoir. En campagne on n'en a pas de dépanneurs ouverts 24 heures, ils ferment tous à 11 heures. Plus nos vacances tiraient vers la fin, plus on avait l'air de vrais demeurés. On repartit donc avec une orangeade et un journal pour moi.

De retour au motel, mon chum se rendormit profondément. Par chance que j'avais de la lecture. Je passai donc une partie de la nuit à lire le Reader's Digest et à boire de l'orangeade pour étancher ma soif. Le lendemain matin, sitôt éveillée et après une douche, je refis nos bagages. Nos vacances venaient de prendre fin et il était temps de retourner à la maison. Après avoir mis nos effets dans l'auto et avoir vérifié qu'on n'oubliait rien, mon chum me demanda:

–Qué ce qu'on fait avec la clef? On la laisse tu icitte, ou il faut qu'on la ramène à l'accueil?

–On peut pas la laisser icitte, j'en ai besoin pour barrer la porte.

–Ouin, cé vrai.

J'étais encore une fois à zigonner la clef dans la serrure pour tenter de verrouiller la porte quand Maurice aperçut la préposée au nettoyage à proximité. Il la héla:

–Excusez-moé, madame. On fait quoi de la clef?

–Vous la laissez à l'intérieur, Monsieur, sur la table de chevet.

–On fait comment pour barrer la porte d'abord?

La porte se verrouille d'elle-même, Monsieur. Vous n'avez qu'à la fermer, et après quelques secondes, vous allez entendre le déclic indiquant qu'elle est barrée.

On ne put retenir un fou rire. J'imaginais la tête des enfants quand on leur raconterait nos vacances. Ils ne voudraient jamais nous croire."

***

Chapitre 39

"Mélissa m'appela un vendredi soir et me dit:

–Ça y est maman, j'ai fini d'écrire ton livre. J'ai commencé à le faire imprimer et ce soir, tu vas avoir la première copie de ton manuscrit.

–Super! fille, imprime le 5 fois s'il-te-plaît. Je vais l'envoyer à 5 maisons d'édition différentes. Pis y va rester juste à attendre, pis à annoncer ça à mon chum.

–Bonne chance!

–Ouais, je sens que je vais en avoir besoin.

Sitôt accroché, je me dirigeai vers Maurice et lui dis:

–Assis-toé, faut que je te parle. Ça fait déjà plusieurs mois que tu me demandes tout le temps ce que je fais de mes journées. Ben là, je vais te le dire: j'écris un livre sur mon enfance. Là, la première partie est terminée, c'est en train de s'imprimer sur l'ordinateur à Mélissa. Lundi matin, j'en envoie 5 copies à des éditeurs. Pis si je t'en ai pas parlé avant, c'est que je savais que tu serais pas d'accord. J'ai tout fait à cachette, pis mets-toé ben dans la tête, que je reculerai pas cette fois-là.

Je m'attendais à de la colère de sa part. Je m'attendais à ce qu'il essaie de me convaincre de tout abandonner. Je m'attendais à beaucoup de choses, mais pas à ceci:

–Ça s'peut tu, avoir du temps comme ça à perdre, pour des niaiseries.

–En tout cas, je peux toujours compter sur toi pour m'épauler, hein Maurice? Tout ce que je fais est jamais à ton goût.

–Ben ça dépend, ça va tu te rapporter, ce livre-là. Si oui, vas-tu m'en donner une partie?

–J'vais te donner le même montant que tu m'as donné en encouragement.

–Ouin, pour moé, j'aurai pas grand-chose.

–En plein ça! Zéro encouragement. Zéro cenne. Oublie ça, t'auras rien.

Le lundi suivant, j'envoyai mon manuscrit et je m'attendais à patienter au moins une année. Julie N. n'étais sûrement pas la seule personne qui écrivait. Il devait y en avoir des centaines par jour.

Je n'eus pas à patienter longtemps que je reçus une réponse. Deux maisons d'édition étaient prêtes à publier mon livre. Je sautai de joie et appris la bonne nouvelle à mes enfants et mon chum. Ce dernier resta coï de surprise et béat d'admiration. Il commençait seulement à réaliser ce que j'avais vécu. Ayant toujours vécu dans une famille unie, sans cris et sans pleurs, il avait de la difficulté à comprendre qu'on m'ait traitée ainsi.

Depuis que j'avais fini mon premier livre, je commençais à prendre des décisions que jamais auparavant, je n'aurais pu prendre. Comme au début de décembre, alors que j'appris à Catherina qu'elle devrait se trouver une autre gardienne. C'était fini, je ne garderais plus son fils. J'avais fait ma part, je l'avais aidée autant que j'avais pu, et ce n'était pas à moi, d'élever son fils. Pour la première fois de ma vie, je pensais à moi sans me sentir coupable, et c'était pas fini.

Maurice prit très mal la nouvelle. Il s'ennuyait à mourir du petit et même si je souffrais autant de son absence, je refusais de me laisser manipuler encore une fois. Mon chum avait beaucoup de difficulté à s'adapter à la nouvelle Julie. La bonasse avait disparu, pour faire place à une femme déterminée.

Pour me 'conforter' encore plus dans ma décision, j'eus encore droit à un coup de poignard de la part d'une de ses filles. Noël arrivait à grands pas, mon fils Jean-René m'apprit qu'il n'avait pas d'argent pour acheter de cadeau à sa filleule (la fille de Pascalain et Lisbeth). Je proposai donc de payer le tout. Il pourrait me rembourser plus tard. Ce serait notre secret.

Je partis donc en compagnie de Maurice faire les emplettes de Noël. Je tombai en amour avec une cuisinière-électronique qu'on acheta. Tel que convenu, je payai la part de mon fils en disant à mon chum que c'était l'argent que Jean-René m'avait remis. Je confectionnai une paire de pantoufles et achetai un livre d'histoire: ça serait ma contribution à moi seule.

Le 23 décembre, on se rendit chez Pascalain et Lisbeth pour porter nos présents. Jean-René ne put nous accompagner étant donné qu'il fêtait ses vacances avec ses collègues de travail. Aussitôt entré avec les présents, mon beau-fils s'empressa d'aller réveiller sa fille pour qu'elle vienne déballer son cadeau. Pendant une demi-heure j'entendis la même rengaine:

–Bibiane, va donner un bécot à grand-papa pour le beau cadeau, dis-y merci.

Aucun merci pour mon fils, ni pour moi. Ça fait dix ans que je suis avec Maurice, et encore là, on me fait sentir une étrangère, moi qui ai toujours pensé que mon chum et moi on ne faisait qu'un. À chaque fois que je donne un présent à mon petit-fils, ma fille et mon gendre savent très bien qu'il vient de nous deux et s'empressent de remercier Maurice. Mais pas avec ses filles, je suis toujours une étrangère.

–Bibiane, donne des gros bécots à papi, il est tellement fin. Regarde le beau cadeau qu'il t'a acheté.

Le mien, mon présent est toujours sur la table et personne ne l'a encore aperçu. Personne ne le voit... comme moi d'ailleurs. Je n'existe pas, je ne suis rien, même pas la blonde de Maurice, rien. Pour achever le tout, Pascalain s'adresse à Lisbeth en lui disant:

–Quécé que t'attends pour donner le cadeau qu'on a acheté à ton père. Va le chercher, pis donnes-y.

–Tiens papa, on t'a fait un cadeau, tu le mérites tellement.

Rien pour moi, rien pour Julie, pas même un jeu de cartes acheté au Dollarama. Pendant tous les jours de la semaine, Maurice est allé les voir en sortant de travailler. Pendant toute la semaine, il aurait pu lui donner son cadeau en sachant très bien qu'il n'y avait rien pour moi. Ben non, fallait qu'encore une fois, ils me blessent. Et pendant que Maurice déballe son cadeau, j'entends toujours le même refrain:

–Bibiane, dis un gros merci à papi, pour le beau cadeau qu'il t'a acheté.

Ça y est, je sens que le déluge est proche et qu'il vont réussir à me faire pleurer. Je ravale mes sanglots en regardant dehors par la porte-patio. Les yeux me piquent et mon coeur me fait tellement mal qu'il menace d'éclater. Maurice bien sûr, ne se rend compte de rien et me montre son beau présent, une scie circulaire qui vaut très cher.

Je n'en peux plus, j'ai besoin d'air, je sens que les larmes que je retiens depuis le début vont sortir. Je me racle la gorge pour ne pas leur montrer qu'une fois de plus, ils m'ont encore fait mal. J'aurais envie de leur crier ma peine et de les supplier d'arrêter leurs petits manèges, que je n'en peux plus, qu'ils vont finir par avoir ma peau. Mais une fois de plus, les paroles si souvent entendues de la part de mon chum m'arrêtent. "Voyons chérie, ils n'ont sûrement pas fait exprès. Ce devait être un oubli." Et j'entends dans ma tête les excuses qu'il va encore leur trouver, comme s'il me les disait.

Je dois absolument trouver un moyen de m'éclipser. Je me racle la gorge encore une fois et je me lance:

–Pendant que vous allez finir de monter la cuisinière, je vais aller prendre une marche dehors, voir si Peter est chez lui et lui souhaiter de joyeuses-fêtes, ça fait longtemps que j'ai pas été le voir.

Peter est le jeune frère de Maurice. Personne ne me pose de questions, personne ne fait de commentaires. Il est 11:30, du soir et ni Pascalain, ni Lisbeth et encore moins mon chum, ne trouvent bizarre que j'aille prendre l'air à cette heure-là. Comme si tout était normal. Gang de sans-coeur et d'imbéciles, ils sont tellement occupés à ne penser qu'à eux autres, que je n'existe plus, je suis invisible.

J'ai à peine franchi le seuil que le déluge commence. Mes larmes n'arrêtent plus de couler et le coeur me fait tellement mal que je croirais qu'il va exploser. Pas question d'aller chez Peter, ce n'était qu'une excuse pour pouvoir laisser sortir ma peine sans témoin. La seule solution qui se présente à moi est de m'en retourner à Lambton (13 km), chez moi, à pied. Je pars donc dans la direction opposée où je suis supposé aller, mais personne dans la maison ne voit rien. Je marche pendant 30 minutes pendant lesquelles les larmes coulent toujours en se logeant dans mon cou. Il fait très froid et je ne suis pas habillée pour l'occasion. Mes petits souliers ainsi que mon manteau non doublé n'arrivent pas à me protéger du vent glacial. Moé pis ma manie de m'habiller comme si j'étais toujours en automne, je paie pour ce soir.

Bon, j'ai deux choix: soit je rebrousse chemin, soit je meurs gelée sur le bord de la route. Si au moins, je pouvais faire de l'auto-stop, mais non, à cette heure-là, en pareil endroit isolé, pas un chat ne passe. Il serait tellement facile de me laisser geler et l'idée me réjouit: fini de faire souffrir Julie. Une image fulgurante me traverse alors l'esprit. Je vois mon petit-fils Tommy et il me dit: "Je t'aime mamie." Je m'imagine mes trois enfants pour lesquels je me suis toujours battue et je me dis que je n'ai pas le droit de baisser les bras.

Je fais donc demi-tour, mais pas question que j'entre dans la maison. Arrivée dans la cour, j'ouvre prudemment la porte de l'auto de Maurice et m'assois. Je n'ai pas les clefs, donc je ne peux pas partir le chauffage. Je me contente de grelotter et de pleurer. Car les larmes ne se sont pas encore taries, j'ai encore trop mal, mon coeur est encore déchiré. J'attends ce qui me paraît être une éternité, jusqu'à ce que j'aperçoive mon chum qui ouvre la portière et me dit:

–Pascalain et Lisbeth viennent juste de voir ton cadeau que tu as laissé sur la table, viens-tu le donner à Bibiane?

Il ne voit pas mes larmes, il ne voit rien comme d'habitude. Il ne se pose même pas la question de savoir ce que je fais ainsi assise dans l'auto. Je n'ai plus envie de jouer, plus envie d'avoir l'air heureuse. À travers mes sanglots, je lui dis néanmoins:

–Tiens, une heure plus tard, ils viennent de se rendre

compte que j'avais amené un cadeau. Tu peux leur dire que le cadeau, ils peuvent se le mettre où je pense.

–Qué cé qui se passe? T'as pas l'air à filer. Pourquoi est-ce que tu pleures? Je vais aller leur dire que tu files pas bien et on va s'en aller à la maison.

–Fais ce que tu voudras.

Cinq minutes plus tard, je le vois ressortir et prendre le volant. Le retour se fait dans le silence de mes larmes. Maurice se demande ce que j'ai, car à son idée, tout a bien été. Je ne peux retenir ma colère plus longtemps:

–T'oses me demander ce que j'ai?

Et là, de me mettre à imiter la voix de son gendre:

–*Bibiane, dis merci à papi pour le beau cadeau! Embrasse papi, dis-y un gros merci! Pis Julie elle, elle fait pas partie de la vie de papi. Y'a juste papi qui achète les cadeaux.* Pas de merci rien, ni pour moé, ni pour mon fils. Pis le maudit cadeau que j'ai faite, ils l'ont même pas vu avant une heure. Pourtant la table était clean et mon cadeau trônait seul au milieu de la table. Tu vas me faire croire qu'ils l'ont pas vu. Ensuite, la scie circulaire qu'ils t'ont offerte, ils ont eu toute la semaine pour te l'offrir, ils savaient qu'il n'y avait pas de cadeaux pour moé. Pour qué cé faire qu'ils ont attendu que je sois là pour te le donner? Ah, Maurice, tu le mérites tellement!

Pis la crisse de cuisinière, cé moé qui a payé la part à Jean-René, parce que ça lui adonnait pas. J'commence à avoir mon ostie de voyage de tes enfants. Dis-moé une chose: à toutes les années, on fête le 24 décembre au soir chez ma fille et Martin. As-tu déjà vu une année où il n'y avait rien en-dessous du sapin pour toé? Cé pas grand-chose, mé ma fille sait que tu raffoles du chocolat, et t'en as toujours une boîte qui t'attend, bien emballée. À la fête des pères c'est la même chose, as-tu déjà eu juste une simple carte de la part de tes enfants? Jamais! La seule carte que tu reçois vient de mes enfants.

Je t'avais averti que les noces de ta fille, c'était le dernier coup bas que j'acceptais de tes enfants, celui-là, il passe pas, j'espère que j'ai été assez claire.

Ben sûr, Maurice compatit à ma peine et me promit

d'avoir une explication avec son gendre et sa fille. Comme je proposais de leur parler moi-même et de leur demander ce que j'avais pu faire pour leur déplaire, il refusa catégoriquement en me disant que c'était à lui de régler ça.

Je pleurai une partie de la nuit et dus aller quérir trois couvertes supplémentaires pour réussir à me réchauffer. Et encore là, je claquai des dents toute la nuit, pensant avoir attrapé mon coup de mort sûr et certain.

La semaine suivante, Maurice tint sa promesse et rencontra son gendre et sa fille. Bien sûr, ils avaient une défaite toute prête, ils avaient complètement oublié de me remercier et se demandaient vraiment ce qu'ils avaient pu me faire. Je rétorquai à mon chum que si réellement, ils avaient été sincères, ils m'auraient appelée en s'excusant de l'oubli. Mais une fois de plus, je fus reléguée au dernier plan. La seule chose que Maurice me demanda fut de ne pas faire de repas de famille cette année-là.

De toute façon, j'avais eu ma leçon l'année précédente. Catherina et Pascalain s'était engueulés et cette dernière était partie en larmes. Le copain que Victoria avait à l'époque s'était caché dans la salle de bains et était allé fumer de la drogue. Quant à la blonde que mon fils Jean-René avait amenée, elle courait après tout ce qui avait un entrejambes masculin en cruisant ouvertement mon gendre, le copain de Victoria et Pascalain. Belle fête de famille!"

***

Chapitre 40

♪Dring, dring!

–Oui allô!

–Salut Julie, c'est Patrice. Je passe à Lambton aujourd'hui, j'ai pensé arrêter te voir en passant, ça te dérange?

–Pantoute, ça va me faire plaisir. T'as pas envie de venir dîner avec moi et les enfants.

–Pas aujourd'hui, je vas être là seulement en milieu d'après-midi.

–Cé beau, je vais t'attendre.

–À tantôt !

Patrice: enfin un ami avec qui bavarder. Il me manque terriblement. Ça fait deux longues semaines que j'ai pas eu de ses nouvelles.

J'entends le 10-roues s'arrêter devant la maison et je le vois arriver. Je ne lui offre même plus à boire, je sais d'avance qu'il prend toujours un Pepsi. Aussitôt qu'il s'assoit, je lui en apporte un et je prends place à l'autre bout de la table.

–Pis qué cé que t'as fait de bon pendant les vacances des fêtes. Ça fait un bout que je t'ai pas vu?

–Jean-René t'a pas fait la commission? Chu venu vous voir dimanche de la semaine passée, mais t'étais partie en ville avec Maurice.

–Non, j'ai pas eu le message. Avec mes gars, cé toujours

comme ça. Même les appels téléphoniques que je reçois en mon absence, ils oublient toujours de me les transmettre.

Il me parle de ses partys des fêtes où il est allé avec sa blonde, le plaisir qu'il a eu et je l'envie. Quand il me demande ce que moi j'ai fait, je me retiens de ne pas pleurer et lui raconte ma soirée du 23 décembre. Il me regarde tristement, nos yeux se rencontrent et je sais qu'il a mal pour moi. Son seul commentaire:

–Qué cé que Maurice a dit de tout ça?

Je ne sais pas quoi lui répondre, j'aime mieux me taire que de lui avouer que comme d'habitude, il m'a demandé d'oublier et de pardonner, que tout finirait par rentrer dans l'ordre. 10 ans que j'entends la même maudite rengaine. Comme toute bonne chose a une fin, après 30 minutes de bavardage, Patrice reprend le volant de son camion en me promettant de me rappeler dès qu'il repassera dans le coin. Merveilleuse technologie que celle du cellulaire!

Janvier arrive ainsi que le repas familial du coté de Maurice. Comme à chaque année, ce sera moi et ma belle-soeur qui s'en occuperont. On fait préparer la bouffe par un traiteur, on réserve la salle et on se retrouve une quarantaine de personnes à faire des jeux. Ce sera la première fois que je vais revoir Pascalain et Lisbeth depuis l'affront. Je décide de les ignorer. C'est le seul moyen de préserver ma tranquillité d'esprit et de ne pas souffrir encore une fois. Je ne leur adresse pas la parole de toute la soirée. Je n'ai pas à faire les premiers pas, et s'ils ont des excuses à faire, c'est à eux de s'avancer. Évidemment, rien ne vient.

Milieu janvier, c'est l'anniversaire de Bibiane. Maurice revint de travailler un soir en me disant qu'on est invités à partager le repas de fête, le vendredi soir suivant. Je le regarde incrédule et lui demande:

–Dis-moé franchement, on est invités ou bien ils t'ont invité, toé? Ils savent très bien que le vendredi, mon magasin est ouvert jusqu'à 9 heures le soir.

–M'ont invité moé, pis m'ont demandé si t'allais venir.

–S'ils veulent absolument que je sois là, ils connaissent le numéro de téléphone. Tu m'excuseras auprès d'eux, mé je pourrai pas y aller, je travaille jusqu'à 9 heures.

–Qué cé que je vais leur donner comme défaite?

–T'en trouveras sûrement une bonne, je te connais. Pour pas faire de chicane, t'inventeras une bonne menterie. Parce que cé ça le principal, faut pas faire de chicane, faut fermer sa gueule en tout temps et tout accepter sans broncher. Ça va finir par se replacer hein Maurice? Si tu m'avais laissée parler à tes enfants une seule fois, que j'aie une conversation entre adultes avec eux autres et que je leur demande une fois pour toutes ce qu'ils avaient à me reprocher, on n'en serait pas rendu là aujourd'hui. Ben non, t'as jamais voulu que je leur parle.

Je ne sais pas si tu te rappelles au tout début qu'on sortait ensemble? Jimmy t'avait manqué de respect en t'envoyant carrément chier. Tu ne l'as pas frappé, tu l'as simplement agrippé par les épaules et tu lui as dit: "*Toé mon petit maudit, chu p'tête pas ton père, mé tu vas me respecter, parce que chu ton oncle, m'as-tu compris?*" Est-ce que mon fils t'a déjà manqué de respect après ça? T'aurais dû faire la même chose avec tes filles, juste une fois, pis le problème aurait été réglé.

–Oui, mé moé cé pas pareil, elles ont leur mère qui leur monte la tête. Toé, tes jeunes, tu les a élevés toute seule.

C'est tellement facile de rejeter sa responsabilité sur les autres. Jimmy, le voit lui, son père. Mais il n'y a pas pire aveugle que celui qui ne veut pas voir.

C'est donc seul que Maurice va au souper d'anniversaire de sa petite fille. Victoria qui revient pour le week-end de Québec, est en furie. Comment se fait-il qu'elle n'ait pas été invitée à la fête? Je lui fais remarquer que seuls les grands-parents sont de la partie. Elle me demande ce que je fais à la maison, me dit que ma place est auprès d'eux. Elle est la seule des trois filles à Maurice à voir ce qui se trame, elle qui est éprise de justice autant que moi.

On parle pendant des heures. Elle me raconte alors toute l'injustice à laquelle elle est exposée. Elle doit continuellement quémander son père pour avoir droit au même traitement que les deux autres, qui elles, n'ont qu'à lever le petit doigt. Elle est la deuxième, l'enfant-tambour, celle qu'on oublie facilement si elle crie pas à tue-tête.

Je la comprends. Après toute les scènes dont j'ai été témoin, je ne peux qu'approuver ce qu'elle dit. Je lui raconte l'histoire de la carabine, elle n'en revient simplement pas.

Catherina arrive à la maison et se dirige dans la chambre de Jimmy qui est parti pour la fin de semaine chez son père et veut emprunter la carabine .22 de mon fils. Là, il n'en est pas question et je refuse. Elle regarde alors son père et lui ordonne de lui prêter la sienne; dorénavant, elle sera à elle. Après que Maurice lui eut fait part de ce que la carabine en question était chez Lisbeth, elle partit la quérir.

Cette dernière appela en hurlant qu'elle désirait garder la .22 pour elle, que c'était son héritage à elle, étant l'aîné et que Maurice devait retourner la chercher chez Catherina. Pauvre Maurice, il était en vie et ses deux filles se disputaient dès maintenant leur part d'héritage. Ni l'une ni l'autre n'avaient pensé à Victoria.

Une autre fois, Pascalain qui désirait acheter la maison de Maurice, lui dit en pleine face:

–T'auras juste à calculer l'héritage qui revient à chacune de tes filles, pis la part à Lisbeth, t'auras qu'à le déduire du prix de vente.

Maurice avait refusé catégoriquement de vendre. Et il était resté prostré de voir comment il était aimé et apprécié, mais il n'en avait pas eu assez encore.

Victoria me demanda donc de l'accompagner au bar avec elle. Mélissa me remplaça au magasin et pendant que mon chum fêtait l'anniversaire de sa petite-fille, je buvais en compagnie de sa fille. Lorsqu'il arriva à la maison, il se renseigna pour savoir où j'étais passée et vint nous rejoindre. Il ne me fit aucun reproche et je ne le questionnai pas non plus sur sa soirée. Déjà là, on évitait tout sujet de dispute, aussi bien dire qu'on ne se parlait que de la pluie et du beau temps. Nos seules conversations se résumaient à ceci:

–Pis, passé une belle journée aujourd'hui?

–Oui, Patrice est arrêté en passant, on a jasé. Pis toé, ça a bien été à la shop?

Jamais je ne lui cachais quand Patrice me rendait visite. De toute façon, il n'y avait rien à cacher. C'était mon ami et mes fils étaient toujours présents aux rencontres.

En avril, pour la fête de Maurice, je plie encore sur mon orgueil. J'invite nos 6 enfants respectifs et leurs conjoints à venir à la maison. Je les avertis que je ne fais pas de repas, mais qu'on commande au restaurant. J'ai pas envie de passer la journée devant les fourneaux pour me faire envoyer promener la semaine suivante.

Tout le monde vient sauf Catherina qui a un souper de cabane à sucre. La soirée se déroule à merveille et pour la première fois, il n'y a pas d'incident. Maurice pleure en voyant sa fille Lisbeth et son gendre. Il m'avoue que c'est le plus beau cadeau que j'aie pu lui faire. J'en ai les larmes aux yeux et je suis contente d'avoir fait les premiers pas. Peut-être puis-je enfin espérer un avenir commun avec mon chum.

Avec le recul, j'analysai les sentiments que j'éprouvais pour Maurice. Il représentait toujours l'homme idéal à mes yeux. Et après que j'eus écrit tout ce que j'avais sur le coeur, le déclic tant espéré se produisit sans que je m'y attende. Pendant près de 10 ans, Maurice aurait eu 1,000 raisons de me tromper et d'aller voir ailleurs. Pendant près de 10 ans, j'avais refusé qu'il me touche et lorsque je le laissais me faire l'amour, il devait se dépêcher. Je n'avais même pas été une femme complète pour lui. Jamais il ne s'était plaint, jamais il ne m'avait forcée. Jamais il ne m'avait fait de reproches.

Pendant près de 10 ans, il avait vécu avec l'espoir que tout rentrerait dans l'ordre, comme pour ses enfants. Il fut donc le premier surpris lorsque je lui sautai carrément dessus et qu'on fit l'amour comme des bêtes sans être capables de s'arrêter, moi qui avais été frigide pendant toutes ces années. Pendant 2 semaines, je ne lui laissai aucun répit. On s'aimait toute la nuit jusqu'au petit matin et pour la première fois, j'y participais et j'y prenais plaisir. Le répit que ses filles m'avaient donné n'était pas étranger à cette nouvelle situation. Je croyais que le bonheur tant attendu était enfin au rendez-vous.

Lorsque Maurice me questionna, je pus lui répondre ce qui m'avait tellement bloquée pendant toute ces années:

−Ma relation avec Ricardo a été la cerise sur le sundae. Il m'a tellement détruite que je me suis promise que plus jamais un homme ne me ferait souffrir. Dans ma tête, si je m'étais laissée aller à avoir du plaisir à faire l'amour avec un homme, j'aurais perdu le contrôle de ma vie, et je craignais de me laisser manipuler encore une fois. Je refusais d'éprouver un sentiment envers un homme.

Je croyais bêtement que tout était rentré dans l'ordre et encore une fois, je m'étais trompée."

Chapitre 41,

–Dring, dring!

–Oui allô!

–Salut, cé Patrice. Comment ça va?

–Bien, toé?

–Chu passé vous voir ce matin, mé vous étiez partis en ville faire vos commissions.

–Je sais, j'arrive à peine et pour une fois, Jean-René m'a fait la commission. Désolée de t'avoir manqué.

–Ça y est, cé faite.

–Quoi!

–Moé pis ma blonde, on sort pu ensemble.

–Comment tu te sens, est-ce que tu le prends bien?

–Oui, cé mieux comme ça, on était tout le temps en train de se chicaner.

–Vaut mieux se séparer que de passer son temps à s'engueuler et à se crier par la tête.

Pendant près de trente minutes, on se parle. Du coin de l'oeil, je fais signe à Maurice que c'est Patrice qui est au bout du fil. Après avoir raccroché, mon chum me demande ce qu'il voulait. Je lui fais le résumé de notre conversation.

La semaine suivante, Patrice m'appelle pour me dire qu'il passe devant la maison et qu'il va arrêter. J'ai tellement hâte de le voir; j'ai une bonne nouvelle à lui annoncer. J'entends son camion arriver et comme à l'habitude, sitôt qu'il est assis, je lui sers à boire. Je ne peux contenir mon impatience et lui lance:

–Ça y est. Mon livre va arriver d'une journée à l'autre et le lancement est le 16 avril à Lac-Mégantic. Je sais à quel point tu étais impatient de savoir la date.

–Pas le 16 avril? J'ai déjà pris un engagement cette journée-là. Je vais être coach pour une équipe de hockey. Ça fait un boutte que c'est prévu. Moi qui aurais tellement aimé être là.

Je cache ma déception. Je tenais à sa présence et à son soutien. Il n'est pas dupe, il voit très bien que son absence me fait mal. Il me dit alors:

–Écoute, si la game finit de bonne heure, je te promets d'aller faire un saut. Comme le lancement devrait durer une bonne partie de l'après-midi, je vais sûrement pouvoir y aller. Julie, je te jure que si je n'avais pas eu cet engagement-là, j'aurais été là. Tu sais comment ça m'aurait fait plaisir.

On se laisse sur cette promesse et celle qu'aussitôt mon livre arrivé, je lui en réserve un et le lui dédicace.

Le jour tant espéré et tant craint arrive enfin. Tous nos enfants sont présents sauf bien sûr Catherina qui travaille. Je ne fais que signer dédicaces et serrer des mains. Je vois des centaines de personnes connues et inconnues défiler devant moi. Quand vient le moment de faire un petit discours de remerciement, je fais avancer mes enfants en avant pour les présenter à la foule. Je demande à Maurice de venir nous rejoindre et je le remercie devant tout le monde de la patience qu'il a eue à mon égard et je lui déclare que je l'aime devant plusieurs centaine de personnes.

Je le pense vraiment. Je suis confiante que l'avenir ne nous réserve que de belles choses. Et je sais qu'il a eu vraiment peur de me perdre et que dorénavant, il s'ouvrira les yeux concernant ses filles. (Toujours permis de rêver, non?)

La fin de semaine suivante, je récidive en invitant tout nos enfants pour Pâques. Je prépare un copieux souper cette fois-là. Après tout, à la fête de Maurice, tout s'est déroulé à merveille, pourquoi y aurait-il un pépin cette fois-là? Ils sont tous là avec leurs conjoints et leur progéniture. Évidemment, pour l'événement, Maurice a acheté les chocolats de ses petits-enfants et moi, ceux de Tommy. Mais je me suis permis un petit extra, et j'en ai acheté pour nos 6 enfants et leurs conjoints. Ce sera de ma part à moi. Une façon de leur dire merci de s'être déplacés, et dans mon for intérieur, j'espère qu'enfin les filles de Maurice me feront une petite place dans leur coeur.

Le souper se déroule plutôt dans le calme. Sauf avec Catherina qui lance des piques pour que la chicane pogne. Je commence à comprendre son manège. Une lumière se fait graduellement dans mon esprit. J'avais des doutes, mais maintenant, c'est devenu une certitude. À chaque rencontre familiale, c'est toujours elle qui met le trouble. Elle veut avoir son père à elle seule. Elle veut tasser les autres autour de lui. La preuve, elle est la seule qui parle à sa mère. Elle a aussi sa grand-mère pour elle et son fils à eux seuls.

Tout me saute en pleine face. Tant et aussi longtemps qu'elle n'aura pas gagné, elle n'abandonnera jamais. Elle fait pareil comme sa mère qui a évincé tout le monde dans la famille. Et la suite me donne raison.

Je suis près de la cuisinière avec Victoria lorsque Steve, le fils de Catherina, arrive par derrière et de ses deux mains frappe Bibiane. Cette dernière part tête devant et aboutit avec fracas dans le tiroir du poêle. Ne faisant ni un ni deux, et voyant que Bibiane n'est pas blessée, Victoria agrippe Steve par un bras et lui demande de s'excuser à sa cousine. Elle le réprimande en lui expliquant que ce qu'il a fait est pas correct.

Catherina arrive et engueule sa soeur, et lui dit de se mêler de ses affaires, que son fils n'a pas à s'excuser. Elle le défend. Les cris s'en mêlent et la sale petite peste déclare:

–Viens t'en Steve, on s'en va à la maison.

Comme son fils refuse d'obéir et qu'il pleure pour rester avec nous, elle se met à le taper et à lui crier qu'il a intérêt à obéir. Je me tourne vers Maurice en attendant qu'il fasse quelque chose, d'autant plus que ses deux filles sont en train de se pogner à la gorge et que la bataille est sur le bord d'éclater. Catherina menace de frapper sa soeur. Mon chum se lève donc pour les séparer et avant même que je réalise, Catherina repousse son père de ses mains en lui disant:

–Mêle-toé pas de ça toé!!!

Et elle lui rit en pleine face. Bon ça y est. Encore une fois, ma fille, mon gendre et mon petit-fils s'en retournent chez eux, car il déteste les voir se chicaner. Et ce n'est pas la première fois que mes enfants ont à subir leurs querelles.

Sitôt la visite partie, je laisse éclater ma colère:

–Chu assez écoeurée Maurice, tu peux même pas avoir idée. T'étais pas capable de parler à tes filles?

–Qué cé que tu voulais que je fasse?

–C'était à toé de maudire un coup de poing sur la table. Et à leur dire que tant qu'elles sont dans notre maison on leur demande le respect. Ben non, té pas capable. Ta fille te rit en pleine face, tu restes les deux bras pendants. Pis cé encore mes enfants qui écopent à cause des tiens. Chu à veille de pu les voir, parce qui sont pu capables eux autres non plus de sentir ta fille Catherina. Ta fille, a l'a un ostie de problème. Elle refuse que son fils s'excuse après avoir embouti Bibiane dans le tiroir du poêle, pis elle le frappe parce qu'il refuse de s'habiller. Pas mal intelligente!

Cette même nuit-là, je suis redevenue la froideur même. Notre lune de miel avait duré près de deux semaines. Tous mes rêves et mes espoirs venaient de s'écrouler. Il n'y aurait aucun changement, comme il n'y en avait jamais eu pendant 10 ans. On avait connu un simple répit, rien de plus. Mais le coup de grâce n'allait pas tarder à venir."

***

Chapitre 42

–Dring dring!

–Oui allô!

–Salut, cé Patrice. Je te dérange tu?

–Non, pas du tout!

–J'arrive à Lambton, je décharge ma livraison à la coop et après, j'arrête chez toi en passant, si ça te fait rien.

–Pourquoi tu viens pas dîner avec nous autres? Si tu aimes les hots-dogs, t'es le bienvenu.

–O.k. dans une demi-heure, je suis chez toi.

Cher Patrice, si tu savais comme j'ai besoin de te parler. Au moins toi, tu sais m'écouter. Tu les connais, les filles de Maurice, tu sais tout ce qu'elles m'ont fait subir. Même si mes trois enfants sont toujours présents quand j'ai besoin de m'épancher, c'est pas pareil. Mes enfants ne peuvent être objectifs, ils prennent le parti de leur mère et c'est normal. Mais j'ai besoin d'une oreille qui ne fait pas partie de la famille et qui me fera comprendre que c'est pas moi qui suis en train de devenir dingue. Car quelquefois tu sais, c'est l'impression que j'ai.

Je me demande réellement si c'est pas moi qui ai un problème. Je doute de mes capacités de jugement. Je me culpabilise de tout ce qui arrive.

Enfin te voilà! J'entends ton 10-roues s'arrêter et le coeur me bat maintenant plus vite. Tu entres et je te fais approcher à la table, le dîner est prêt. Mais je ne peux me confier à toi, tu sembles si lointain aujourd'hui. Comme si tu étais à mille lieues d'ici. Seuls les enfants entament la conversation, tu y participes peu. Tu me regardes drôlement, comme si tu voulais me parler et que tu n'osais pas.

Ai-je fait ou dit quelque chose qui t'a déplu? Je n'ose te le demander. On s'échange des banalités et tu reprends la route. Je suis déçue. J'aurais aimé te confier ma peine et mes tourments. Pendant toute la journée, tu me trottes dans la tête. J'ai tellement peur de perdre ton amitié si précieuse.

Je passe une nuit d'enfer. Le lendemain matin, la sonnerie du téléphone me réveille de la torpeur dans laquelle j'étais. Avec le nombre de fois où il sonne dans une journée, ça peut être n'importe qui. Jamais je n'aurais pu penser que c'était toi, d'autant plus qu'on s'était vus la veille.

–Oui allô!

–Julie, cé Patrice.

–Patrice, té où?

–Chu en direction de Sherbrooke, j'ai une livraison à faire là bas. Fallait que je te parle.

–Comment ça?

–Té tu ben assis?

–Non, mé cé pas nécessaire.

–Tu serais peut-être mieux de t'asseoir.

–Pourquoi?

–J'voulais te parler hier, mais tes fils étaient là. Pis ça fait deux semaines que je dors plus, pis faut que je te le dise.

Silence de part et d'autre. Je m'attends à ce qu'une brique m'assomme. Qu'a-t-il de si important à me dire? Il ne veut plus de mon amitié, car il s'est fait une nouvelle blonde et elle est jalouse de moi?

–Julie, je suis en train de tomber en amour avec toé. Cé plus fort que moé, Julie, je le sais que té pas libre. Mé ça fait des semaines que je ne pense qu'à toé. J'veux pas briser ta vie de couple, cé pas mon intention. Mé fallait que je me vide le coeur, tu comprends.

Silence de ma part. Il vient de m'assommer. Je ne pense plus à rien, j'ai le cerveau vide.

–Julie es-tu toujours là?

–Oui Patrice.

–Tu dis rien?

–J'sais pas quoi te dire. J'ai un chum Patrice, tu le sais que j'suis pas libre. Et je tiens tellement à garder ton amitié.

–Dis rien Julie, j'veux pas que tu me répondes; mais sache que notre amitié va demeurer intacte.

–Bonne journée Patrice, faut que je te laisse: tu es entré dans un vallon et je te perds sur ton cellulaire.

–Oui, je m'en suis rendu compte, le téléphone ne fait que gricher. Bonne journée à toi aussi.

Je ravale péniblement. Je me sens trahie. Comme s'il m'avait donné son amitié pour ensuite me l'enlever. Je respire avec peine, je n'arrive pas à comprendre comment ça en est arrivé là. Ma priorité est de ne pas le faire souffrir, je tiens trop à lui. Je fait un saut en arrière et me questionne à savoir si sans m'en rendre compte, je ne lui aurais pas laissé un brin d'espoir. Mais la réponse est non, jamais je ne lui ai fait croire qu'un jour il pourrait y avoir autre chose que de l'amitié entre lui et moi. J'entends déjà Maurice me dit: "J'te l'avais ben dit !"

J'ai besoin de parler à quelqu'un. J'ai besoin de crier ma peine, de l'évacuer. J'appelle ma grande amie Sabrina, elle saura comprendre mon cri. On s'appelle tous les jours, on prend un café ensemble pratiquement chaque soir, on suit des cours de danse aérobique et de tye boxe dans le même groupe. Elle n'est pas chez elle; par chance. j'ai le numéro de son cellulaire.

–Sabrina, c'est Julie.

–Salut, comment ça va?

–Pas trop bien.

–Juste à ta voix, t'as pas l'air à filer trop trop non!

Je lui raconte le téléphone que je viens de recevoir. Ma gorge est encore nouée, et je me retiens de pleurer. Je sens mon coeur pris dans un étau. Sabrina m'écoute et me dit qu'elle viendra me voir en après-midi. Je peux toujours compter sur elle et une fois de plus, elle ne me déçoit pas.

Je passe mon temps à tourner en rond entre chaque client qui entre dans mon commerce. Je les sers comme une automate. J'ai l'impression que c'est quelqu'un d'autre qui parle à ma place. Ma fille Mélissa m'appelle et à m'entendre, elle se doute que quelque chose ne va pas. Je n'ai jamais menti à mes enfants et ce n'est pas aujourd'hui que je vais commencer. Je lui dois la vérité. Je lui explique ce qui arrive.

Ma fille rigole et me dit:

–Franchement maman, fais moé pas croire que tu t'en doutais pas un peu?

–Non, fille, il a 24 ans, j'en ai 37. Peut-être que oui, après tout. Mais dans le fond de mon coeur, je voulais rien voir.

On raccroche. Sabrina arrive. Je suis effondrée, j'ai mal et je n'arrive pas à savoir ce qui me blesse le plus. Qu'il ait trahi mon amitié, que moi, Julie Nadeau, rendue à mon âge, je plaise encore, que mon couple avec Maurice s'en va à la dérive et que j'ai besoin de cette amitié plus que tout au monde. Sabrina me conseille d'avoir une discussion franche avec Patrice et de lui donner l'heure juste quant à mes sentiments à son égard.

Elle a raison, je le ferai sitôt que je le verrai.

Mais en attendant, je me dois de le dire à Maurice. Je l'appelle chez sa fille et lui demande d'arriver plus tôt. Je l'entraîne dans la chambre et lui demande de surtout ne pas me dire: "J'te l'avais bien dit". Je lui raconte l'aveu de Patrice, mais il n'a aucune réaction. S'il est jaloux, il le cache très bien. Comme je parle dans le vide, je lui promets d'avoir une discussion avec le concerné pour mettre cartes sur table. Enfin, il se décide à ouvrir la bouche:

–Bof, faut pas que tu t'en fasses avec ça, Patrice est comme ça avec toutes les femmes. Franchement, t'as 37 ans, veux-tu ben me dire pourquoi qui trippe sur des vieilles, lui qui paraît si bien. Il doit venir icitte juste parce qu'y a pas d'argent pour manger au restaurant, ça y fait un repas pas cher. Pascalain m'a parlé de lui, il le connaît.

Pourquoi sent-il le besoin de le dénigrer et moi aussi par

la même occasion? En plus, se fier sur les paroles de son gendre fin finaud: toute une référence. Comme si je ne pouvais plus plaire à un homme. J'ai besoin d'air, de m'évader. J'annonce à Maurice que je m'en vais à Thetford-Mines jouer au bingo. Cher bingo, par chance que je t'ai pour pouvoir me changer les idées, tu représentes la seule évasion dans ma tourmente. J'y vais seule. Je ne veux pas le moindre bruit durant le trajet. J'ai besoin de silence pour réfléchir.

La semaine suivante, Patrice m'appelle tous les jours. On se parle comme si rien n'avait été dit la semaine précédente. On n'ose aborder le sujet, de peur de voir notre amitié se briser. Le vendredi, il m'annonce qu'il est à Lambton et je l'invite à venir me voir.

Je tourne en rond en préparant mentalement le discours que je vais lui servir quand j'entends le bruit de son camion. Ça y est, le voilà. On discute de tout et de rien et je suis incapable de le regarder dans les yeux. Je retarde le moment de vérité. Il se lève et s'apprête à partir. Je n'ai plus le choix et me lance à l'eau:

–Patrice, faut que je te parle. Tu sais ce que tu m'as dit la semaine passée, ça m'a fait chaud au coeur mais je tiens à ton amitié plus que tout. Suis pas libre, j'ai un chum.

–Je sais tout ça et je tiens pas à ce qu'il y ait de la chicane avec Maurice à cause de moé. La seule chose que je peux te dire est que je suis patient, et que si un jour tu te retrouves seule, je serai là.

–Patrice, t'as 24 ans, j'en ai 37. J'ai trois enfants et je vais bientôt être grand-mère pour la seconde fois. Un jour, tu va rencontrer une jeune fille de ton âge, tu vas te marier, vous allez avoir des enfants ensemble. Avec moé, t'auras jamais rien de tout ça.

–Bon, laisse faire les discours, j'ai déjà tout entendu ça. Les filles de mon âge, ça m'intéresse pas, même chose pour les enfants et le mariage.

Il repart après que je lui aie redit que son amitié m'était précieuse. Je le regarde s'éloigner et je souffre en dedans. J'ai peur de ne plus le revoir."

***

Chapitre 43

La semaine suivante, tout se bouscule. La route de St-Gédéon (Beauce) est bloquée et un détour est installé. Patrice passe donc tous les jours devant la maison. Même si ce n'est que pour 5 à 10 minutes, il prend le temps de venir me dire bonjour et prendre de mes nouvelles. Cependant, il m'appelle toujours au préalable. Nous évitons de parler de ses sentiments à mon égard. On fait comme si rien n'avait été dit. Le seul changement sont ses yeux qui me regardent différemment.

Catherina qui s'est fiancée depuis peu nous annonce qu'elle va se marier dans la prochaine année. Maurice reste de marbre, je prends donc les devants et leur fais mes félicitations. Sitôt de nouveau seule avec Maurice, je sens mon coeur battre plus vite et une intuition que j'essaie de chasser prend toute la place. Devant mon silence, mon chum m'interroge à savoir ce qui me tracasse:

–T'as encore rien vu avec les noces de Pascalain et Lisbeth. Attends un peu avec ta petite dernière, on a pas fini d'en voir de toutes les couleurs. J'en ai la certitude.

–Tu vois toujours noir, toé. Pis ce coup-citte, je me laisserai pas embarquer, je t'en fais la promesse.

Pourquoi fallait-il que je voie d'avance ce qui allait se produire? Je ne crois pas aux dons ni au surnaturel, mais les images se déroulent dans ma tête et quelque temps plus tard, tout ce que j'ai vu se produit exactement comme je l'avais imaginé. Pourtant, Maurice devrait le savoir. Pendant 10 ans, je lui disais d'avance ce qui allait arriver, et inévitablement, j'avais raison. J'essaie de conjurer le mauvais sort en me disant que je vais me tromper cette fois-ci et que tout se déroulera bien.

Le dimanche de la fête des mères, en après-midi, le téléphone se fait entendre. C'est Catherina. Elle me souhaite bonne fête des mères et demande à parler à son père. Vu qu'on se réunit tous au restaurant pour le souper, je l'invite elle, son chum et le petit à se joindre à nous. Elle décline l'invitation. Elle sort à peine d'un dîner copieux en compagnie de sa mère et de la grand-mère. Je lui passe son père à qui elle demande d'arrêter le lendemain-soir en sortant de son travail. Elle a à lui parler.

Maurice ne voyant pas plus loin que le bout de son nez comme à son habitude, me lance:

–Bon, j'la vois venir, elle doit avoir besoin d'argent.

–Tu te trompes. Quand ta fille a besoin de fric, elle ne s'est jamais gênée pour le demander devant moé. Non, là, c'est autre chose. Elle vient d'aller dîner avec sa mère pis la mienne et comme je les connais, elles ont sûrement trafiqué ensemble. Si ta fille tiens à te voir seule, c'est qu'elle veut te parler soit du mariage ou de mon livre.

–Tu vois des problèmes où y en a pas.

N'empêche que j'avais ces palpitations, signe avant-coureur d'une tempête. Mais j'essayai d'oublier le mal et profitai de la présence de mes enfants et de Victoria et on partit tous souper en compagnie de Sabrina et de son conjoint.

Le lendemain, Patrice vint me voir. Il m'avait manqué. Deux jours pendant lesquels je n'avais pas eu de ses nouvelles et je commençais à détester les week-ends quand on n'arrivait pas à se croiser. Il repartit au bout de 10 minutes, mais grâce à son cellulaire, il pouvait m'appeler en tout temps. C'est ce qu'il fit l'après midi même:

–Salut, cé Patrice.

–Salut, té ou?

–Je suis en route pour Windsor pis j'voulais te parler. Pis comme ta fille était chez vous quand chu arrêté, j'ai pas pu rien te dire.

–Cé quoi que'y a, ça a pas l'air d'aller?

–Qué cé qu'y a, cé que je t'aime Julie, pis cé plus fort que moé, fallait que je te le dise. Je ne vis plus, je fais juste penser à toé.

Silence de ma part.

–Surtout dis rien. Je sé que té prise. Passe une belle journée.

–Toi aussi, Patrice.

Click! il a coupé. Je ne sais plus où je suis rendue ni où je m'en vais. Patrice, je ne sais pas ce que je ressens pour toi, j'ai tellement été bafouée. Arriverai-je un jour à oublier le mal qu'on m'a fait?

Le soir même, Maurice arrive à la maison avec un drôle d'air. J'ai complètement oublié qu'il devait arrêter chez Catherina. Je ne pense qu'à ma conversation avec Patrice. Jimmy qui vient de finir de travailler est assis à la table de la cuisine et attend que je serve le souper. Mon chum me regarde et me dit:

–T'avais raison.

Je lève les yeux et je n'arrive pas à savoir à quoi il fait allusion. Mais une grande terreur s'empare alors de moi et je lui demande ce qu'il veut dire par là, même si au plus profond de mon coeur je le pressens:

–T'avais raison, Catherina voulait pas me voir pour de l'argent. C'était pour me parler de son mariage.

–Ah oui, qué cé qu'elle avait de bon à te dire?

–Ah, pas grand-chose, juste qu'elle voulait faire ça ben simple. Elle invite seulement la famille.

–Cé quoi que t'entends par seulement la famille?

–Ben moé, mon ex-femme, ses soeurs, les grands-parents.

–Té tu en train de me dire que moé pis mes enfants on é pas invités aux noces de ta fille?

–Ben le chum de mon ex est pas invité lui non plus!

C'était donc ça, mon mauvais pressentiment. Et avant que je puisse ouvrir la bouche, j'entends Jimmy mon fils crier à l'adresse de Maurice:

–Est fine en crisse ta fille, hein, pas mal fine.

Et là, il me pointe du doigt et continue sur sa lancée:

–Pis toé moman, j'espère que tu vas t'ouvrir les yeux. Pendant 2 ans t'as torché son jeune parce qu'a voulait pas s'en occuper. Pis après tout ce que t'as faite pour eux autres, tu voé tu comment elle te remercie aujourd'hui. T'as tout faite pour eux autres, les repas, le bébé, pis elle rit de toé asteur. J'espère que tu vas te réveiller, ostie.

Jimmy s'arrête à bout de souffle. Je reste figée. Mon fils de 16 ans me dit de me réveiller. Est-ce à dire que tout le monde voit ce que je refuse de voir depuis 10 ans? Suis-je tellement aveugle au point que j'aie besoin de mon enfant pour me brasser la cage? Pendant une fraction de seconde, toutes les années passées avec Maurice défilent à la vitesse de l'éclair dans ma tête.

Et le fait que mon fils prenne ma défense me donne un coup de fouet. Je laisse alors ma rage trop longtemps contenue sortir et les 10 années sortent en même temps:

–Maurice té en train de me dire qu'on é pas invités au mariage de ta fille? Ça, cé la goutte qui fait déborder le vase. Pis toé, le beau cave, t'as rien dit à ça je suppose. Ça fait 10 ans que tes enfants essaient de nous séparer pour te ramancher avec leur mère, j'ai enduré les *"vous êtes pas chez vous icitte, crissez votre camp"*, j'ai gardé ton petit-fils pendant 2 ans, j'ai fait un énorme effort pour les noces de Lisbeth, j'ai plié tout le temps pour te faire plaisir. Là, cé fini, m'as-tu entendu, pis viens pas faire le gars qui é surpris. Je t'avais averti que j'en endurerais pas un autre coup de chienne venant d'une de tes filles.

Pis étant donné que ta fille veut pas me voir la face à son mariage, yé pu question qu'elle mette les pieds icitte. La maison icitte est à moé, t'as juste une part de 10,000 dollars dessus. Si ta fille rentre icitte, cé moé qui sors, m'as-tu compris? La petite crisse, elle a le culot de m'appeler hier et de me souhaiter bonne fête des mères en plus.

–Énerve-toé pas avec ça, elle vous invite toé pis tes enfants pour la veillée. À veut pas que ça y coûte trop cher.

–Aye, trouve une autre raison, tu sé parfaitement que cé pas elle qui va payer le souper, que ça va être toé. As-tu déjà remarqué une affaire? À chaque fois que ta fille a une joie à partager, cé pas toé qui en bénéficie. Pis je vais t'en donner la preuve: la première fois qu'elle s'est fiancée, c'est avec sa mère qu'elle a fêté ça, t'étais même pas au courant. Mais cé qui qu'elle a appelé pour aller chercher le bébé parce que la chicane était pognée dans la maison avec son chum: toé. Cé qui qui a sorti le chum en question: toé. Ton ex-femme garde le petit-fils une journée dans l'année et c'est la veille du jour de l'an, qui qui le garde le reste du temps: nous autres. Ta fille se fiance une deuxième fois et devine chez qui elle fête l'évènement: sa mère. Mé qu'elle soit dans le trouble, devine qui elle va appeler: son père.

Jimmy acquiesçait à tout ce que je disais, Maurice, lui, était bouche cousue. Pour la première fois depuis 10 ans, un changement s'était effectué. J'avais beau chercher de quoi il s'agissait, je ne mettais le doigt dessus. J'étais sûre que notre relation était bel et bien finie quand enfin je réalisai:

–Maurice, sais-tu quoi? Pour la première fois depuis 10 ans, je pleure pas après qu'une de tes filles m'ait fait de la peine. Merci, je suis guérie: tout ce qu'elles pourront me faire à l'avenir, ça ne me touchera pu. Cé toute une victoire si tu savais. Regarde Maurice, y'a pas une larme qui coule.

J'avais réussi, je m'étais résignée, je n'avais plus aucun espoir. J'avais fait le deuil de ma relation avant la sépara-tion. Maintenant, j'étais prête à faire le grand saut. Restait seulement à régler le problème de la maison. Où trouverais-je les 10,000. dollars à remettre à Maurice? Je n'avais pas d'autre solution, je devrais mettre la maison en vente et par le fait même liquider tout ce que contenait mon commerce.

J'avais la trouille, mais c'était le seul moyen de mettre un terme à une relation qui devenait vite invivable. Je pris donc mon courage à deux mains et appelai une personne, qui se cherchait une maison sur la rue principale. La vente ne s'est pas faite, mais Maurice sait que je n'ai qu'une pa-role et que sitôt la maison vendue, je le rembourserai."

***

Chapitre 44

Dring!

–Oui, allô!

–Salut cé Patrice, comment ça va?

–Ça va bien, pis toé? Té rendu où là?

–J'passe dans ton bout dans une demi-heure.

–Super, arrête en passant.

–Cé beau, à tantôt!

Click!

J'entends enfin son camion arriver. J'en suis rendue à reconnaître le bruit de ses freins. Je l'attends, je l'espère. Ça y est: je le vois débarquer. Pourquoi est-il si beau et si gentil? Merde Julie, il n'a que 24 ans, raisonne-toé ! Et si c'était un autre crotté, un profiteur, un manipulateur ou un ivrogne?

Toutes ces pensées s'envolent dès qu'il entre dans la maison. Il boit son Pepsi et je lui annonce la dernière nouvelle en liste: je ne suis pas invitée au mariage de Catherina. Il n'en revient tout simplement pas et il espère que je ne me présenterai pas à la veillée des noces non plus. Il n'a pas à avoir peur, je ne ferai pas acte de présence là-bas.

Le temps s'écoule trop vite que déjà il doit repartir. Mais je sais que je le verrai mercredi, le lendemain. Je le regarde partir à regret, mais je n'ai pas le droit de lui donner de l'espoir, je suis toujours avec Maurice même si je sais très

295

bien que ce n'est plus qu'une question de jours maintenant.

Parlant de Maurice, il revient du travail ce soir-là et il n'est pas seul. Je l'entends parler et je m'approche pour voir qui l'accompagne. Pour une surprise, ç'en est toute une! Il ramène le bébé de Catherina.

–Veux-tu ben me dire qué cé qui fait icitte, lui?

–Ma fille m'a demandé qu'on garde à soir, elle va venir le chercher tantôt.

–Quoi? Ai-je bien entendu? Ta fille viens icitte à soir. Je t'ai bien averti hier que je ne voulais pas lui voir la face dans ma maison. La petite crisse, elle ose demander qu'on garde son jeune en plus, elle a du front de beu après tout ce qu'elle m'a fait. Je ne fais pas partie de la famille pour être invitée à ses noces, mé pour faire le bouche-trou pis garder le petit, là, cé pas pareil. Ben étant donné que ta chère fille s'en vient icitte, moé je décrasse. De toute façon, cé à toé qu'elle a demandé de garder le jeune.

Sur ce, j'attrape mes étampes de bingo et je pars sans un salut ni un regard pour mon CHUM. Seul Jimmy lève son pouce en l'air pour me signifier que je fais bien, que j'ai raison d'agir ainsi et qu'il approuve mon geste. Encore une fois, j'ai le bingo pour m'évader. Le trajet de l'aller et du retour dans le silence complet me permet de réfléchir et de faire le point.

Lorsque je rentre à 11:30 le soir, bébé Steve est retourné chez-lui et je n'ai pas eu à supporter sa mère. Maurice a une humeur de chien et je sais très bien qu'il ne dort pas, juste à l'entendre respirer. Je lui tourne le dos et ne lui adresse point la parole, je n'ai pas envie de discuter, pas ce soir. De toute façon à quoi cela servirait-il, j'aurais tort encore une fois.

Mercredi, je revois Patrice pendant 5 minutes. Le soir, mon chum arrive encore une fois avec bébé Steve. Mais cette fois-ci, il a demandé à sa fille de klaxonner quand elle arriverait. Il lui a raconté que je lui interdisais d'entrer dans la maison. Jimmy a les deux bras qui lui tombent. Comment se fait-il qu'elle nous fasse encore garder après ce qu'elle m'a fait?

Jeudi, Patrice revient me voir, ça ne peut plus continuer

ainsi. Je m'attache à lui de plus en plus et tant que je serai avec Maurice, il n'est pas question que je le trompe. Dans l'après-midi, je n'y tiens plus.

Dring!

–Patrice, cé Julie.

–Tiens salut, comment ça va?

–Patrice, il faut que je te parle. Ça ne peut plus continuer comme ça, je ne sais plus où j'en suis et j'ai peur qu'on va se faire du mal tous les deux. Il serait préférable qu'on se voit moins souvent, cé mieux comme ça.

Soupir.

–Cé comme tu veux Julie, cé toé qui le sé. De toute façon, le détour est réparé depuis après-midi. Ça fait qu'à partir de lundi prochain, je vais passer seulement une fois par semaine à Lambton.

–Bon, je te laisse, pis on se rappelle.

–Cé beau.

Une autre soirée à s'engueuler avec Maurice au sujet de sa fille. J'en ai assez. Moi qui ne lui cachais jamais rien, je ne lui dis plus toutes les fois où Patrice venait à la maison. Je ne ressens plus rien pour mon chum; est-ce que mon amitié envers Patrice est en train de se transformer? Je ne peux encore y répondre, mais ce que je sais, c'est qu'il me manque énormément, même si on s'est parlé dans la journée.

Le vendredi, je me lève avec une humeur de chien. Je ressens un vide à l'intérieur sans pouvoir l'attribuer à quoi que ce soit. Le téléphone sonne et je suis surprise d'entendre la voix de Patrice. J'aurais dû m'en douter, je lui ai demandé qu'on se voit moins souvent, alors il m'appelle trois fois dans la matinée. Mais je dois avouer que ça me fait plaisir d'entendre sa voix. Vu que c'est la dernière fois qu'il passe à Lambton, car dès le lundi, il va reprendre son trajet habituel, il me demande d'arrêter en passant et j'accepte.

Il arrive sur l'heure du dîner et mes enfants sont présents. Il est nerveux, il tourne en rond, il s'assied et se relève immédiatement. On parle du week-end qui s'en vient, de ce qu'on va faire. Mais on n'aborde aucun sujet qui nous concerne: lui et moi, on a peur. Ça y est, il doit déjà repartir, il me fait signe de le suivre à l'extérieur et j'obéis.

Il descend les marches de l'escalier et moi, je reste sur la galerie. Je dois conserver une certaine distance, j'ai peur de ne pas être capable de lui résister s'il essayait de m'embrasser. On se regarde yeux dans les yeux en silence. C'est la première fois que je vois la couleur de ses yeux, ils sont pers. Il ouvre enfin la bouche:

—Julie, je t'aime comme un fou, j'veux pas déranger ta vie. Je veux juste savoir une chose: est-ce que t'éprouves quelque chose pour moé? As-tu des sentiments à mon égard?

—Patrice, je ne sais plus où j'en suis. Et avant de te répondre, je dois faire du ménage dans ma vie. Yé pas question que je trompe Maurice et j'suis pas la fille à jouer sur 2 tableaux en même temps. Suis trop honnête pour ça.

Il se contente de ma réponse et s'en retourne. Je suis déçue, j'aurais aimé qu'il m'embrasse. Et là, le déclic se fait, j'ai mal, je souffre de le voir partir. Je ne le verrai pas du week-end, deux jours sans entendre sa voix et encore plusieurs jours sans le voir. J'ai envie de lui crier, de le retenir, mais une force invisible me retient. Je dois d'abord avoir une conversation avec Maurice.

Je passe l'après midi à tourner comme un lion en cage. J'ai le coeur qui me fait mal à vouloir sortir de ma poitrine. Déjà Patrice me manque, j'ai besoin d'entendre sa voix. Je l'appelle, je lui dois une réponse à sa question.

—Patrice, cé Julie.

—Salut, comment ça se fait que tu m'appelles?

—J'ai réfléchi à ce que tu m'as demandé.

—Ah oui, pis?

—Je sé pas encore ce que j'éprouves pour toé, mé si tu savais comme j'aurais aimé que tu m'embrasses, tu me manques terriblement.

—Julie, si tu savais comme j'en ai eu envie moé aussi, mais j'ai pas osé. Tu me manques à moé aussi.

—J'peux rien te promettre tant que je serai avec Maurice.

—J'comprends ça et je vais être patient.

—Bonne fin de semaine Patrice.

–À toi aussi Julie.

Bon ça y est, dans ma tête j'ai trompé mon chum et j'en suis pas trop fière. Il faut que j'aie sans tarder une explication avec celui-ci. Une chance, il arrive tôt. On s'engueule encore au sujet de sa fille et on se couche sans que j'aie pu lui parler. Je passe la nuit à me lever et à fumer cigarette sur cigarette. Je ne peux plus continuer ainsi, je le réveille.

Il se doute que quelque chose ne tourne pas rond. Je lui apprends qu'entre lui et moi c'est fini, qu'il n'y a plus d'espoir. Il essaie de s'accrocher, mais je tiens mon boutte, il n'est pas question d'un retour en arrière, ni de promesses de jours meilleurs. Je lui explique que ça fait 10 ans que je vis de promesses non tenues. Il me demande de lui accorder une année de sursis, le temps que sa fille soit dans sa maison neuve et qu'il puisse reprendre possession de la sienne. Je refuse. Lui donner encore une année serait lui donner de l'espoir et il n'y en a plus. Et pour lui faire bien comprendre que je suis déterminée, je lui rétorque que j'ai déjà perdu 10 années de ma vie avec lui et qu'il n'est pas question que j'en perde une de plus. Il me demande où il va habiter en attendant.

Je sais qu'il se retrouve devant rien, plus de ménage: rien du tout. Quand il est venu rester avec moi, il s'est départi de tous ses meubles en les vendant pour une risée à ses filles, malgré mon désaccord. Même si notre union fut un échec, je ne peux le mettre à la porte comme ça, en plus qu'il a une part de 10,000. dollars sur la maison. Je lui fais donc une offre:

–Je te laisse la chambre à coucher, je vais prendre le salon. Mais à partir d'aujourd'hui, je n'ai plus de comptes à te rendre, ni toi non plus d'ailleurs. À partir de maintenant, on ne forme plus un couple. La seule chose que je te demande est de me respecter et je vais faire pareil envers toé. Si tu veux t'envoyer en l'air, fais-le en dehors de la maison et ce sera la même chose pour moé. Pis aussitôt que la maison est vendue, je te rembourse la dette que j'ai envers toé.

–Jamais je n'accepterai que tu fasses chambre à part. Tu peux continuer à dormir avec moé, t'as pas à craindre, j'te sauterai pas dessus.

–Pas question, je dors dans le salon. Maurice, mets-toé lé dans la tête, cé fini nous deux et si je dors avec toé, tu vas toujours avoir de l'espoir.

–Est-ce que ta décision a à voir avec Patrice?

–Mêle-pas Patrice là dedans, je le sé pas encore ce que j'éprouve pour lui. Tout ce que je sé, cé que la goutte qui a fait déborder le vase fut l'annonce que ta fille se mariait pis qu'on était pas invités, moé pis les enfants. Pendant 10 ans tu m'as demandé de patienter que tout finirait par se replacer. Et on en est au même point. Et dans 10 ans d'icitte, y'aura rien de changé, on va en être encore au même point. T'as jamais été capable de parler à tes enfants, pis ça changera jamais. J'en ai assez enduré, j'ai assez pleuré, cé fini toé pis moé. Pis je t'ai jamais trompé, ça je te le jure, mé à partir d'asteur, je te promets plus rien.

On se quitte là-dessus, il s'en va chez sa fille et son gendre pour la journée. Je lâche un grand soupir, je me sens libérée d'un énorme poids. À 37 ans j'ai décidé de me prendre en main. Je dois aussi être franche avec Patrice, qu'attend-il de moé? Est-ce que je vais être capable de l'aimer, moi qui me suis juré quelque 12 ans plus tôt de ne plus jamais laisser mon coeur parler.

Suis-je encore capable de sentiments envers un homme, ou mon coeur est-il mort et enterré sauf pour ma famille? Serais-je capable d'avoir une relation sexuelle normale? Et si j'étais frigide pour le restant de mes jours, m'aimera-t-il quand même? Et Maurice, en nous séparant, est-ce que je fais une erreur? Quand je repense à tout ce que j'ai vu et entendu pendant toutes ces années, mon coeur me dit non.

Je revois Catherina m'annonçant bien tranquillement et sournoisement: "*Tu sais, la voisine en face de chez-nous vient de se séparer, ça f'rait une maudite bonne femme pour mon père ça!*"

Je l'entends encore me dire: "*Tu sais Julie à la shop de couture où je travaille, tout le monde parle de ton livre. Les filles disent toute qu'il est super bon, j'ai hâte de le lire.*"

Et la semaine suivante, après avoir vu sa mère, elle le descendait et disait que c'était que des menteries."

***

Chapitre 45

—Parlant du livre (*En attendant que le soleil se lève*), le téléphone ne dérougissait pas à la maison. Une personne qui était impliquée directement m'appela pour me dire qu'elle se souvenait de tout ce que j'avais écrit comme si c'était hier, et que malgré moi, j'avais été bien bonne envers tante Clairette. Elle me remémora plein de choses que la marâtre avait faites et que j'avais reléguées au fond de ma mémoire, et que je préférais oublier.

Plusieurs autres personnes m'appelaient d'un peu partout au Québec pour me dire qu'elles avaient vécu des situations semblables et se reconnaissaient et se retrouvaient dans mon livre.

À chaque téléphone, je prenais le temps d'écouter et de partager la peine de mon interlocuteur. Presque chaque appel était un cri de détresse qui voulait dire "*Écoutez-moi, on m'a fait tellement mal, on m'a volé ma jeunesse, on m'a piétiné, bafoué. Et encore aujourd'hui j'ai du mal à m'en sortir.*"

Car il ne faut pas se leurrer, ceux qui comme moi sont des mal-aimés, finissent presque immanquablement par se retrouver dans les bras d'un manipulateur. Pourquoi? Je n'en sais rien. Est-ce écrit sur notre face: merde, j'ai été malmené et je manque d'amour? Prenez par exemple mon ancien propriétaire, celui que j'ai traîné en Cour. Eh bien, j'ai gagné ma cause, mais je n'ai jamais reçu le moindre sou.

Je l'ai appelé en lui demandant de me payer ce qu'il me

devait. Devinez ce qu'il a fait? Il a ramené ça en rappel! J'ai gagné le procès une deuxième fois. Et je n'ai toujours pas été payée. Que voulez-vous que je fasse contre une crotté de cette espèce? Je devrai manquer une journée de travail, payer les frais de la Cour des petites créances, sans compter le nombre de fois où il fera remettre la cause et que je devrai m'absenter de mon travail. Est où la justice?

Pis mon pourri de locataire à qui j'avais loué ma maison de Stratford, combien pensez-vous que ça peut m'avoir coûté, le peu de temps qu'il a été dans ma maison? Près de $1,500.

Pourquoi tant de femmes se retrouvent mariées avec un homme qui ressemble comme deux gouttes d'eau à leur père qu'elles ont tant détesté?

Pourquoi une jeune fille qui a été battue dans son enfance va épouser un homme qui va lui taper dessus à la moindre occasion? Quelques-unes finissent par divorcer et se trouver un autre chum, pour retomber dans le même manège de violence.

Et quand j'entends dire: "*Faut croire qu'elle aime ça, ça fait deux qu'elle pogne dans le même genre, j'te dis que c'te fille-là, elle aime ça le trouble elle.*"

Ou bien encore: "*Une femme, faut que ça soit battu pis mis à ta main, si tu veux qu'elle t'écoute.*"

Ça me fait dresser les cheveux sur la tête, de telles réflexions. Je vais vous le dire moi pourquoi on retombe toujours sur des salauds et des crottés:

–PAR BESOIN D'AMOUR, c'est simple maudit, il me semble. Pendant des années on t'a traitée de bonne à rien, on t'a lavé le cerveau en te disant que tu était nulle. Que tu n'étais pas bonne pour faire à manger, que tu ne valais rien dans une maison, et que même au lit, ça laissait à désirer. Tu n'as que ça qui te revient continuellement dans la tête.

Alors quand un beau jeune homme se présente et te dit que tu es belle et que tu es fine, te voilà prête à te jeter dans ses bras et lui embrasser les pieds par gratitude. Parce qu'il te fait sentir fine, belle, gentille et que ton manque d'amour est plus fort que tout. On a besoin de cet amour comme de l'air qu'on respire. Pour se revaloriser et se dire qu'après tout, on est quelqu'un de bien.

Comment pensez-vous que des femmes bafouées finissent par tomber dans les bras de ces beaux salauds? Et même après avoir découvert que leur homme était un pourri, elles continuent d'espérer qu'il va changer un jour ou l'autre.

Ça commence bêtement un beau samedi soir à l'hôtel du coin. Il entre et la voit assise au bar, elle prend une limonade. Il s'assied sur le tabouret à coté et engage la conversation:

–Cé la première fois que je te vois ici, tu habites dans le coin? En tout cas ça fait plaisir de voir une belle femme pour une fois.

Ça y est, elle commence à le regarder et entame une discussion.

Bien évidemment, le pauvre homme est seul, il vient de se séparer. Et bien entendu, il a tout fait pour que son couple marche, c'est son ex qui est une vrai chiante, une emmerdeuse de la pire espèce. Il lui raconte en détail sa pauvre vie et tous les cadeaux qu'il a achetés à son ex. Il se permet même de pleurer un peu en lui racontant que la dernière surprise qu'il a faite à sa femme fut d'amener un petit chaton à la maison pour leur fille qui le lui demandait depuis des semaines. Bien sûr, madame n'a pas aimé et a piqué une crise de nerfs et a refusé la porte au malheureux chaton. (Ce qu'il a oublié de dire, c'est que son ex-femme est allergique aux poils de chat et qu'elle passe près de mourir chaque fois qu'elle respire du poil d'animaux.)

Elle, elle n'en revient pas, si son ex-mari lui avait fait autant de cadeaux et s'il avait été aussi gentil que lui, elle aurait tout fait pour le garder.

Déjà, juste le fait que la pauvre fille prend la peine de l'écouter et compatir à ses malheurs, il sait qu'il a déjà trouvé sa proie. Ça peut prendre des jours, des semaines et les plus patients prennent même des mois avant d'arriver à leurs fins. Dîner au resto, petits présents qui font plaisir à toutes les femmes, comme des fleurs par exemple ou un petit bijou. Et dès qu'ils sont sûrs que la POIRE est mûre et qu'elle est prise au piège de l'amour, alors là, ils montrent leur vrai visage.

La rencontre ne se fait pas nécessairement à l'hôtel du coin, ça peut être au restaurant, à l'épicerie, sur la rue en faisant ton jogging, dans les petites annonces. N'importe où!

Saviez-vous que dans certaines sectes religieuses, le gourou lit les avis de décès. Sachant très bien que la veuve est en état de choc, il en profite alors pour s'immiscer dans sa vie, il a alors une proie toute désignée. Elle est en manque d'amour, son mari est parti pour toujours, elle se sent seule et est incapable de jugement pour l'instant, car elle souffre et n'a pas vécu son deuil encore.

Vous n'avez même pas idée du nombre d'hommes qui me détestent depuis que mon livre a été publié! Pourquoi? Parce que pendant des années, leurs femmes ont tout enduré et en lisant mon livre, elle se sont réveillées. Elle m'appelaient en me disant que c'était leur histoire que j'avais écrite. Qu'elles n'avaient qu'à changer le nom de Julie pour le leur et tout y était.

C'est sûr qu'il ne faut pas embarquer tous les gars dans le même panier. Il en reste quelques espèces rares qui m'ont félicitée et qui ont même pris la peine de m'écrire. Et pour leur défense, il faut dire qu'il y en a des hommes qui tombent sur des vraies bitch's.

Certains me demandent si je regrette d'avoir publié mon histoire, eh bien je vais vous faire une confidence. Tout a commencé simplement, mais je n'aurais jamais cru que ça prendrait une telle ampleur. J'ai envoyé le manuscrit à 5 éditeurs, dont 2 étaient prêts à le publier. Le livre étant maintenant prêt, je prépare le lancement. Une première parution dans l'Écho de Frontenac de Lac-Mégantic annonce le jour du lancement avec en gros titre: UN LIVRE QUI RISQUE FORT DE DÉRANGER. Jusque là tout va bien.

Je rencontre ensuite un journaliste de la Tribune qui m'accorde une demi-page complète avec en tête: UNE FEMME DE LAMBTON RACONTE SON CAUCHEMAR. Pour la troisième parution, je fais encore l'Écho de Frontenac le jour de mon lancement. Jusque là, je n'ai rien à redire. Bon, le livre est sorti et le lancement se déroule à merveille.

Je ne sais pas encore comment ça se déroule dans le domaine du journalisme, mais je vais l'apprendre assez tôt et à mes dépens. Un après-midi, le téléphone sonne. Le monsieur se présente, il est journaliste pour le Photo-Police. Il a lu l'article dans la Tribune me concernant et il désire qu'on se rencontre. Il me promet la première page de sa prochaine édition et deux pages à l'intérieur. Autrement dit, je vais faire la UNE. Mon histoire l'intéresse et il me dit que son journal est très lu et que ça va me faire vendre beaucoup plus de livres que je ne m'y attends et donner espoir à des milliers de femmes.

Bon, on se donne rendez-vous. Il a l'air super gentil. L'entrevue se déroule à merveille, mais je vois bien qu'il prend peu de notes. À la fin de l'entrevue, je lui dédicace un livre qu'il me fait plaisir de lui remettre. Oh! quelle surprise le vendredi soir, lorsque le journal sort sur les tablettes. Le téléphone ne dérougit pas et j'accours acheter le journal. Effectivement je fais la une. En gros caractères, je lis: JULIE NADEAU, BATTUE ET VIOLÉE, COMMENT J'AI RETROUVÉ LE BONHEUR. Avec ma photo en prime à coté.

Ah l'enfoiré! comment a-t-il pu me faire une chose pareil? Mais ce n'est rien à comparer de ce que je lis en ouvrant le journal. En caractères d'au moins deux pouces de gros, ça ne peut faire autrement que de me sauter en pleine face, je lis: J'AI ÉTÉ DÉVIERGÉE PENDANT QUE MA GRANDE SŒUR SE MASTURBAIT. En caractères plus petits: MA MÈRE VOULAIT FAIRE L'AMOUR À MON PETIT AMI. Un peu plus loin UN MARIAGE QUI VA PRESQUE JUSQU'AU MEURTRE et j'en passe.

Merde, qu'est-ce qui lui a pris d'écrire tout ça? Nous n'avons jamais, au grand jamais, discuté de tout ça en entrevue. Je m'empresse de lire le contenu et là, je comprends. Il n'a rien pris de ce que nous nous sommes dit en entrevue. Il a lu le livre et a fait des gros titres avec ce qui l'avait marqué. Après tout, fallait que je m'y attende, il n'avait fait que transcrire des bouts de pages de mon livre. Je ne pouvais pas lui en vouloir et je l'appelai pour lui en parler. J'ai été assez honnête pour lui avouer que sur le coup, je l'aurais volontiers égorgé (ç'aurait été lui qui aurait fait la première page de Photo-Police ce coup-là) mais que maintenant que j'avais pris le temps de le digérer, j'avais compris son geste et que je ne lui en voulais pas.

Bien sûr, avant de lui accorder une entrevue, j'avais demandé la permission à mes enfants, à savoir ce qu'ils en pensaient et ils étaient d'accord. Mais là, comment allaient-ils prendre la chose? Comment les gens se comporteraient-ils à leur égard? Les fuirait-on? Les regarderait-on de travers ou comme des bêtes de cirque? Toutes ces questions me trottaient dans la tête. Je me demandais sérieusement si je n'avais pas fait une gaffe.

Voilà, je n'avais pas le choix, je ne pouvais plus reculer en arrière et après les avoir eus devant moi, je leur tendis le journal. Ouf! mes enfants s'inquiétaient beaucoup plus de ma réaction à moi que d'eux-mêmes.

Vous vous doutez bien que lorsqu'un journaliste de **Dernière-Heure**, m'appela pour que je lui accorde une entrevue, j'étais sur mes gardes. Mais je m'en faisais pour rien, car tout se déroula à merveille et il me consacra deux pages dans sa revue hebdomadaire. À chaque fois que j'allais au dépanneur-du-coin, je me faisais taquiner:

–En tout cas Julie, depuis que ton livre est sorti, je n'ai jamais vendu autant de journaux dans une semaine. Même que le Photo-Police, on a manqué de copies. La même chose se répétait dans la ville de Lac-Mégantic. Ensuite, ce fut au tour de la radio de me consacrer une heure d'antenne. Tout le monde s'imaginait que je faisais une fortune en passant dans les journaux. Eh bien, détrompez-vous. Suis pas une figure connue comme la divine Céline et les journalistes ne sont pas prêts à m'offrir une fortune à moi pour une entrevue. Non moi, je ne suis que Julie-Nadeau, et je n'ai pas un sou pour paraître dans une revue. C'est un service que les journalistes me rendent en publiant leur compte-rendu, et je les en remercie. Tous n'ont pas eu ma chance et leur livre est passé inaperçu.

Par chance, mes enfants n'ont pas eu à subir d'inconvénients. La seule chose qu'ils se faisaient demander était: "Cé tu ta mère qui a écrit un livre?"

Mais moi, la mienne, ma vie avait complètement changé. Depuis toutes les parutions, je ne passais pas inaperçue. Que se soit à Sherbrooke, à St-Georges-de-Beauce ou à Lac-Mégantic, ou bien on venait simplement me voir et me demander si c'était bien moi l'auteure ou on me montrait du doigt en chuchotant "*J'te l'dis que cé elle qui est en première page du Photo-Police cette semaine.*"

C'est sûr qu'au départ, en écrivant mon histoire, je ne m'attendais pas à autant de publicité. Mais c'est fait et je ne regrette rien. Ça a aussi précipité ma rupture avec Maurice, je crois qu'il ne l'a jamais digéré, d'être ainsi le point de mire. Mais je sais que de toute façon, on en serait rendu là un jour ou l'autre. Si seulement vous vous imaginiez tout les coups bas dont j'ai été victime depuis la sortie du livre. Ma soeur Suzanne criait à qui voulait l'entendre: "*Ah! vous savez, le livre que ma soeur a écrit, dommage que ce ne soit que des menteries, car ça ferait une maudite bonne histoire, franchement, elle est bonne pour inventer.*" Propos que Pascalain se dépêchait de me répéter. De plus, elle ragotait sur le dos de mon éditeur, un personnage neutre s'il en est un.

Je savais qu'elle était prête à tout pour avoir Maurice de nouveau, prête à tout faire pour briser notre couple, mais de là à s'en prendre à mon éditeur, fallait qu'elle soit descendue basse, en crisse. Pareil à mon père, Suzanne avait besoin de faire du mal aux autres quand elle souffrait.

Faites-vous en pas, au travail à la SAAQ, elle avait même disposé une pyramide sur son bureau. Elle avait expliqué à Victoria qu'avec ça, elle pouvait demander ce qu'elle voulait et qu'elle l'obtiendrait. Et son voeu était que moi et Maurice on se sépare. Je ne sais pas si c'était du vaudou ou autre chose, mais je m'en foutais royalement.

Plusieurs personnes m'en ont voulu que je quitte Maurice parce qu'ainsi Suzanne avait réussi ce qu'elle manigançait depuis des années. Je l'avais laissée gagner, j'avais déclaré forfait. Mais je n'avais plus la force de me battre contre elle ni contre ses filles et son gendre. Et pour plusieurs, il représentait le parti idéal, il ne buvait pas, ne se droguait pas, ne dépensait pas abusivement, était bon travailleur. Mais vous qui me jugez, auriez-vous été capable d'endurer tout ce que ses filles m'ont fait subir?

Non, je n'ai pas de regrets d'avoir partagé mon vécu avec vous. Et je continuerai, quitte à déplaire à d'aucuns. Je serai là pour répondre à vos cris de détresse, à vous écouter et à vous réconforter. Que ce soit Louise, Nicole, Germaine, Armande, vous n'êtes pas les seules à souffrir. Non, vous n'êtes pas folles ou niaiseuses. Non, vous n'avez pas couru après votre malheur. Non, vous n'avez pas fait exprès pour vous faire"pitcher"dans le mur."

***

Chapitre 46

Nos parents nous ont laissé un lourd héritage de par leur passé.

Mon père était un profiteur, un abuseur qui plumait femme après femme, dont certaines n'ont pas encore refait leur vie depuis. J'ai des nouvelles de certaines d'entre elles. Claudette vit seule et est maintenant en paix, elle sera toujours présente dans mon coeur et dans mes pensées. Une autre de ses ex-blondes m'a raconté que quand elle a quitté mon père, celui-ci lui a écrit une lettre remplie de menaces. Il l'a même anéantie en lui disant qu'il avait une maladie qu'il lui avait transmise sexuellement et que les parties génitales lui pourriraient avant qu'elle ne crève dans d'atroces douleurs. Aujourd'hui, elle sait que ce n'est pas vrai, mais n'empêche qu'elle a passé par d'affreux doutes, une autre qui n'a pas refait sa vie, ayant été trop détruite.

Et enfin, la dernière et non la moindre, une de ses anciennes qui avait eu le cancer du sein et qui avait subi une chirurgie de la poitrine. Mon paternel la laissa tomber en lui disant qu'elle n'était pas une vraie femme, car dépourvue de tétons. La pauvre qui l'aimait à la folie se fit refaire une poitrine à la grande joie du bonhomme qui la reprit. Peu de temps plus tard, l'infection prenait dans son nouveau poitrail et elle dut se faire enlever ses implants. Mon père en profita donc pour la laisser tomber une dernière fois. Sa mort, je le constate encore davantage aujourd'hui ne fut pas un soulagement que pour moi et d'autres ont aussi dit OUF!

Quant à ma mère, l'héritage qu'elle nous laisse, c'est que son seul souci est elle-même. Elle a rejeté ses enfants et ses petits-enfants pour pouvoir s'envoyer en l'air en paix. Elle n'a jamais été juste envers quiconque et elle ment comme elle respire. Après que mon frère Serge fut hospitalisé pendant de longs mois quand il était jeune parce qu'elle l'avait frappé, j'ai su qu'elle avait dû passer un examen psychiatrique pour savoir si elle était apte à garder ses enfants. Je me suis fait dire qu'elle avait été déclarée folle. Mais encore là, c'est un sujet tabou dont elle n'a jamais voulu parler et qui doit rester secret. Nous, les enfants de cette famille éclatée, avons eu deux choix, soit suivre la voie qu'on nous a inculquée à savoir tricher, voler, mentir, abandonner et battre. Ou enterrer nos parents une fois pour toutes et se battre à tout prix pour ne pas leur ressembler. C'est ce que certains d'entre nous ont fait.

Aujourd'hui, je suis à 37 ans. Je n'ai toujours pas de nouvelles de ma mère et je m'en porte bien. Dans mon coeur et dans ma tête, elle est morte et j'en ai fait mon deuil. Mes enfants ne se souviennent plus d'elle, mes petits-enfants ne l'ont jamais vue et c'est mieux ainsi: on ne souffre pas de ce qu'on ne connaît pas.

Je suis maintenant grand-maman et croyez moi je prends mon rôle très au sérieux. Je leur donne tout l'amour qui m'a tant fait défaut. Mélissa n'a pas fait de rechute après son opération, elle se porte à merveille. Même après plusieurs années de vie avec ma fille, mon gendre est toujours irréprochable et il aime ma fille comme au premier jour, il en prend soin et s'occupe de leur enfant ensemble. Merci Martin, tu es la bonté même!

Jean-René et Jimmy travaillent tous les deux et ils demeurent encore avec moi. Tant et aussi longtemps qu'ils voudront rester à la maison, ils seront toujours les bienvenus. Je ne suis pas une mère parfaite, mais mes enfants ne pourront jamais me reprocher de ne pas les avoir aimés, ni d'avoir fait le maximum pour eux. Jean-René n'a toujours pas d'auto, et c'est bien ainsi. Même encore aujourd'hui, il se rappelle la seule fois où je l'avais fait garder avec sa soeur chez mon frère Claude. Le fameux épisode de l'os mangé de force, il est pas sur le point de l'oublier. Jimmy suit maintenant son cours de conduite-automobile et évidemment, il est allé passer sa théorie dans une autre ville que celle où travaille ma soeur chérie...

Serge est maintenant grand-papa 4 fois, je suis la marraine d'un de ses petits-fils, le plus beau cadeau que ma nièce et son mari aient pu me faire. On se voit régulièrement et à chaque fois qu'on s'appelle, on se répète continuellement qu'on s'aime. Il a déjà essayé de présenter ses petits-enfants à notre mère et le résultat a été catastrophique. On était tous invités à une épluchette de blé d'Inde. Mon frère prit ses petits-enfants par la main et les amena pour qu'ils fassent connaissance avec leur grand-mère. Cette dernière qui avait passablement bu, se sauva à la course dans la maison à l'approche de Serge et ses rejetons. Voulant fuir à tout prix, elle n'ouvrit pas la bonne porte et déboula les escaliers menant au sous-sol. Pas besoin d'un dessin pour savoir qu'elle ne veut rien savoir de nous.

Après que mon père fut décédé, Serge m'apprit finalement la vérité concernant l'histoire avec les gardes-chasse. C'est lui, mon frère, qui les avait appelés et avertis que le père s'apprêtait à aller chercher un gibier en pleine nuit et qu'il se doutait que c'était une femelle chevreuil. C'est la raison pour laquelle, les agents de la sécurité de la faune étaient là et n'ont eu qu'à l'arrêter.

Mario lui, suit toujours une thérapie pour essayer de se sortir des blessures psychologiques et physiques que nos parents lui ont fait subir. Peu avant la sortie de mon premier livre (*En attendant que le soleil se lève*), il était en pleine déprime et se culpabilisait continuellement du manque d'amour à notre égard. Pourquoi notre mère ne l'avait-elle pas aimé? Qu'avait-il fait de si terrible pour être ainsi rejeté? Pourquoi l'avait-on battu ainsi? La mort de mon père fut un soulagement immense pour lui et il attend celle de ma mère pour être enfin complètement libéré de son passé. On se voisine souvent et il est un oncle aimant pour nos enfants.

Quant à Claude il est le seul de mes frères à parler à ma

mère. Bien sûr, il est de sa race, lui. Voilà quelques années il a traîné le fils de sa femme en Cour et l'a fait passer pour délinquant irrécupérable, pour ne plus l'avoir à charge. Comme ma mère qui nous a abandonnés, il a fait de même avec son beau-fils. Pas étonnant qu'ils s'entendent si bien ensemble. Aujourd'hui, dans notre famille, on forme deux clans. Ceux qui aiment leurs enfants et qui leur donneraient la lune, soit Serge, Mario et moi, qui ne parlent plus à notre mère. Et de l'autre côté, Claude et Suzanne qui adorent sans bornes la chère femme et qui, comme elle, ont tous les deux abandonné leur progéniture.

Suzanne, ma soeur, la **créature du cimetière** toujours en quête d'un héritage quelque part, n'a pas changé et joue toujours aussi bien la comédie et les lèche-cul. Pour elle aussi, elle n'a qu'une fille qui compte, Catherina et son fils Steve. Les seuls à avoir des cadeaux d'anniversaire et de Noël et qui s'en vantent royalement à chaque fois. Ses deux soeurs Victoria et Lisbeth n'ont même pas droit à une carte ni rien. Elles aussi devront apprendre à oublier qu'elles ont une mère et une grand-mère quelque part. Sinon elles s'en rendront malheureuses à force de mendier une petite part d'amour. Je souffre pour elles, car je sais ce qu'elles doivent ressentir. Le sentiment d'abandon, je ne souhaite ça à personne.

Alors, malgré l'héritage reçu, j'essaie de m'en sortir. Car je ne voulais pour rien au monde, retransmettre un tel héritage à mes enfants. J'ai été abandonnée, je suis là à toute heure pour eux (*merci cellulaire!*). J'ai été frappée, je les ai caressés et cajolés. J'ai manqué d'amour, je leur dis que je les aime et chaque anniversaire est une occasion pour moi de leur écrire une lettre d'amour. Je n'ai pas d'argent à leur léguer, mais je leur laisse le plus bel héritage qui soit: L'AMOUR. Et j'ai toujours autant d'ados qui se rassemblent à la maison. Parfois, il y en a plus de 12, mais ma porte leur est ouverte. Après tout, qui peut les comprendre aussi bien que moi?

Je n'ai jamais eu de nouvelles de Carmel St-Pierre mon pire cauchemar (premier conjoint) et il n'a jamais essayé d'entrer en contact avec les enfants. Pas de lettres, pas d'appels, rien. Mélissa et Jean-René ont rencontré ses deux soeurs alors qu'elles étaient de passage dans la région. Je les ai accompagnés et ainsi, ils ont pu découvrir un peu de leur famille. Leurs tantes ont été formidables avec mes deux enfants.

Malgré l'échec de notre mariage, René est devenu un ami. Quand il vient chercher Jimmy, parfois il entre prendre un café. On a pas réussi notre union, mais on essaie de donner le meilleur de chacun de nous à notre fils.

Maintenant que j'ai réussi à guérir une partie de mon âme et de mon coeur en écrivant ma vie, je vais maintenant m'attaquer au physique. Dès que j'en serai financièrement capable, je vais me faire remboîter la mâchoire et me faire faire une chirurgie esthétique au-dessus de mon sein gauche. Alors là, Julie Nadeau sera vraiment morte et enterrée pour faire place à la nouvelle Julie; et la page du passé sera définitivement tournée.

Aujourd'hui, je sais qu'il n'y a que la ressemblance physique qui me rappelle ma mère et ma soeur. Je n'ai plus peur d'être comme elles, nous n'avons rien en commun, car j'ai brisé la tradition voulant qu'on abandonne nos enfants.

Merci, lectrices, lecteurs, d'avoir partagé tout ça avec moi et d'avoir su comprendre mon cri du coeur. Vous m'avez libérée d'un poids énorme et je vous en suis reconnaissante. Et n'oubliez jamais qu'il y a toujours de l'espoir, j'en suis la preuve vivante.

La nuit s'est achevée, le soleil s'est enfin levé et même si parfois le ciel a envie de s'assombrir, je sais que ce n'est que temporaire. Quand le soleil réapparaîtra, il brillera encore plus fort, car je lui ai fait une place dans ma vie. La vie est comme une montagne, on s'essouffle à monter en haut et sitôt arrivé, on descend quelquefois plus vite qu'on ne le pense."

À SUIVRE...

"Dans le prochain livre: comment j'ai dû
faire face à la drogue, au vol, à l'alcoolisme,
au suicide et à la dépendance affective."
Julie N.

www.andrémathieu.com